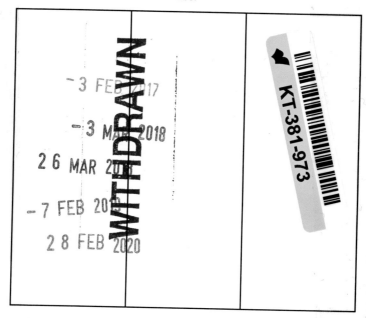

JAMES DASHNER

WIĘZIEŃ LABIRYNTU

Tłumaczenie Łukasz Dunajski

PAPIEROWYKSIĘŻYC

Słupsk 2011

Tytuł oryginału
The Maze Runner

Redaktor prowadzący
Artur Wróblewski

Redakcja
Sonia Miniewicz

Skład i łamanie
Wojciech Jan Pawlik (www.pawlik.es)

Projekt okładki
Krzysztof Krawiec

Wydanie I
Słupsk 2011

ISBN: 978-83-61386-10-0

Dystrybucja:

PLATON
DYSTRYBUCJA KSIĄŻEK

Platon Sp. z o.o.
ul. Sławęcińska 16
Macierzysz
05-850 Ożarów Mazowiecki
tel.: (22) 631–08–15

Wydawca:

PAPIER◯WY**KSIĘŻYC**

Wydawnictwo Papierowy Księżyc
skr. poczt. 220, 76–215 Słupsk 12
tel. 59 727–34–20, fax. 59 727–34–21
e–mail: wydawnictwo@papierowyksiezyc.pl
www.papierowyksiezyc.pl

Druk: WZDZ–Drukarnia Lega, Opole, 77 400–33–50

Dla Lynette.
Książka była trzyletnią podróżą,
w trakcie której nigdy we mnie nie zwątpiłaś.

Powstał, rozpoczynając nowe życie, otoczony przeszywającą ciemnością i stęchłym, zakurzonym powietrzem.

Dźwięk metalu uderzającego o metal; podłoga gwałtownie zadrżała i przewrócił się. Przeczołgał się na czworakach do tyłu, kropelki potu spływały z jego czoła pomimo przejmującego chłodu. Uderzył plecami o zimną, metalową ścianę. Wstał i przesuwał się wzdłuż niej, dopóki nie dotarł do kąta pomieszczenia. Osunął się na podłogę i przyciągnął nogi do tułowia, mając nadzieję, że jego oczy wkrótce przywykną do ciemności.

Przy kolejnym wstrząsie pomieszczenie szarpnęło w górę, niczym stara winda w szybie kopalnianym.

Dźwięki skrzypiących łańcuchów i mechanicznych kół, przywołujące na myśl starożytną fabrykę stali, rozbrzmiewały dookoła, odbijając się od ścian pustym, brzękliwym świstem. Pozbawiona światła winda kołysała się na boki, wjeżdżając na górę, przyprawiając go o mdłości; zapach spalonego oleju zaatakował jego zmysły, sprawiając, że poczuł się jeszcze gorzej. Zbierało mu się na płacz, jednak jego oczy pozostawały suche; mógł jedynie siedzieć samotnie w ciemności i czekać.

Nazywam się Thomas, pomyślał.

To... to była jedyna rzecz, jaką pamiętał ze swojej przeszłości.

Nie pojmował, jak to mogło być możliwe. Jego umysł funkcjonował bez zarzutu, próbując rozpoznać otoczenie i znaleźć wyjście z tej sytuacji. Fala informacji zalała jego myśli – fakty i obrazy, wspomnienia i szczegóły o świecie, o sposobie, w jaki ten świat funkcjonował. Przywołał obraz śniegu na drzewach, wspomnienie przejażdżki drogą zasypaną liśćmi, hamburgera z frytkami, księżyca rzucającego jasną poświatę na trawiastą łąkę, kąpieli w jeziorze, zgiełku i zamętu miejskiego życia o poranku.

Jednak nadal nie wiedział, skąd pochodził ani w jaki sposób znalazł się w spowitej ciemnością windzie, czy też kim byli jego rodzice. Nie pamiętał nawet swojego nazwiska. Obrazy ludzi przemykały mu przez głowę, jednak nie potrafił ich rozpoznać, twarze zastępowała udręczona plama kolorów. Nie potrafił sobie przypomnieć choćby jednej znanej mu osoby lub przywołać jakiejkolwiek rozmowy.

Wagon windy wciąż się wznosił, kołysząc się na boki. Thomas przyzwyczaił się do nieustannie szczękających łańcuchów, które wciągały go na górę. Upłynęło sporo czasu. Minuty zamieniły się w godziny, chociaż nie mógł być tego pewny, ponieważ każda sekunda wydawała się wiecznością. Nie. Był przecież sprytniejszy. Jego zmysły podpowiadały mu, że był w ruchu od co najmniej pół godziny.

Co dziwne, poczuł, jak strach go opuścił, zupełnie niczym chmara komarów przegoniona przez wiatr, ustępując miejsca wszechogarniającej go ciekawości. Chciał wiedzieć, gdzie się znajduje i co to wszystko oznaczało

Wagon, skrzypiąc i wydając dźwięk głuchego uderzenia, szarpnął i zahamował, sprawiając, że Thomas ponownie upadł na twardą podłogę. Zrywając się na nogi, poczuł, że wagon kołysze się coraz wolniej, aż w końcu zatrzymał się zupełnie.

Zapadła złowroga cisza.

Upłynęła minuta. Dwie. Spoglądał w każdym kierunku, jednak zewsząd ogarniała go ciemność. Szedł ponownie po omacku wzdłuż ściany w poszukiwaniu wyjścia. Jednak nie znalazł niczego prócz zimnego metalu. Jęk zawodu rozbrzmiał echem, niczym przenikliwe zawodzenie śmierci. Kiedy zaniknął, powróciła cisza. Krzyknął znowu, wzywając pomocy, uderzając pięściami w ścianę.

I nic.

Thomas wrócił z powrotem do kąta, objął kolana ramionami i zadygotał, a strach powrócił. Poczuł niespokojne drżenie w piersi, jak gdyby jego serce chciało się wyrwać i opuścić ciało.

– *Niech... ktoś... mi... pomoże!* – krzyknął. Każde słowo rozdzierało jego gardło przenikliwym wrzaskiem rozpaczy.

Nad jego głową rozległ się głośny brzęk – przestraszony, wciągnął gwałtownie powietrze, spoglądając w górę. Prosta linia światła przeszyła sufit, Thomas obserwował, jak się powiększała. Ciężki zgrzytliwy dźwięk ujawnił obecność podwójnych rozsuwanych drzwi, które po chwili stanęły otworem. Po tak długim czasie spędzonym w ciemności, światło raniło jego oczy; odwrócił wzrok, zasłaniając twarz dłońmi.

Usłyszał dźwięki dochodzące z góry – głosy – i strach sparaliżował jego ciało.

– Patrzcie na tego sztamaka!

– Ile może mieć lat?

– Wygląda jak klump w koszulce.

– Sam jesteś klump, smrodasie.

– Stary, ale tam śmierdzi pociskiem!

– Mam nadzieję, że podobała ci się przejażdżka, świeżuchu.

– Stąd nie ma powrotu, koleś.

Thomas poczuł ogarniającą go falę gorąca i paniki. Głosy były jakieś dziwne, rozbrzmiewały echem. Niektóre z nich wydawały mu się zupełnie obce – inne zaś znajome. Spojrzał spod przymrużonych powiek w stronę mówiących osób, starając się przyzwyczaić oczy do światła. Z początku dostrzegł jedynie przemieszczające się cienie, które wkrótce przybrały kształt ludzi nachylających się nad wyrwą w suficie, spoglądających na niego i wskazujących go palcem.

Nagle, zupełnie jak gdyby ktoś wyregulował ostrość jego wzroku, twarze stały się wyraźne. Jego oczom ukazali się chłopcy – niektórzy młodsi, inni starsi. Thomas nie wiedział, czego się spodziewać, jednak ich widok zaskoczył go. Byli nastolatkami. Dzieciakami. Niektóre z jego obaw odpłynęły, jednak nie na tyle daleko, aby uspokoić łomoczące wciąż serce.

Ktoś spuścił linę, na końcu której znajdowała się wielka pętla. Thomas zawahał się, następnie podszedł i wsadził do niej prawą stopę; ściskał ją mocno, podczas gdy ktoś na górze wciągał go w stronę światła. Zobaczył las dłoni, całe mnóstwo rąk, i te dłonie chwyciły go za ubranie, wciągając na górę. Rzeczywistość zdawała się wirować kłębiącą się mgłą twarzy, kolorów i świateł. Burza emocji rozrywała mu wnętrzności; chciał krzyczeć, zbierało mu się na płacz i wymioty. Chóralne głosy ucichły, kiedy wyciągano go z ciemnego kontenera i ktoś do niego przemówił. Wiedział, że nigdy nie zapomni tych słów.

– Miło cię poznać, sztamaku – powiedział chłopak. – Witaj w Strefie.

Wciągające go dłonie w końcu zniknęły, gdy Thomas stanął twardo na ziemi i otrzepał kurz z koszulki i spodni. Wciąż oślepiony światłem, zachwiał się. Zżerała go ciekawość, jednak czuł się zbyt słabo, aby dokładniej przyjrzeć się otoczeniu. Jego nowi towarzysze milczeli, kiedy obracał głowę we wszystkie strony, starając się rozejrzeć wokoło.

Gdy obracał się powoli, pozostałe dzieciaki chichotały, przyglądając się mu. Niektórzy chłopcy wyciągnęli ręce i szturchali go palcami. Musiało ich być co najmniej pięćdziesięciu. Mieli poplamione i przepocone ubrania, jak gdyby wrócili po ciężkim dniu pracy. Byli różnej postury, wzrostu oraz rasy, a ich włosy miały różną długość. Nagle zakręciło mu się w głowie. Zamrugał oczami, przyglądając się twarzom chłopców oraz dziwnemu miejscu, w którym się znalazł.

Stali pośrodku olbrzymiego dziedzińca wielkości siedmiu boisk piłkarskich, otoczonego z czterech stron potężnym murem z szarego kamienia, który pokrywał gęsty bluszcz. Wysokie na kilkadziesiąt metrów ściany tworzyły idealny kwadrat wokół nich, a w każdej z nich, dokładnie pośrodku, znajdowała się długa szczelina, za którą rozpościerały się ścieżki i długie korytarze.

– Patrzcie na tego szczylniaka – rozbrzmiał chropowaty głos. Thomas nie widział, kto wypowiedział te słowa. – Od tego kręcenia się w kółko koleś skręci sobie kark.

Kilku chłopców wybuchnęło śmiechem.

– Zawrzyj twarzostan, Gally! – wtrącił ktoś niskim głosem. Thomas ponownie skupił wzrok na tłumie obcych stojących przed nim. Wiedział, że musi mieć się na baczności – czuł się, jakby był pod wpływem środków odurzających. Wysoki, jasnowłosy chłopak o kwadratowej szczęce powąchał go, jego twarz pozbawiona była jakiegokolwiek wyrazu. Niski, pulchny koleś wiercił się nieustannie, spoglądając na Thomasa wybałuszonymi oczami. Krępy, umięśniony Azjata skrzyżował ramiona, przyglądając się mu, a podwinięte rękawy obcisłej koszulki uwidoczniły bicepsy. Ciemnoskóry chłopak – ten sam, który go powitał – spojrzał na niego z marsową miną. Niezliczona reszta wpatrywała się w niego.

– Gdzie jestem? – zapytał Thomas, zdziwiony tembrem własnego głosu. Nie brzmiał tak, jak powinien, był wyższy, niż się spodziewał.

– Na pewno nie u mamy – rzucił ciemnoskóry chłopak.
– Wylaksuj.

– Do którego Opiekuna trafi? – krzyknął ktoś z głębi tłumu.

– Mówiłem, smrodasie – odpowiedział ostry i przenikliwy głos. – To klump, więc będzie Pomyjem. Bez dwóch zdań.

Chłopak roześmiał się, jak gdyby opowiedział najlepszy kawał w życiu.

Thomas ponownie poczuł uporczywy mętlik w głowie, słysząc tak wiele słów i zdań, które pozbawione były sensu. *Sztamak. Smrodas. Opiekun. Pomyj.* Wyskakiwały z ust chłopaków tak naturalnie, że czuł się nieswojo, nie znając ich znaczenia. Zupełnie jakby wraz z utratą pamięci utracił również część rozumienia mowy.

Ocean emocji zalewał jego umysł i serce. Zdezorientowanie. Ciekawość. Panika. Strach. Jednak przede wszystkim ogarniało go ponure uczucie rozpaczy, jak gdyby świat, który znał, przestał istnieć, został wymazany z jego pamięci i zastąpiony obrzydliwym substytutem. Pragnął uciec jak najdalej od tych ludzi i tego miejsca.

Chłopak o szorstkim głosie przemawiał:

– ...nawet tego nie zrobi, dam sobie za to rękę uciąć.

Thomas w dalszym ciągu nie widział jego twarzy.

– Powiedziałem, zawrzyj twarzostan! – krzyknął ciemnoskóry młodzieniec. – Lepiej zwijaj chlipadło, inaczej ci je ukrócę!

To musiał być ich przywódca, uświadomił sobie Thomas. Nie mogąc znieść widoku wpatrujących się w niego kilkudziesięciu par oczu, skupił swoją uwagę na przyglądaniu się miejscu, które tamten chłopak nazwał Strefą.

Podłoże dziedzińca wyłożono olbrzymimi kamiennymi blokami. Wiele z nich było naznaczonych pęknięciami, spomiędzy których wyrastały chwasty i trawa. W pobliżu jednego z narożników dziedzińca znajdował się dziwny, rozpadający się drewniany budynek, który wyróżniał się na tle szarego kamienia. Wokół niego znajdowało się kilka drzew, których korzenie niczym pazury przebijały kamienną podłogę w poszukiwaniu pożywienia. W innym rogu znajdowały się uprawy – z miejsca, w którym stał, Thomas rozpoznał kukurydzę, sadzonki pomidorów, drzewa owocowe.

Po drugiej stronie dziedzińca znajdowały się drewniane zagrody dla owiec, świń oraz krów. Spora kępa drzew w ostatnim z narożników wyglądała na uschniętą i obumarłą. Pogodne niebo mieniło się błękitem, jednak Thomas nie dostrzegał śladu promieni słońca, pomimo blasku dnia. Pełzające po murach cienie nie zdradzały czasu ani kierunku – równie dobrze mógł być wczesny poranek, jak i późne popołudnie. Gdy wziął głęboki oddech, starając się uspokoić nerwy, zaatakowała go mieszanka zapachów: świeżo przekopanej ziemi, nawozu, zapachu sosny, czegoś zgniłego oraz czegoś słodkiego. Z jakiegoś powodu wiedział, że były to zapachy gospodarstwa.

Thomas spojrzał na swoich porywaczy, odczuwając dziwną, acz konieczną potrzebę zadania im pytań.

Porywacze, pomyślał. Dlaczego to słowo pojawiło się w mojej głowie?

Spojrzał na nich, przyjrzał się dokładnie ich twarzom. Oczy jednego z chłopców płonęły nienawiścią. Wyglądał na tak rozwścieczonego, że Thomas nie zdziwiłby się, gdyby ten dzieciak wyskoczył na niego z nożem. Miał czarne włosy, a kiedy ich oczy się spotkały, chłopak pokiwał głową i odwrócił się, odchodząc w kierunku śliskiego, żelaznego słupa i drewnianej ławki. Wielokolorowa flaga zwisała nieruchomo na szczycie masztu, jednak z powodu braku wiatru nie mógł dostrzec jej wzoru.

Wstrząśnięty Thomas wpatrywał się w plecy chłopaka, dopóki ten nie odwrócił się i nie usiadł. Thomas szybko spojrzał w inną stronę.

Nagle przywódca grupy, który wyglądał na jakieś siedemnaście lat, zrobił krok naprzód. Miał na sobie zwyczajne ubranie: czarny podkoszulek, jeansy, tenisówki, zegarek cyfrowy. Z jakiegoś powodu jego ubiór zaskoczył Thomasa. Wyobrażał sobie, że powinni tu nosić coś bardziej złowieszczego, niczym więzienny uniform. Ciemnoskóry chłopak miał krótko przycięte włosy i gładko ogoloną twarz. Lecz poza zmarszczonymi brwiami, nie było w nim nic groźnego.

– To długa historia, sztamaku – przemówił. – Z czasem zrozumiesz. Jutro zabiorę cię na Wycieczkę. Do tego czasu... postaraj się niczego sobie nie połamać. – Wyciągnął do niego dłoń. – Jestem Alby – powiedział, wyraźnie czekając na uścisk dłoni.

Thomas odmówił. Instynkt przejął kontrolę nad jego czynami. Bez słowa odwrócił się, podszedł do pobliskiego drzewa i usiadł, opierając się plecami o szorstką korę. Fala paniki, niemal nie do zniesienia, ponownie zalała jego ciało. Wziął jednak głęboki oddech, starając się pogodzić z sytuacją.

Uspokój się, pomyślał. Niczego nie wymyślisz, jeżeli pozwolisz, aby strach tobą zawładnął.

– Opowiedz mi – zawołał Thomas, starając się opanować głos. – Opowiedz mi tę długą historię.

Alby spojrzał na kompanów stojących przy nim, przewracając oczami, a Thomas ponownie przyjrzał się tłumowi chłopców. Jego pierwotne obliczenia nie odbiegały daleko od rzeczywistości – było ich pięćdziesięciu lub sześćdziesięciu, począwszy od dziesięciolatków aż po niemal dorosłych, jak Alby, który wydawał się jednym z najstarszych. W tej właśnie chwili Thomas poczuł, jak serce podchodzi mu do gardła. Uświadomił sobie właśnie, że nie wie, ile sam ma lat.

– Poważnie – powiedział, porzucając maskę odwagi. – Co to za miejsce?

Alby podszedł do niego i usiadł po turecku. Tłum chłopców zgromadził się za nimi. Zaglądali z każdej strony, aby lepiej widzieć.

– Jeżeli się nie boisz – powiedział Alby – to znaczy, że nie jesteś człowiekiem. A jeżeli będziesz dziwaczył, to zrzucę cię z Urwiska, bo to będzie oznaczało, że jesteś wariatem.

– Z Urwiska? – zapytał Thomas, a krew odpłynęła mu z twarzy.

– Purwa – powiedział Alby, przecierając oczy. – Nie było tematu, rozumiesz? Nie tłuczemy sztamaków, możesz mi wierzyć. Po prostu nie daj się zabić, postaraj się przeżyć, rozumiesz?

Przerwał i Thomas uświadomił sobie, że krew musiała już całkowicie odpłynąć z jego twarzy po tym, co przed chwilą usłyszał.

– Posłuchaj – powiedział Alby, a następnie przejechał dłonią po swoich krótko ostrzyżonych włosach i westchnął. – Nie jestem w tym dobry. Jesteś pierwszym sztamakiem od czasu, kiedy zginął Nick.

Thomas otworzył szeroko oczy, a kolejny chłopak zrobił krok naprzód i trzasnął Alby'ego w głowę.

– Wstrzymaj się do cholernej Wycieczki – powiedział z dziwnym akcentem, ochrypłym głosem. – Dzieciak nam tu skona ze strachu, a jeszcze nic nie usłyszał. – Pochylił się i wyciągnął dłoń w kierunku Thomasa. – Jestem Newt, świeżuchu. Mam nadzieję, że wybaczysz ten klumpo-bełkot naszemu nowemu szefostwu.

Thomas wyciągnął rękę i uścisnął dłoń chłopca, który sprawiał wrażenie sympatyczniejszego niż Alby. Był też od niego wyższy, jednak wydawał się o rok młodszy. Miał długie blond włosy, które opadały na umięśnione ramiona.

– Morda, smrodasie – burknął Alby, ciągnąc go za ramię, aby usiadł przy nim. – Przynajmniej rozumie połowę z tego, co do niego mówię. – Kilka pojedynczych śmiechów dobiegło zza ich pleców, a następnie wszyscy zebrali się za Albym i Newtem, stając jeszcze bliżej siebie, aby przysłuchiwać się rozmowie.

Alby rozłożył ręce dłońmi do góry.

– To miejsce to Strefa. Tutaj mieszkamy, jemy i śpimy. My jesteśmy Streferami. To wszystko, co...

– Kto mnie tu przysłał? – zapytał Thomas, żądając odpowiedzi, porzucając strach i dając upust złości. – Skąd...

Jednak zanim zdążył zadać kolejne pytanie, Alby chwycił go za koszulkę i pochylił się, wsparty na kolanach.

– Wstawaj, sztamaku, no wstawaj! – powiedział, unosząc się i ciągnąc Thomasa za sobą.

Thomas, cały rozdygotany, w końcu się podniósł. Oparł się o drzewo, próbując wyrwać się z uścisku Alby'ego, który stał naprzeciw niego.

– Nie przerywaj mi, chłoptasiu! – wrzasnął Alby. – Purwa, jeżeli powiemy ci wszystko, co chcesz usłyszeć, to zdechniesz na miejscu, a jeszcze wcześniej walniesz klumpa w portki. Grzebacz wyciągnie cię za kopyta i tyle będziemy mieli z ciebie pożytku.

– Nie wiem, o czym mówisz – odparł powoli Thomas, zdumiony stanowczością w swoim głosie.

Newt chwycił Alby'ego za ramiona.

– Stary, wylaksuj. Swoim kazaniem narobisz więcej szkody niż pożytku.

Alby puścił koszulkę Thomasa i cofnął się, dysząc ciężko.

– To nie przedszkole, szczylniaku. Zapomnij o dawnym życiu, rozpocząłeś nowe. Wykuj zasady i przestrzegaj ich. Słuchaj, gdy do ciebie mówię, i nie pyskuj. Zrozumiałeś?

Thomas spojrzał na Newta w poszukiwaniu pomocy. Poczuł, jak ból i mdłości wykręcają jego wnętrzności. Łzy, które starał się powstrzymać, paliły jego oczy.

Newt skinął głową.

– Rozumiesz, co do ciebie gada, świeżuchu?

Skinął ponownie.

Thomas aż kipiał ze złości, chciał komuś przywalić. Zamiast tego mruknął:

– Tak.

– Ogay – powiedział Alby. – Dzisiaj jest twój Pierwszy Dzień, sztamaku. Ściemnia się, niedługo wrócą Zwiadowcy. Pudło przyjechało dzisiaj później, nie mamy więc czasu na Wycieczkę. Pójdziemy jutro, z samego rana. – Odwrócił się w stronę Newta. – Znajdź mu jakąś pryczę i dopilnuj, żeby się położył.

– Ogay – odpowiedział Newt.

Alby ponownie spojrzał na Thomasa, mrużąc oczy.

– Za kilka tygodni ci przejdzie, Njubi, i wtedy się przydasz. Żaden z nas Pierwszego Dnia niczego nie wiedział. Jutro rozpoczynasz nowe życie.

Alby odwrócił się i zaczął się przeciskać przez tłum stojących za nimi chłopaków, a następnie udał się w stronę skośnego, drewnianego budynku w rogu. Większość dzieciaków zaczęła się rozchodzić, jednak zanim to nastąpiło, każdy z nich obrzucił Thomasa znudzonym spojrzeniem.

Thomas skrzyżował ramiona, zamknął oczy i wziął głęboki oddech. Poczuł, jak jego ciało wypełnia pustka, którą natychmiast zastąpił smutek przeszywający serce. Tego było za wiele – gdzie on w ogóle się znajdował? Co to za miejsce? Jakieś więzienie czy co? Jeżeli tak, dlaczego go tutaj zesłano i na jak długo? Język, którym wszyscy się tutaj posługiwali, był jakiś dziwny i wydawało się, że żaden z chłopców nie przejąłby się tym, czy Thomas pozostanie żywy, czy martwy. Łzy ponownie napłynęły mu do oczu, jednak tym razem nie pozwolił im wypłynąć.

– Co takiego zrobiłem? – wyszeptał do samego siebie. – Co takiego zrobiłem, że mnie tutaj zesłano?

Newt poklepał go po ramieniu.

– Przechodzisz, świeżuchu, dokładnie przez to samo co my, kiedy się tutaj znaleźliśmy. Każdy z nas miał swój Pierwszy Dzień, wyłażąc z tej ciemnej puchy. Nie jest kolorowo i nie będzie, o czym wkrótce przekonasz się na własnej skórze. Tak czy owak, wiem, że dasz z siebie wszystko. Przecież widzę, że nie jesteś zafajdanym maminsynkiem.

– Czy jesteśmy w więzieniu? – zapytał Thomas. Próbował przekopać mroczną otchłań swojej pamięci w poszukiwaniu jakiejkolwiek wyrwy w przeszłości.

– Nazadawałeś już sporo pytań jak na początek, stary. Nie mam dla ciebie odpowiedzi, przynajmniej nie teraz. Najlepiej będzie, jeśli przestaniesz zadawać pytania i pogodzisz się ze zmianą. Jutro będzie nowy dzień.

Thomas nie odpowiedział. Spuścił głowę, wpatrując się w skaliste, popękane podłoże. Dostrzegł pasmo chwastów obrastających krawędź jednego z kamiennych bloków, spod których ciekawsko wyglądały drobne, żółte kwiaty poszukujące słońca, które dawno już skryło się za olbrzymimi murami Strefy.

– Przekimasz się u Chucka – powiedział Newt. – Może i jest trochę tłustawy, ale w porządku z niego chłopina. Poczekaj na mnie, zaraz wracam.

Ledwo Newt skończył wypowiadać zdanie, kiedy nagły, przeszywający krzyk rozdarł powietrze. Wysoki i piskliwy, niemal nieludzki wrzask rozbrzmiał echem, odbijając się od kamiennego podłoża dziedzińca. Wszyscy zebrani zwrócili się w kierunku źródła przenikliwego dźwięku. Thomas poczuł, jak krew przemierzająca korytarze jego żył zamienia się w lodowatą breję, kiedy zdał sobie sprawę, że przerażający wrzask dobiegał z drewnianego budynku.

Również Newt podskoczył i zmarszczył czoło, wyraźnie zaskoczony.

– Purwa! – powiedział. – Czy ten cholerny Plaster nie potrafi poradzić sobie z tym chłopakiem beze mnie? – Pokiwał głową i kopnął lekko Thomasa w nogę. – Znajdź Chucka, powiedz mu, że ma ci załatwić wyro. – Następnie odwrócił się i pobiegł w kierunku drewnianego budynku.

Thomas zsunął się na ziemię, opierając się plecami o szorstką korę drzewa. Podkulił nogi i zamknął oczy w nadziei, że kiedy ponownie je otworzy, ten przerażający koszmar się skończy.

Thomas siedział w miejscu przez dłuższą chwilę, zbyt przytłoczony, by się ruszyć. W końcu zmusił się, aby spojrzeć na rozwalający się budynek. Przed wejściem zgromadziło się kilku chłopaków, którzy wpatrywali się niespokojnie w górne okna, jak gdyby spodziewali się ujrzeć tam szkaradnego potwora wyskakującego w eksplozji odłamków drewna i szkła.

Jego uwagę przykuł metaliczny dźwięk przypominający stukanie, dobiegający z gałęzi powyżej. Spojrzał w górę i dostrzegł błysk srebrno-czerwonego światła, tuż przed tym, jak zniknęło po drugiej stronie pnia. Zerwał się na nogi i obszedł drzewo dookoła, nachylając się w poszukiwaniu jakiegokolwiek śladu tego, co usłyszał, jednak dostrzegł jedynie szare i brązowe gałęzie, ułożone w kształcie palców szkieletu i wyglądające równie żywo jak on.

– To żukolec – odezwał się ktoś z tyłu.

Thomas odwrócił się i dostrzegł stojącego nieopodal chłopaka, niskiego i pękatego, który wpatrywał się w niego. Wyglądał bardzo młodo – był prawdopodobnie najmłodszy z wszystkich chłopców, których dotychczas poznał. Miał dwanaście lub trzynaście lat. Brązowe włosy opadały mu na uszy i szyję, sięgając ramion. Błękitne oczy spoglądały na niego, błyszcząc na smutnej, obwisłej i zarumienionej twarzy.

Thomas skinął głową w jego kierunku.

– Żuko co?

– Żukolec – opowiedział chłopiec, wskazując na drzewo.

– Nic ci nie zrobi, chyba że jesteś na tyle głupi, by go dotknąć... – zawahał się – sztamaku.

Ostatnie słowo nie zabrzmiało w jego ustach naturalnie, jak gdyby nie przyswoił jeszcze slangu panującego w Strefie. Kolejny wrzask, tym razem długi i pełen boleści, rozdarł powietrze i serce Thomasa zamarło. Paraliżujący strach przeszył go dreszczem, jakby lodowata rosa dotknęła jego rozpalonej skóry.

– Co się tam dzieje? – zapytał, wskazując budynek.

– Nie wiem – odpowiedział pucołowaty chłopak, wciąż wyraźnie dziecinnym, przerażonym głosem. – Ben tam leży, jest bardzo chory. To *Oni* go dopadli.

– *Oni*? – Thomasowi nie spodobał się sposób, w jaki chłopiec wypowiedział to słowo.

– Dokładnie.

– Kim są *Oni*?

– Módl się, abyś się o tym nigdy nie dowiedział – odpowiedział Chuck tonem bardziej pewnym siebie, niż wskazywała na to sytuacja. – Jestem Chuck. Byłem świeżuchem, zanim ty się pojawiłeś.

To ma być moja obstawa na noc? – zapytał w myślach Thomas. Nie mógł się pozbyć uczucia strasznego dyskomfortu, a teraz doszła do tego jeszcze irytacja. To jakiś absurd. Jego głowa pulsowała.

– Dlaczego wszyscy nazywają mnie świeżuchem? – zapytał, ściskając pospiesznie dłoń Chucka i wypuszczając ją od razu.

– Bo jesteś ostatni Njubi – odpowiedział ze śmiechem. Kolejny krzyk dobiegł z domu, dźwięk, który brzmiał jak skowyt głodzonego, torturowanego zwierzęcia.

– Jak możesz się śmiać? – zapytał Thomas, przerażony hałasem. – To brzmi tak, jakby ktoś tam umierał.

– Nic mu nie będzie. Nikt nie umiera, o ile wróci na czas i dostanie Serum. Wóz albo przewóz. Albo igła w pupsko, albo zdychasz. Tylko boli.

Thomas zawahał się przez chwilę.

– Co boli?

Chuck spuścił wzrok, jakby niepewny odpowiedzi.

– Hmm, bycie użądlonym przez Bóldożerców.

– Bóldożerców? Thomas robił się coraz bardziej zdezorientowany. *Użądlenie... Bóldożercy.* Słowa przepełnione były trwogą i uświadomił sobie, że nie jest już pewien, czy na pewno chce usłyszeć więcej.

Grubasek wzruszył ramionami i odwrócił się, przewracając oczyma.

Thomas westchnął, dając wyraz swojej frustracji, i oparł się o drzewo.

– Wygląda na to, że wiesz niewiele więcej ode mnie – powiedział, zdając sobie sprawę, że to nie była prawda. Utrata pamięci wprawiała go w zakłopotanie. Pamiętał doskonale, jak funkcjonował świat, jednak miał kompletną lukę w pamięci odnośnie detali, twarzy i nazwisk. Zupełnie jak w książce, w której w każdym zdaniu brakowało kluczowego słowa umożliwiającego mu zrozumienie całości. Nie wiedział nawet, ile miał lat.

– Chuck, jak myślisz... Ile mam lat?

Chłopak przyjrzał mu się dokładnie.

– Jakieś szesnaście, i gdybyś był ciekawy, to masz około metra osiemdziesięciu. Szatyn. No i jesteś szpetny jak psie jądra – powiedział, po czym parsknął śmiechem.

Thomas był tak zdumiony, że ledwo dosłyszał ostatnie zdanie. Szesnaście? Miał szesnaście lat? Czuł się o wiele starzej.

– Jesteś pewny? – przerwał, szukając słów. – Skąd...

Nie wiedział nawet, o co dokładnie chciał zapytać.

– Nie martw się, przez kilka dni będziesz chodził otępiały, jednak w końcu się oswoisz z tym miejscem. Ja tak zrobiłem. To jest teraz nasz dom. Lepsze to niż kupa klumpu. Spojrzał na niego, przewidując jego kolejne pytanie. – *Klump* to synonim stolca. Klump to dźwięk spadającego klocka do muszli.

Thomas spojrzał na Chucka, nie mogąc uwierzyć własnym uszom.

– Fajnie. – To wszystko, co był w stanie odpowiedzieć. Wstał i podszedł do starego budynku. *Buda* – to było odpowiednie słowo, aby go określić. Wysoki na dwa lub trzy piętra, wyglądał, jak gdyby miał się za chwilę zawalić – szalone skupisko kłód, desek, grubych sznurów i pozornie przymocowanych okien. Za nim masywne, obrośnięte bluszczem kamienne ściany. Idąc przez dziedziniec, Thomas wyczuł wyraźną woń pieczonego mięsa i palonego drewna, która sprawiła, że skręciło go w żołądku. Wiedząc, że okrzyki wydawał ten chory chłopak, poczuł się lepiej. Dopóki nie pomyślał o tym, co je spowodowało...

– Jak ci na imię? – zapytał Chuck, starając się go dogonić.

– Co?

– Jak się *nazywasz*? Nadal nam nie powiedziałeś. A wiem, że to pamiętasz.

– Thomas – wymamrotał, myślami przebywając gdzie indziej. Jeżeli Chuck miał rację, właśnie odnalazł powiązanie z innymi mieszkańcami Strefy. Wspólna utrata pamięci. Wszyscy mieszkańcy Strefy pamiętali swoje imiona. Dlaczego nie pamiętali imion swoich rodziców? Albo przyjaciół? Dlaczego nie pamiętali swoich *nazwisk*?

– Miło cię poznać – odpowiedział Chuck. – Nic się nie martw, zajmę się tobą. Jestem tu już od miesiąca i znam to miejsce jak własną kieszeń. Możesz na mnie liczyć.

Thomas znajdował się już pod drzwiami chaty, przed którą stała niewielka grupa dzieciaków, gdy poczuł w sobie przypływ nagłej wściekłości. Odwrócił się twarzą w stronę Chucka.

– Ty sam nic nie wiesz, więc nie wmawiaj mi, że mogę na ciebie liczyć! – Odwrócił się ponownie w stronę drzwi z zamiarem odnalezienia odpowiedzi na kilka pytań. Nie wiedział jednak, skąd znalazł w sobie ukryte pokłady determinacji i odwagi.

Chuck wzruszył ramionami.

– Cokolwiek powiem, to i tak nie sprawi, że nagle poczujesz się lepiej – rzucił. – Sam ciągle jestem Njubi. Możemy się jednak zakumplować...

– Obejdzie się – przerwał mu Thomas.

Był już przy drzwiach, ohydnej, wyblakłej od słońca zbitce desek. Otworzył je i jego oczom ukazała się grupa niewzruszonych dzieciaków stojąca na powykrzywianych schodach, których poręcz była poskręcana i powykrzywiana we wszystkich kierunkach. Ściany pokoju i korytarza oklejono ciemną, odłażącą już tapetą. Jedyną dekoracją, jaką dostrzegł, był zakurzony wazon na trójnożnym stoliku oraz zniszczone czarno-białe zdjęcie kobiety w bieli. Ogólnie dom sprawiał wrażenie nawiedzonego, zupełnie jak z filmów grozy. Brakowało nawet niektórych desek w podłodze.

Wszystko śmierdziało tu kurzem i stęchlizną – w odróżnieniu od przyjemnych zapachów z zewnątrz. Światło migoczących lamp fluorescencyjnych rozchodziło się po suficie. Nie zastanawiał się wcześniej nad tym, skąd mieszkańcy Strefy pobierali prąd. Spojrzał na starszą kobietę na zdjęciu, zastanawiając się, czy nie mieszkała wcześniej w tym domu i nie opiekowała się tymi osobami.

– Patrzcie, szczylniak przylazł – zawołał jeden ze starszych chłopaków. Zorientował się, że był to ten sam czarnowłosy chłopak, który wcześniej rzucił mu zabójcze spojrzenie. Wyglądał na jakieś piętnaście lat, był wysoki i szczupły. Jego nos, wielkości małej pięści, przypominał zdeformowanego kartofla. – Świeżuch pewnie sklumpał się w gacie, gdy usłyszał babski krzyk małego Bena. Szukasz klumpersa, smrodasie?

– Nazywam się Thomas. – Chciał jak najszybciej zejść mu z oczu. Bez słowa podszedł do schodów, tylko dlatego, że były najbliżej, tylko dlatego, że nie wiedział, co zrobić. Tyran zastawił mu drogę i podniósł dłoń.

– Chwila, świeżynko – powiedział, wskazując kciukiem piętro nad nimi. – Njubi nie mogą oglądać... *zainfekowanych*. Alby i Newt tak nakazali.

– O co ci chodzi? – zapytał Thomas, starając się opanować głos i nie przywiązywać wagi do tego, co tamten miał na myśli, mówiąc *zainfekowany*. – Nie wiem, gdzie jestem. Szukam jedynie pomocy.

– Posłuchaj, szczylniaku. – Chłopak zmarszczył czoło i skrzyżował ręce. – Już cię wcześniej widziałem. Coś mi tu śmierdzi i dowiem się, co to jest.

Fala ognia przepłynęła przez żyły Thomasa.

– W życiu na oczy cię nie widziałem. Nie mam pojęcia, kim jesteś, i nie chcę wiedzieć – wyrzucił z siebie. Prawdę mówiąc, nie wiedział, skąd miałby go znać. I jakim cudem ten dzieciak mógł go pamiętać?

Chłopak parsknął śmiechem połączonym z odcharknięciem flegmy. Potem jego twarz stała się poważna. Zmarszczył brwi.

– Widziałem cię... świeżuchu. Niewielu ludzi tutaj może powiedzieć, że zostali użądleni. – Wskazał palcem na piętro nad nimi. – Ja zostałem. Wiem, przez co przechodzi mały Benny. Byłem tam i widziałem cię w trakcie Przemiany. – Wyciągnął palec i trącił go w pierś. – Założę się o żarcie Patelniaka, że Benny powie to samo.

Thomas spoglądał w jego oczy, jednak nie odezwał się ani słowem. Panika zawładnęła nim ponownie. Lepiej być nie może. Co jeszcze na niego czekało?

- Bóldożerca sprawił, że złałeś się w gacie? - zapytał chłopak z sarkazmem. - Maleństwo się przestraszyło? Nie chciałbyś, aby cię użądlił, prawda?

Znowu to słowo. *Użądlić.* Thomas starał się o tym nie myśleć i spojrzał w kierunku schodów, skąd dobiegały jęki chorego, odbijające się echem od ścian.

- Jeżeli Newt tam jest, to chcę z nim porozmawiać.

Chłopak nie odpowiedział, wpatrując się w Thomasa przez dłuższą chwilę. Następnie pokręcił głową.

- Wiesz co, Tommy... masz rację, nie powinienem być taki ostry dla Njubasów. Śmigaj na górę, jestem pewien, że Alby i Newt ci o wszystkim opowiedzą. Śmiało. Sorry za tamto.

Poklepał go lekko w ramię, a następnie zrobił krok w tył, wskazując głową w stronę schodów. Thomas wiedział jednak, że chłopak coś kombinuje. To, że stracił pamięć, nie oznaczało wcale, że jest idiotą.

- Jak się nazywasz? - zapytał Thomas, próbując zyskać na czasie, zanim zdecyduje, co dalej.

- Gally. I nie daj się oszukać. To ja tutaj jestem przywódcą, a nie te dwa dziady na górze. Ale ja. Możesz się do mnie zwracać Kapitanie Gally, jeśli chcesz.

Po raz pierwszy się uśmiechnął. Jego zęby idealnie komponowały się z obrzydliwym nosem. Brakowało mu dwóch lub trzech jedynek, a żaden z pozostałych zębów w życiu nie miał kontaktu ze szczoteczką. Odór wydobywający się z ust Gally'ego przywołał z pamięci Thomasa okropne wspomnienia i sprawił, że go zemdliło.

- W porządku - powiedział. Miał już dość tego chłopaka i marzył, aby walnąć go w twarz. - Zatem niech będzie *Kapitan Gally.* - Nabuzowany adrenaliną, przesadnie zasalutował, zdając sobie sprawę, że przesadził.

Za ich plecami rozbrzmiał chichot zgromadzonych osób i Gally spojrzał w ich stronę, rumieniąc się. Kiedy Thomas zwrócił oczy ku niemu, dostrzegł wymalowaną na jego twarzy – na pomarszczonym czole i olbrzymim nosie – nienawiść.

– Idź – powiedział Gally. – I trzymaj się z dala ode mnie, krótasie.

Wskazał na schody, tym razem nie odrywając od Thomasa wzroku.

– W porządku. – Thomas rozejrzał się dookoła po raz kolejny, zawstydzony, zmieszany i wściekły. Czuł, jak krew napływa mu do twarzy. Nikt nie starał się go powstrzymać za wyjątkiem Chucka, który stał przy frontowych drzwiach, kręcąc głową.

– Nie wolno ci – powiedział młodszy chłopak. – Jesteś Njubi, nie możesz tam iść.

– Idź – rzucił Gally szyderczo. – No dalej.

Thomas pożałował, że w ogóle wszedł do chaty, jednak chciał przecież porozmawiać z facetem o imieniu Newt. Zaczął wspinać się po schodach, które z każdym kolejnym krokiem skrzypiały pod jego ciężarem. Być może zatrzymałby się z obawy przed ich załamaniem, gdyby nie wpatrujące się w niego na dole pary oczu. Szedł więc dalej, wzdrygając się za każdym razem, gdy usłyszał trzask pękającej deski. Schody wiodły na podest, skręcały w lewo, a następnie prowadziły do korytarza, z którego można było wejść do wielu pokoi. Tylko przez jedną szparę w drzwiach przebijało się światło.

– Przemiana! – krzyknął z dołu Gally. – Miłego seansu, krótasie!

Zupełnie jakby drwina dodała mu odwagi, Thomas podszedł do oświetlonych drzwi, nie zwracając uwagi na skrzypiącą podłogę i śmiech dobiegający z dołu, nie przejmując się lawiną słów, których nie rozumiał, i okropnym uczuciem, jakie wywołały. Wyciągnął dłoń i przekręcił mosiężną gałkę, otwierając drzwi.

Wewnątrz Newt i Alby kucali obok kogoś leżącego na łóżku.

Thomas przysunął się bliżej, aby przyjrzeć się całemu zamieszaniu, jednak gdy jego oczom ukazał się chory, którym się opiekowali, serce mu zamarło. Powstrzymywał się, by nie zwymiotować.

Obraz, który ukazał się jego oczom, widział zaledwie przez chwilę, jednak wystarczająco długo, aby wyrył się w jego pamięci do końca życia. Blada, wykrzywiona postać zwijająca się z bólu, z nagą, odrażającą piersią. Sieć zielonych, napiętych żył oplatała całe jej ciało, niczym elektryczne przewody wpuszczone pod skórę. Fioletowe siniaki, czerwona wysypka oraz krwawe zadrapania. Postać przewracała przekrwionymi i wytrzeszczonymi oczami. Nagle Alby zerwał się na nogi, zasłaniając przerażający widok, choć nie mógł uchronić uszu Thomasa od krzyków i jęków. Szybko wypchnął go z pomieszczenia i zatrzasnął drzwi za sobą.

– Co ty tu robisz, świeżuchu?! – wrzasnął rozwścieczony. Jego oczy płonęły.

Thomas poczuł, jak robi mu się słabo.

– Ja... potrzebuję odpowiedzi – wymamrotał. – Co dolegało temu dzieciakowi? – Thomas chwycił się poręczy na korytarzu, patrząc w podłogę i nie wiedząc, co robić.

– Zabieraj mi się stąd i to już! – rozkazał mu Alby. – Chuck ci pomoże. Jeżeli jeszcze raz cię dzisiaj zobaczę, to nogi z dupy powyrywam! Osobiście zrzucę cię z Urwiska, rozumiesz?

Thomas poczuł wzbierający w nim strach i upokorzenie. Poczuł się jak maleńki szczur. Nie odzywając się ani słowem, minął Alby'ego i ruszył w dół skrzypiącymi schodami tak szybko, jak tylko mógł. Nie zwracając uwagi na wszechobecne spojrzenia zebranych na dole dzieciaków, zwłaszcza Gally'ego, wyszedł na zewnątrz, ciągnąc Chucka za rękę.

Nienawidził ich. Nienawidził ich wszystkich. Wszystkich z wyjątkiem Chucka.

– Zabierz mnie stąd – poprosił. Uświadomił sobie, że Chuck mógł okazać się jego jedynym przyjacielem.

– Się robi – odpowiedział Chuck radośnie, zadowolony, że okazał się potrzebny. – Ale najpierw pójdziemy do Patelniaka po żarło.

– Nie wiem, czy kiedykolwiek jeszcze będę w stanie coś przełknąć. Nie po tym, co widziałem.

Chuck skinął głową.

– Spokojna głowa. Spotykamy się za dziesięć minut pod tym samym drzewem, co ostatnio.

Zadowolony, że opuścił chatę, Thomas udał się w umówione miejsce. W Strefie przebywał zaledwie chwilę, a już chciał z niej uciec. Żałował, że nie mógł przywołać wspomnień dotyczących wcześniejszego życia. Jakichkolwiek. O matce, ojcu, przyjaciołach, szkole albo swoim hobby. Albo o dziewczynie.

Zamrugał kilka razy, starając się przywołać w pamięci obrazy z chaty.

Przemiana. Tak Gally to nazwał.

Mimo że nie było zimno, ponownie przeszył go dreszcz.

Thomas opierał się o drzewo, czekając na Chucka. Przyglądał się Strefie, najgorszemu z koszmarów, w którym przyszło mu teraz żyć. Cienie rzucane przez kamienne mury urosły znacznie, pełznąc po pokrytych bluszczem ścianach po drugiej stronie.

Przynajmniej zorientował się w kierunkach – drewniana chata stała w północno-zachodnim krańcu Strefy, wciśnięta w mroczną smugę cienia, zagajnik leżał po południowo-wschodniej stronie. Teren gospodarstwa, na którym kilku pracowników chodziło wciąż po polu, rozciągał się przez cały północno-wschodni kwartał Strefy. Z południowo-wschodniej części słychać było ryk i rżenie zwierząt.

Na samym środku dziedzińca znajdował się szyb z wciąż otwartą windą, jak gdyby zapraszając Thomasa, aby wskoczył do środka i wrócił do domu. W pobliżu, około pięciu metrów na południe, stał budynek wykonany z chropowatych betonowych bloków, z potężnymi żelaznymi drzwiami i bez jakichkolwiek okien. Wielki, okrągły uchwyt przypominający stalową kierownicę wskazywał jedyny sposób na otwarcie drzwi, zupełnie jak w łodzi podwodnej. Thomas nie wiedział, które uczucie było silniejsze – ciekawość, co kryło się w środku, czy też strach przed poznaniem.

Przeniósł swoją uwagę na cztery ogromne szczeliny pośrodku otaczających Strefę murów, kiedy pojawił się Chuck, niosąc ze sobą kilka kanapek, jabłka oraz dwa metalowe kubki z wodą. Thomasa zaskoczyło uczucie nagłej ulgi, które go ogarnęło – nie był *zupełnie* sam w tym miejscu.

– Patelniak nie był zadowolony, że szwendam się po jego kuchni przed kolacją – powiedział Chuck, siadając obok drzewa i zapraszając Thomasa ruchem ręki, aby do niego dołączył. Thomas przysiadł się, wziął kanapkę, jednak zawahał się, gdy przed jego oczami ponownie pojawił się przerażający obraz wydarzeń z chaty. Wkrótce jednak uczucie głodu zwyciężyło i wbił łapczywie zęby w kanapce. Cudowny smak szynki, sera oraz majonezu na nowo pobudził jego zmysły.

– Stary – wymamrotał Thomas z pełnymi ustami – ale byłem głodny!

– Ja myślę – odpowiedział Chuck, przymierzając się do swojej kanapki.

Po kilku kolejnych gryzach, Thomas zadał w końcu pytanie, które nie dawało mu spokoju.

– Co właściwie dolega temu Benowi? Nie wyglądał już nawet jak człowiek.

Chuck spojrzał na chatę.

– Sam nie wiem – wymamrotał z roztargnieniem. – Nie widziałem go.

Thomas czuł, że grubasek nie był do końca szczery, jednak postanowił na niego nie naciskać.

– Możesz mi uwierzyć, lepiej, żebyś go teraz nie oglądał.

Chrupał jabłko, przyglądając się olbrzymim dziurom w murach. Pomimo iż siedział daleko, zauważył, że było coś dziwnego w kamiennych krawędziach wyjść prowadzących do zewnętrznych korytarzy. Poczuł, jak kręci mu się w głowie od patrzenia na wysokie ściany, jak gdyby unosił się nad nimi.

– Co tam jest? – zapytał w końcu, przerywając ciszę. – To jest część jakiegoś ogromnego zamku, czy co?

Chuck zawahał się. Wyglądał na zmieszanego.

– Hmm, nigdy nie wychodziłem poza Strefę...

Thomas przyjrzał mu się uważnie.

– Coś ukrywasz – powiedział po chwili, a następnie przełknął ostatni kawałek kanapki, popijając wielkim haustem wody. Fakt, że nikt tu nie chciał udzielić żadnych odpowiedzi, zaczynał mu działać na nerwy. Jeszcze gorsze było to, że nawet jeżeli otrzymałby odpowiedzi na swoje pytania, to nigdy nie miałby pewności, czy są one prawdziwe. – Po co te wszystkie tajemnice?

– Tak tutaj jest i już. Tutaj wszystko jest dziwne i większość z nas nie wie nawet połowy.

Thomasa wkurzało, że Chuck zdawał się w ogóle tym nie przejmować. Że było mu wszystko jedno, iż ktoś ukradł mu jego życie. Czy oni wszyscy oszaleli? Wstał i ruszył w kierunku wschodniej szczeliny.

– Cóż, nikt nie zabronił mi się tu rozejrzeć. – Musiał się czegoś dowiedzieć o tym miejscu, inaczej odejdzie od zmysłów.

– Zaraz, zaraz! – wrzasnął Chuck, starając się go dogonić. – Uważaj, te maluchy za chwilę się zamkną! – zawołał, z trudem łapiąc oddech.

– Jak to zamkną? – zapytał Thomas. – O czym ty mówisz?

– Wrota, ślamajdo.

– Jakie wrota? Ja tu nie widzę żadnych wrót. – Thomas wiedział, że Chuck nie zmyśla, po prostu nie rozumiał, o czym on mówił. Zadumał się i zorientował, że zwolnił kroku, nie śpiesząc się już tak w kierunku wyjścia.

– No a jak nazwałbyś te wysokie szpary? – Chuck wskazał na niezwykle długie szczeliny w murach. Dzieliła ich od nich teraz odległość dziesięciu metrów.

– Nazwałbym je *wielkimi szparami* – powiedział Thomas, starając się zamaskować swoje zmieszanie sarkazmem, jednak czuł, że nieskutecznie.

– To są po prostu *wrota*. I zamykają się co noc.

Thomas zatrzymał się, sądząc, że Chuck coś pomieszał. Spojrzał w górę, następnie na boki, przyglądając się dokładnie masywnym kamiennym płytom, kiedy niegroźne uczucie niepokoju przemieniło się w jednej sekundzie w strach.

– Jak to *zamykają*?

– Sam się przekonasz za jakąś minutę. Zwiadowcy niedługo wrócą, wtedy te wielkie mury zaczną się *przesuwać*, zamykając szczeliny.

– Chyba cię łosoś pokąsał – wymamrotał Thomas. Nie potrafił sobie wyobrazić, w jaki sposób te gigantyczne ściany mogłyby się poruszać. Był pewien, że Chuck się zgrywa.

Dotarli do monstrualnego rozłamu w murze, za którym rozpościerała się sieć kamiennych ścieżek. Thomas wpatrywał się z otwartymi ustami w kamienne wrota. Dopiero ich widok z bliskiej odległości wprawił go w prawdziwe osłupienie.

– To Wschodnie Wrota – powiedział Chuck zadowolony, jak gdyby właśnie pokazał mu stworzone przez siebie dzieło sztuki.

Thomas ledwo go usłyszał, zszokowany tym, jakie wrażenie wywołał rozłam widziany z bliska. Szeroka na co najmniej sześć metrów wyrwa w murze wznosiła się wysoko ku niebu. Krawędzie muru były gładkie, za wyjątkiem dziwnego, powtarzającego się wzoru po obu stronach Wrót. Po ich lewej stronie znajdowały się głębokie kamienne wyżłobienia o średnicy kilkunastu centymetrów, które biegły od ziemi.

Z prawej strony Wrót, z krawędzi muru wystawały trzydziestocentymetrowe metalowe pręty, również o średnicy kilkunastu milimetrów, ułożone w ten sam wzór co wgłębienia po drugiej stronie. Cel ich budowy był oczywisty.

– To jakiś żart?! – zawołał Thomas, czując ogarniającą go falę przerażenia. – Ty naprawdę się nie zgrywałeś? Te ściany naprawę się *przesuwają*?

– A ty myślałeś, że o co mi chodziło?

Thomas nie mógł przetrawić tej informacji.

– Sam nie wiem, myślałem, że mówisz o jakichś mniejszych drzwiach, które się zamykają, albo o ścianie, która zsuwa się z góry. Jakim cudem te mury się przesuwają? Przecież one są olbrzymie i wyglądają, jak gdyby stały tutaj z tysiąc lat.

Myśl o przesuwających się olbrzymich kamiennych murach, które mogłyby go uwięzić wewnątrz tego miejsca zwanego Strefą, dogłębnie go przerażała.

Chuck wzruszył ramionami, wyraźnie zirytowany.

– Nie wiem, po prostu się przesuwają. W dodatku wydają przy tym cholernie zgrzytający odgłos. To samo tyczy się Labiryntu – tam ściany również przemieszczają się co noc.

Nowa informacja przykuła uwagę Thomasa, więc odwrócił się twarzą do kompana.

– Co przed chwilą powiedziałeś?

– Ale co?

– Mówiłeś coś o labiryncie. Powiedziałeś: „to samo tyczy się labiryntu".

Chuck oblał się purpurą.

– Nic tu po mnie – powiedział i ruszył w kierunku drzewa, spod którego dopiero co przyszli.

Thomas nie zwracał na niego uwagi, pochłonięty bardziej niż kiedykolwiek zewnętrznym światem Strefy. *Labirynt?* Tuż przed sobą, za Wschodnimi Wrotami, dostrzegł ścieżkę prowadzącą w lewo, następnie w prawo i dalej biegnącą prosto. Zauważył również, że ściany korytarzy były podobne do tych, które otaczały Strefę, a podłoże wyłożono masywnymi kamiennymi blokami, zupełnie jak na dziedzińcu. Bluszcz był tam gęstszy. W oddali, kolejne szczeliny w murach prowadziły do kolejnych ścieżek, które rozpościerały się w głąb w różnych kierunkach, a ścieżka wiodąca prosto kończyła się ślepym zaułkiem po jakichś stu metrach.

– Wygląda jak labirynt – wyszeptał, prawie śmiejąc się do siebie. Nic gorszego nie mogło go już chyba spotkać. Ktoś wyczyścił mu pamięć i umieścił go w gigantycznym labiryncie. Sytuacja była tak niewiarygodna, że aż zabawna.

Serce podskoczyło mu do gardła, kiedy zza rogu niespodziewanie wyłoniła się jakaś postać. Wychynęła z jednego z odgałęzień po prawej stronie na główną alejkę i biegła w kierunku Strefy, wprost na niego. Chłopak, spocony, z poczerwieniałą twarzą i przylegającą od potu do ciała koszulką, nie zwolnił, rzucając tylko okiem na Thomasa, gdy go mijał. Pobiegł wprost do betonowego budynku w pobliżu windy.

Thomas obrócił się, wpatrując się w wycieńczoną postać, nie potrafiąc odpowiedzieć, dlaczego nowy rozwój wydarzeń tak bardzo go zaskoczył. Dlaczego nie wyjdą na zewnątrz i nie przeszukają labiryntu? Wtedy uświadomił sobie, że kolejne postacie wbiegały do Strefy przez trzy pozostałe wejścia, wszystkie wykończone jak biegacz, który go dopiero co go minął. W labiryncie nie mogło być nic dobrego, skoro ci chłopcy wrócili z niego wycieńczeni i ledwo żywi.

Thomas przyglądał się zaciekawiony, jak biegacze spotkali się przy żelaznych drzwiach niewielkiego budynku. Jedna z osób przekręciła zardzewiałe koło, stękając przy tym z wysiłkiem. Chuck wspominał wcześniej coś o zwiadowcach. Co oni tam robili?

Potężne drzwi w końcu drgnęły i przy ogłuszającym pisku metalu uderzającego o metal chłopcy zdołali otworzyć je na oścież. Po chwili zniknęli w środku, zamykając za sobą wrota z silnym, głuchym hukiem. Thomas stał osłupiały, jego umysł był niezdolny do stworzenia jakiegokolwiek logicznego wyjaśnienia wydarzeń, które właśnie zaobserwował. Niby nic się nie stało, jednak coś w tym starym budynku przyprawiało go o gęsią skórkę i napawało niepokojem.

Ktoś szarpnął go za rękaw, wyrywając z otchłani rozmyślań. Chuck wrócił.

Thomas nie zdążył nawet pomyśleć, gdy pytania samoistnie wylatywały z jego ust.

– Kim są ci faceci i co oni tam robili? Co jest w tym budynku? – Odwrócił się i wskazał na Wschodnie Wrota. – I dlaczego, do cholery, mieszkacie wewnątrz labiryntu? – Uczucie niepewności rozsadzało mu głowę.

– Nic więcej ci nie powiem – odparł Chuck z powagą w głosie. – Myślę, że powinieneś się już położyć. Musisz się wyspać. Aha – przerwał, podnosząc palec i nadstawiając prawe ucho – zaraz zobaczysz.

– Co zobaczę? – zapytał Thomas zdziwiony, że Chuck nagle zaczął zachowywać się jak dorosły, a nie jak dzieciak, który chwilę wcześniej rozpaczliwie chciał się z nim zaprzyjaźnić.

Głośny huk przeszył powietrze, sprawiając, że Thomas aż podskoczył. Następnie rozległ się okropnie zgrzytający dźwięk. Thomas potknął się i upadł. Czuł, jak gdyby cała ziemia się trzęsła. Rozejrzał się wokół spanikowany. Mury się zamykały. Mury *naprawdę* się zamykały, czyniąc go więźniem Strefy. Ogarnęło go uczucie wszechobecnej, duszącej klaustrofobii, która miażdżyła mu płuca niczym woda napływająca z każdej strony.

– Uspokój się, świeżuchu – zawołał Chuck, starając się przekrzyczeć hałas. – To tylko mury!

Thomas ledwo go usłyszał, zbyt zaabsorbowany i przerażony widokiem zamykających się Wrót. Zerwał się na nogi i starając się nie przewrócić, cofnął się o kilka kroków, aby mieć lepszy widok. Nie mógł uwierzyć własnym oczom w to, czego właśnie był świadkiem.

Monstrualny kamienny mur z prawej strony jakby właśnie ignorował wszelkie prawa fizyki, przemieszczając się po kamiennej podłodze w otoczeniu iskier i kurzu. Zgrzytający dźwięk aż stukał Thomasowi w kościach. Zdał sobie sprawę, że jedynie ta ściana się przesuwała, zmierzając w lewą stronę, by szczelnie zamknąć wejście poprzez złączenie wystających z niej prętów z wyżłobionymi wgłębieniami po przeciwnej stronie. Spojrzał za siebie w kierunku pozostałych wejść. Zawroty głowy oraz podnoszący się do gardła żołądek o mało nie powaliły go z powrotem na kolana. W każdej z czterech stron Strefy mury od prawej ściany przesuwały się, zamykając wejścia.

Niewiarygodne, pomyślał. Jakim cudem jest to możliwe?

Czuł, że musi stamtąd uciekać, prześlizgnąć się pomiędzy zamykającymi się kamiennymi płytami, nim będzie za późno. Musi uciec ze Strefy. Jednak zdrowy rozsądek wygrał – labirynt skrywał jeszcze więcej niewiadomych niż wnętrze Strefy.

Thomas próbował wyobrazić sobie, jak to wszystko działało. Potężne kamienne mury, wysokie na kilkadziesiąt metrów, przemieszczające się niczym przesuwne szklane drzwi – wspomnienie z przeszłości zaświtało mu w głowie. Starał się je przywołać, zatrzymać, uzupełnić o twarze, imiona, miejsce, jednak w następnej chwili wspomnienie umknęło w otchłań zapomnienia, sprawiając, że ukłucie żalu zdominowało pozostałe emocje.

Przyglądał się, jak prawa ściana dobiła do celu podróży, wbijając stalowe pręty w przeciwną ścianę i łącząc się w całość. Rozbrzmiewający echem huk rozniósł się po Strefie, gdy wszystkie cztery Wrota zostały zamknięte na noc. Thomas poczuł ostatnie ukłucie trwogi, dreszcz strachu, który przeszył jego ciało i po chwili zniknął.

Zawładnęło nim zaskakujące uczucie spokoju. Westchnął z ulgą:

– Wow! – Czuł się głupio, że było to jedyne słowo, jakie przychodziło mu do głowy w takiej chwili.

– „Wielkie mi rzeczy", jakby powiedział Alby – wyszeptał Chuck. – Z czasem się do tego przyzwyczaisz.

Thomas rozejrzał się ponownie dookoła. Poczuł się zupełnie inaczej, kiedy wszystkie ściany tworzyły zwartą całość, gdy nie było już możliwości wyjścia. Zastanawiał się, jaki to miało cel, i nie wiedział, która konkluzja wydawała się gorsza – to, że zostali uwięzieni *wewnątrz*, czy też to, że zostali odgrodzeni od czegoś z zewnątrz. Myśl ta natychmiast odpędziła krótkie uczucie spokoju, pozostawiając w jego umyśle spustoszenie w postaci miliona przerażających możliwości związanych z tym, co mogło czaić się na zewnątrz, w otchłani labiryntu. Ponownie sparaliżował go strach.

– No chodź – powiedział Chuck, ciągnąc Thomasa ponownie za rękaw. – Wierz mi, kiedy zapada zmrok, lepiej dla ciebie, żebyś był w łóżku.

Thomas wiedział, że nie ma innego wyboru. Zmusił się do poskromienia targających jego ciałem emocji i poszedł za swoim nowym przyjacielem.

Zatrzymali się nieopodal Bazy – tak Chuck nazwał zbitkę krzywych desek i szyb – w mrocznym cieniu pomiędzy budynkiem i kamienną ścianą za nim.

– Gdzie idziemy? – zapytał Thomas, wciąż czując się przytłoczony widokiem murów z bliska. Myśli wypełniały mu obrazy labiryntu, zdezorientowanie oraz strach. Uświadomił sobie, że musi to przerwać, inaczej oszaleje. Starając się uspokoić, wykonał nieudaną próbę obrócenia niedawnych zdarzeń w żart. – Jeżeli oczekujesz buziaka na dobranoc, to na mnie nie licz.

Chuck nie zwolnił ani na chwilę.

– Przymknij się i trzymaj blisko mnie.

Thomas zrobił wydech, wzruszył ramionami i podążył za chłopakiem idącym wzdłuż tyłu budynku. Szli w milczeniu, dopóki nie dotarli do niewielkiego zakurzonego okna, przez które na kamienną ścianę i bluszcz padała słaba wiązka światła. Thomas usłyszał, jak ktoś porusza się wewnątrz.

– Łazienka – wyszeptał Chuck.

– No i? – Przeszył go dreszcz niepokoju.

– Uwielbiam to robić. Mam z tego niebywała frajdę przed snem.

– Co robić? – Thomasowi wydawało się, że Chuck coś kombinował. – Może lepiej, jak...

– Przymknij się i patrz. – Chuck wszedł po cichu na wielką, drewnianą skrzynię stojącą pod oknem. Przykucnął tak, że osoba wewnątrz nie mogła go dostrzec. Następnie wyciągnął dłoń i lekko zastukał w szybę.

– To jakaś głupota – powiedział szeptem Thomas. Nie mogli sobie wybrać gorszej pory na strojenie żartów, przecież Newt bądź Alby mogli być w środku. – Nie szukam kłopotów, dopiero co się tu znalazłem!

Chuck powstrzymał się od śmiechu, zasłaniając usta dłonią. Nie zwracając uwagi na Thomasa, zastukał ponownie w szybę.

Cień przesłonił światło. W następnej chwili okno otworzyło się. Thomas odskoczył, aby się schować, ze wszystkich sił przyciskając ciało do tylnej ściany budynku. Nie mógł uwierzyć, że został wciągnięty w robienie sobie z kogoś jaj. Kąt widzenia z okna zapewniał mu bycie niezauważonym, jednak wiedział, że Chuck się zdemaskuje, jeżeli tylko osoba wewnątrz wystawi głowę za okno.

– Kto tam? – krzyknął chłopak szorstkim, przepełnionym złością głosem.

Thomas wstrzymał oddech, gdy zorientował się, że osobą, z której żartowali, był Gally – znał już ten głos.

Wtedy, bez ostrzeżenia, Chuck wystawił nagle głowę przed szybę i wrzasnął na całe gardło. Głośny huk wewnątrz wskazywał, że kawał się udał – wiązanka przekleństw, która nastąpiła chwilę później, nie pozostawiała żadnych złudzeń. Gally nie podzielał ich poczucia humoru. Thomasa ogarnęła dziwna mieszanka grozy i zakłopotania.

– Zabiję cię, ty smrodasie! – krzyknął Gally, jednak Chuck zdążył już zeskoczyć ze skrzyni i biegł w stronę dziedzińca. Thomas zamarł, usłyszawszy, jak Gally otwiera od wewnątrz drzwi i wybiega z budynku.

W końcu otrząsnął się z oszołomienia i pognał za swoim nowym, i jedynym, przyjacielem. Ledwo skręcił za róg, kiedy tuż przed nim pojawił się Gally, wydzierający się wniebogłosy niczym spuszczona z łańcucha bestia.

Od razu podbiegł w kierunku Thomasa.

– Chodź no tu! – krzyknął.

Serce podskoczyło Thomasowi do gardła. Wszystkie znaki na niebie i ziemi wskazywały na to, że za chwilę oberwie.

– To nie ja, przysięgam – powiedział, jednak po chwili zdał sobie sprawę, że nie było powodów do strachu. Gally nie był aż tak wielki, tak naprawdę, to Thomas mógł go w każdej chwili powalić.

– Nie ty? – warknął Gally. Podszedł do niego powoli i zatrzymał się tuż przed nim. – To dlaczego się tłumaczysz, skoro nic nie zrobiłeś?

Thomas nie odpowiedział. Czuł się niezręcznie, jednak nie był już przerażony, jak to miało miejsce jeszcze chwilę wcześniej.

– Nie rób ze mnie wała, szczylu – fuknął Gally. – Widziałem w oknie tłustą mordę Chucka. – Wskazał ponownie palcem, tym razem na jego pierś. – Lepiej szybko się zdecyduj, kogo obierasz za przyjaciela, a kogo za wroga, rozumiesz? Jeszcze jeden taki wałek, i gówno mnie obchodzi, czy to będzie twój pomysł, czy nie, a komuś poleje się farba z pyska. Rozumiesz, co do ciebie mówię, Njubi?

Jednak zanim Thomas zdołał cokolwiek odpowiedzieć, Gally odwrócił się i zaczął się oddalać. Thomas chciał mieć to już za sobą.

– Przepraszam – mruknął, wzdrygając się na myśl, jak głupio zabrzmiało to w jego ustach.

– Znam cię – dodał Gally, nie odwracając się. – Widziałem cię w trakcie Przemiany i dowiem się, kim jesteś.

Thomas odprowadził go wzrokiem, dopóki nie wszedł do Bazy. Nie pamiętał zbyt wiele, jednak coś podpowiadało mu, że nigdy wcześniej nie pałał do kogoś aż tak wielką niechęcią.

Zdziwił go fakt, jak bardzo nienawidził tego faceta. To była czysta, szczera nienawiść. Obrócił się i jego oczom ukazał się Chuck, stojący przed nim i wpatrujący się w ziemię, wyraźnie zawstydzony.

– Wielkie dzięki, bracie. Przepraszam. Gdybym wiedział, że tam będzie Gally, to w życiu bym tego nie zrobił.

Zaskakując samego siebie, Thomas roześmiał się. Godzinę wcześniej sądził, że nigdy więcej nie usłyszy tego dźwięku wydobywającego się z jego ust.

Chuck spojrzał uważnie na Thomasa i po chwili na jego twarzy nieśmiało zarysował się uśmiech.

– No co?

Thomas potrząsnął głową.

– Nie przepraszaj. Ten... smrodas sobie na to zasłużył, a i tak nie wiem, kim on jest. To było niesamowite. – Czuł się już znacznie lepiej.

Kilka godzin później Thomas leżał w miękkim śpiworze obok Chucka na łóżku z trawy w pobliżu Zieliny. Było to szerokie pasmo zieleni, którego wcześniej nie zauważył, a które spora część mieszkańców Strefy wybrała na miejsce swojego noclegu. Thomasowi wydało się to dziwne, jednak najwyraźniej wewnątrz Bazy nie było wystarczającej ilości miejsc dla śpiących. Przynajmniej było mu tam ciepło. Myśl ta sprawiła, że po raz setny zastanowił się nad tym, *gdzie* się znajdował. Jego umysł nie potrafił przywołać nazw miejsc, państw lub władców oraz tego, jak zorganizowany był świat. Żadna z obecnych tu osób również tego nie wiedziała lub też nie chciała się z nim tą wiedzą podzielić.

Leżał w ciszy przez dłuższą chwilę, wpatrując się w gwiazdy i przysłuchując się cichym szmerom licznych rozmów unoszących się nad Strefą. Nie mógł zasnąć, a w dodatku nie potrafił wyzbyć się uczucia bezsilności i beznadziei, które trawiły jego ciało i umysł – chwilowa radość wywołana kawałem Chucka już dawno wyparowała. To był naprawdę długi i niezwykły dzień.

Wszystko było takie... dziwne. Pamiętał mnóstwo pozornie nieistotnych szczegółów związanych ze swoim życiem, takich jak jedzenie, ubrania, nauka, zabawa, ogólny obraz tego, jak zbudowany był świat. Jednak szczegóły, które łącząc się z obrazem, tworzyłyby całość wspomnienia, zostały w jakiś sposób wymazane. To było jak oglądanie fotografii poprzez mętną wodę. Przede wszystkim jednak, bardziej niż cokolwiek innego, odczuwał... smutek.

Chuck wytrącił go z zadumy.

– No i przetrwałeś Dzień Pierwszy, świeżuchu.

– Ledwo.

Nie teraz Chuck – chciał mu odpowiedzieć. – Nie jestem w nastroju.

Chuck odwrócił się i oparł na łokciu, spoglądając na Thomasa.

– W ciągu najbliższych kilku dni sporo się nauczysz i powoli się oswoisz z tym miejscem. Ogay?

– Chyba ogay. Skoro tak twierdzisz. Skąd się wzięły wszystkie te dziwaczne słowa i wyrażenia? – Wyglądało to tak, jakby przyswoili jakiś obcy język i wymieszali go z własnym.

Chuck odwrócił się z powrotem i z ciężkim łoskotem położył się na ziemi.

– Skąd mam wiedzieć? Jestem tu od miesiąca, mówiłem ci już.

Thomas zastanawiał się, czy Chuck wiedział więcej, niż mówił. Dziwaczny z niego dzieciak. Był zabawny i sprawiał wrażenie bezbronnego, jednak tak naprawdę to nic o nim nie wiedział. Sprawiał wrażenie tak samo tajemniczego, jak wszystko inne w tym miejscu.

Po upływie kilku minut Thomas w końcu odczuł ciężar mijającego dnia i pozwolił, by sen zawładnął jego umysłem.

Jednak zanim zdążył zasnąć, niespodziewana myśl zaświtała mu w głowie. Myśl, której się nie spodziewał.

Nagle Strefa, otaczające ją mury, cały Labirynt – wszystko to wydało mu się... znajome. Kojące. Ciepłe uczucie spokoju zagościło w jego piersi i po raz pierwszy, odkąd się tutaj znalazł, nie czuł już, że Strefa była najpodlejszym miejscem w całym wszechświecie. Znieruchomiał, otworzył szeroko oczy i wstrzymał oddech na dłuższą chwilę.

Co się właśnie stało? – pomyślał. Co się zmieniło?

Jak na ironię, uczucie, że wszystko będzie dobrze, zasiało w nim niepokój.

Nie do końca rozumiejąc skąd, wiedział instynktownie, co powinien zrobić. Nie pojmował tego. To uczucie – niczym objawienie – było dziwne. Obce i znajome zarazem. Jednak czuł się z nim... dobrze.

– Chcę być jak ci, którzy wychodzą na zewnątrz – powiedział na głos, nie wiedząc, czy Chuck już spał. – Do wnętrza Labiryntu.

– Co? – odpowiedział Chuck. Thomas wyczuł cień irytacji w jego głosie.

– Zwiadowcy – powiedział Thomas, nie wiedząc, skąd w jego głowie pojawiło się to słowo.

– Nie wiesz, o czym mówisz – mruknął Chuck, przewracając się na bok. – Śpij.

Thomas poczuł nagły przypływ pewności, pomimo że tak naprawdę nie wiedział, o czym mówił.

– Chcę zostać Zwiadowcą.

Chuck odwrócił się i oparł na łokciu.

– Lepiej od razu wybij to sobie z głowy.

Reakcja Chucka zastanowiła go, jednak nie zamierzał składać broni.

– Nie próbuj mnie...

– Thomas. Njubi. Mój przyjacielu. Odpuść sobie.

– Jutro pogadam o tym z Albym.

Zwiadowca, pomyślał Thomas. Nawet nie wiem, co to właściwie oznacza. Czy już kompletnie mi odbiło?

Chuck położył się ze śmiechem.

– Ale z ciebie klump. Idź spać.

Jednak Thomas nie potrafił przestać o tym myśleć.

– Coś w głębi... wydaje mi się znajome.

– Idź... spać.

Nagle to do niego dotarło. Poczuł, jak gdyby w końcu połączył kilka elementów układanki. Nie wiedział, jak wygląda jej ostateczny obraz, jednak miał uczucie, jakby słowa, które cisnęły mu się na usta, nie należały do niego.

– Chuck, ja... Myślę, że już tu wcześniej *byłem*.

Usłyszał, jak jego przyjaciel podnosi się i gwałtownie nabiera powietrza. Thomas jednak przewrócił się na bok, nie chcąc kontynuować rozmowy, przestraszony faktem, że przegonił uczucie otuchy, zabijając wewnętrzny spokój, który dopiero co ukoił jego myśli.

Tej nocy sen przyszedł do niego znacznie szybciej, niż się spodziewał.

Ktoś potrząsnął Thomasem, budząc go ze snu. Otworzył szeroko oczy i ujrzał wpatrującą się w niego z bliska twarz. Resztę krajobrazu wciąż spowijała ciemność budzącego się ze snu poranka. Otworzył usta, chcąc coś powiedzieć, jednak zimna dłoń skutecznie mu je zamknęła, uniemożliwiając wykrztuszenie jakiegokolwiek dźwięku. Zawładnęła nim panika, dopóki nie dostrzegł twarzy napastnika.

– Cicho, świeżuchu. Nie chcesz chyba obudzić tłuścioszka, co nie?

To Newt – chłopak, który był chyba drugą najważniejszą osobą w Strefie. Powietrze przesiąkło jego porannym oddechem.

Choć Thomas się go nie spodziewał, to nie wyczuł zagrożenia z jego strony. Nie mógł się przy tym oprzeć ciekawości, co też Newt od niego chciał. Thomas skinął głową, starając się przekonać Newta wzrokiem, by zwolnił uścisk. Ten w końcu cofnął dłoń i odchylił się, siadając na piętach.

– No dalej, świeżuchu – wyszeptał Newt, wstając. Był wysoki. Wyciągnął dłoń i pomógł Thomasowi się podnieść. Był tak silny, że omal nie wyrwał mu ręki. – Pokażę ci coś, nim wszyscy się obudzą.

Jakakolwiek myśl o śnie zdążyła już opuścić ciało Thomasa na dobre.

– Ogay – odpowiedział, gotowy do drogi. Zdawał sobie sprawę, że powinien zachować podejrzliwość, ponieważ nie posiadał żadnych podstaw, aby komukolwiek tu zaufać, jednak ciekawość zwyciężyła. Nachylił się i szybko nałożył buty. – Dokąd idziemy?

– Po prostu idź za mną. I trzymaj się blisko.

Skradali się pomiędzy wąsko rozłożonymi śpiworami, o które Thomas o mało się kilka razy nie potknął. Nadepnął komuś na rękę, w zamian otrzymując szturchańca w łydkę oraz słysząc przenikliwy krzyk bólu.

– Sorry – wyszeptał, nie zwracając uwagi na złowrogie spojrzenie Newta.

Kiedy tylko opuścili trawnik i postawili nogi na twardej kamiennej posadzce dziedzińca, Newt zerwał się i zaczął biec w stronę zachodniej ściany. Z początku Thomas się zawahał, zastanawiając się, dlaczego tak się spieszyli, ale prędko porzucił tę myśl i ruszył za nim.

Światło było słabe, jednak wszelkie przeszkody majaczyły niczym postacie we mgle, więc nie miał problemów z ich ominięciem. Zatrzymał się dopiero, gdy uczynił to Newt, obok masywnego muru, który górował na nimi niczym wieżowiec – kolejny znajomy obraz dryfujący po mrocznej rzece jego wyczyszczonej pamięci. Thomas dostrzegł niewielkie czerwone światełka połyskujące to tu, to tam wzdłuż muru, które poruszały się, zatrzymywały, znikały i pojawiały ponownie.

– Co to jest? – zapytał najgłośniejszym szeptem, na jaki było go stać, zastanawiając się, czy jego głos brzmiał tak samo niepewnie, jak on się czuł. Migoczący, czerwony blask świateł skrywał jakieś ostrzeżenie.

Newt stał naprzeciwko bujnej zasłony z bluszczu, która przykrywała mur.

– Dowiesz się w swoim czasie, świeżuchu.

– To głupota, że zaprowadziłeś mnie w to dziwaczne miejsce i nie odpowiadasz na moje pytania... – Thomas zamilkł, zaskoczony swoją wypowiedzią. – Sztamaku – dodał, starając się wypowiedzieć ostatnie słowo z sarkazmem.

Newt wybuchnął śmiechem, jednak chwilę później opanował się.

– Lubię cię, świeżuchu. Ale teraz przymknij się i patrz.

Newt zrobił krok naprzód i wsadził ręce w gęsty bluszcz, odsuwając kilka pnączy od muru, by odsłonić przykurzone i oszronione półmetrowe okno. Było ciemne, jak gdyby ktoś zamalował je na czarno.

– Czego szukamy? – zapytał szeptem Thomas.

– Trzymaj portki, chłopie. Zaraz jeden będzie przechodził.

Minęła minuta, następnie druga. Później kolejne. Thomas nie potrafił ustać w miejscu, zastanawiając się, jak Newt może tak po prostu stać nieruchomo i wpatrywać się w ciemność.

I nagle to się zmieniło.

Upiorne, migoczące światło rozbłysło w oknie. Cała paleta kolorów migotała na twarzy i ciele Newta, zupełnie jak gdyby stał naprzeciw oświetlonego basenu. Thomas był całkowicie nieruchomy. Mrużył oczy, próbując dostrzec, co się działo za oknem. Nagle poczuł potężny ucisk w gardle.

Co *to* jest? – pomyślał.

– Na zewnątrz jest Labirynt – powiedział szeptem Newt. Oczy miał szeroko otwarte, niczym w transie. – Wszystko, co robimy, całe nasze życie, świeżuchu, obraca się wokół Labiryntu. Każdą chwilę, każdy dzień poświęcamy, starając się znaleźć cholerne wyjście, którego być może nawet nie ma. Łapiesz? Dlatego chcę ci pokazać, z jakiego powodu lepiej się tam nie zapuszczać. Wyjaśnić, dlaczego te wielgaśne mury zamykają się na noc. Pokazać ci, dlaczego nigdy, przenigdy, nie powinieneś wystawiać dupasa na zewnątrz.

Newt cofnął się, wciąż przytrzymując bluszcz. Skinął głową, aby Thomas zajął jego miejsce i wyjrzał przez okno.

Thomas podszedł do okna, nachylając się, dopóki nosem nie dotknął zimnej powierzchni szkła. Potrzebował tylko chwili, aby skupić wzrok na poruszającym się po drugiej stronie obiekcie, aby przez warstwę brudu i kurzu dostrzec to, co jego kompan chciał mu pokazać. A wtedy zatrzymało mu dech w piersi, jak gdyby podmuch lodowatego wiatru zamroził mu serce.

Wielki, potężny stwór rozmiarów krowy, jednak bez wyraźnego kształtu, wił się i kłębił wewnątrz spowitego ciemnością korytarza. Wspiął się na przeciwległą ścianę, następnie wskoczył na podwójnie przeszklone okno z głośnym hukiem. Thomas wrzasnął, nim zdołał się powstrzymać, uciekając od okna – jednak niedoszły napastnik odskoczył do tyłu, pozostawiając szybę nieuszkodzoną.

Thomas wziął dwa głębokie oddechy i ponownie podszedł do okna. Na zewnątrz było zbyt ciemno, aby mógł się przyjrzeć dokładnie, jednak dziwne światła połyskiwały z niewiadomego źródła, ukazując rozmazane srebrne kolce oraz lśniące cielsko kreatury. Dodatkowo potworne przyrządy wystawały z jego tułowia niczym złowieszcze ramiona: piła tarczowa, nożyce i długie pręty, których funkcji mógł się jedynie domyślać.

Kreatura była odrażającym zespoleniem zwierzęcia z maszyną i wyglądało na to, że zdawała sobie sprawę, że jest obserwowana, że wie, co kryje się za murami, wewnątrz Strefy, i że pragnie dostać się do środka, aby urządzić sobie ucztę z ludzkiego mięsa. Thomas poczuł, jak lodowate przerażenie pustoszy jego wnętrze niczym rak, który trawi kolejne organy. Nawet pomimo utraty pamięci był pewien, że nigdy wcześniej nie widział czegoś równie makabrycznego.

Zrobił krok w tył, czując, jak odwaga, która przepełniała go jeszcze ubiegłej nocy, wyparowała.

– Co to za paskudztwo? – zapytał. W jego wnętrznościach coś się przewróciło i zastanawiał się, czy kiedykolwiek będzie w stanie jeszcze coś zjeść.

– Mówimy na nie Bóldożercy – odpowiedział Newt. – Parszywe mordy, co nie? Ciesz się, że wyłażą jedynie w nocy. I że chronią nas te mury.

Thomas przełknął ślinę, zastanawiając się nad tym, jak mógłby kiedykolwiek tam wyjść. Jego pragnienie zostania Zwiadowcą zostało wystawione na ciężką próbę. Musiał to jednak zrobić. Wiedział, że musi to zrobić. Było to niezwykle dziwne uczucie, zwłaszcza w obliczu tego, co właśnie zobaczył.

Newt spojrzał w okno z roztargnieniem.

– Teraz już wiesz, co za cholerstwo czai się w Labiryncie. Teraz już wiesz, że to nie zabawa. Przysłano cię do Strefy, świeżuchu, więc masz nie dać się zabić i pomóc nam wykonać zadanie, dla którego się tu znaleźliśmy.

– Jakie zadanie? – zapytał Thomas, przerażony na samą myśl o odpowiedzi.

Newt odwrócił się i spojrzał mu prosto w oczy. Pierwsze promienie wschodzącego słońca przedarły się przez korony drzew i Thomas dostrzegł każdy szczegół jego twarzy, napiętą skórę, zmarszczone czoło.

– Znaleźć wyjście – odpowiedział Newt. – Rozkminić ten cholerny Labirynt i znaleźć drogę do domu.

Kilka godzin później Wrota ponownie zaczęły się otwierać, z hukiem, trzaskiem i dudnieniem ziemi. Thomas usiadł na starym, przekrzywionym stole piknikowym przed Bazą. Jego myśli krążyły nieustannie wokół Bóldożerców. Zastanawiał się, dlaczego te potwory tam były i w jakim celu przemierzały mroczną otchłań Labiryntu. I, co ważniejsze, co by zrobił, gdyby dopadły go te poczwary?

Próbował pozbyć się tych obrazów z głowy, skupić się na czymś innym. Na Zwiadowcach. Opuścili Strefę, nie odzywając się do nikogo, wbiegli do Labiryntu i zniknęli za rogiem. Rozmyślał o tym, co widział, nawlekając na widelec jajko sadzone i bekon. Nie odzywał się do nikogo, nawet do Chucka, który w ciszy wcinał śniadanie obok niego. Biedak starał się nawiązać rozmowę, jednak Thomas nie zwracał na niego uwagi. Chciał, aby go zostawiono w spokoju.

Nie pojmował tego. Jego mózg był przeciążony nieskończonymi próbami przyswojenia tej niewiarygodnej informacji. Jak to możliwe, aby labirynt, otoczony tak wysokimi i grubymi murami, był tak wielki, że dziesiątki dzieciaków nie mogły znaleźć z niego wyjścia przez tak długi czas? Kto zbudował tę konstrukcję? I, co ważniejsze, dlaczego ją zbudował? Jaki jest jej cel? Dlaczego się tu znaleźli? Od jak dawna już tam byli?

Pomimo że Thomas starał się o tym nie myśleć, jego umysł nieustannie powracał do obrazu odrażającego Bóldożercy. Niczym jakiś pijący krew upiór, wspomnienie atakowało go nieustannie, ilekroć zamrugał lub przetarł oczy.

Thomas wiedział, że jest bystrym dzieciakiem – przeczuwał to. Jednak nic w związku z tym miejscem nie miało sensu. Za wyjątkiem jednego. Miał zostać Zwiadowcą. Dlaczego był tego aż tak pewien? Ta myśl była silna nawet teraz, kiedy już wiedział, co zamieszkuje w labiryncie.

Szturchaniec w ramię wytrącił go z zadumy. Spojrzał w górę i ujrzał Alby'ego, który stał przed nim ze skrzyżowanymi na piersi ramionami.

– Coś marnie wyglądasz, świeżuchu – powiedział Alby. – Miałeś ciekawy widok z okna rano?

Thomas powstał z nadzieją, że nadeszła pora odpowiedzi. A może po prostu liczył na to, że odwróci czymś uwagę od ponurych myśli.

– Na tyle ciekawy, że chcę się czegoś dowiedzieć o tym miejscu – odpowiedział, mając nadzieję, że nie wyprowadził Alby'ego z równowagi, jak to miało miejsce dzień wcześniej.

Ten skinął głową.

– Ty i ja, sztamaku. Idziemy na Wycieczkę. – Ruszył przed siebie, jednak po chwili zatrzymał się, unosząc palec. – I żadnych pytań aż do końca, rozumiesz? Nie mam czasu na twoje mielenie językiem.

– Ale... – Thomas przerwał, gdy tylko Alby zmarszczył brwi. Dlaczego musiał być z niego taki palant? – Ale powiesz mi wszystko. Chcę wiedzieć. – Ubiegłej nocy postanowił nie mówić nikomu o tym, jak to miejsce wydawało mu się dziwnie znajome, zupełnie jak gdyby już wcześniej tutaj był, i że pamiętał pewne rzeczy z tym związane. Dzielenie się tymi spostrzeżeniami nie było najlepszym pomysłem.

– Powiem ci to, co mam do powiedzenia, świeżuchu. A teraz idziemy.

– Mogę iść z wami? – zapytał Chuck zza stołu.

Alby schylił się i wykręcił mu ucho.

– Ała! – wrzasnął Chuck.

– Nie masz niczego do roboty, krótasie? – zapytał Alby. – Jakichś kibli do czyszczenia?

Chuck przewrócił oczami, a następnie spojrzał na Thomasa.

– Baw się dobrze.

– Postaram się. – Nagle zrobiło mu się żal chłopaka. Żałował, że tak go tu traktowali. Nie mógł jednak nic na to poradzić, musieli iść.

Thomas odszedł z Albym, wierząc, że Wycieczka oficjalnie się rozpoczęła.

7

Rozpoczęli od windy, która była już zamknięta – podwójne metalowe drzwi, pomalowane białą farbą, spoczywały ciężko na ziemi, wyblakłe i popękane. Rozpogodziło się znacznie, a cienie rozciągały się w kierunku przeciwnym do tego, który Thomas wczoraj zaobserwował. Wciąż nie widział słońca, jednak wyglądało, jakby lada moment miało się wyłonić zza wschodniego muru.

Alby wskazał na drzwi na ziemi.

– To jest Pudło. Raz w miesiącu pojawia się Njubi, jak ty. Zawsze. Raz w tygodniu otrzymujemy zaopatrzenie, ubrania, trochę żarcia. Nie trzeba nam wiele, większość wytwarzamy sami.

Thomas skinął głową. Nie mógł ustać w miejscu, odczuwał niewyobrażalną potrzebę zadawania pytań. Niech ktoś mi zaklei usta, inaczej nie wytrzymam, pomyślał.

– Nie wiemy nic o Pudle – kontynuował Alby. – Skąd się wzięło, jak działa i kto za tym stoi. Ci, którzy nas tu przysłali, nic nam nie powiedzieli. Mamy elektryczność, sami hodujemy większość żywności i dostajemy jako takie ciuchy. Raz próbowaliśmy odesłać z powrotem w Pudle jednego tępego świeżucha, jednak cholerstwo nie chciało ruszyć, dopóki go stamtąd nie wyciągnęliśmy.

Thomas zastanawiał się, co znajdowało się pod drzwiami, kiedy nie było tam Pudła, jednak nie zapytał. Odczuwał plątaninę emocji – ciekawość, frustrację, zdumienie. Wszystko splecione wciąż żywym obrazem odrażającego Bóldożercy.

Alby ciągnął dalej, nie spoglądając ani przez chwilę na Thomasa.

– Strefa składa się z czterech części. – Wyprostował palce, wyliczając cztery kolejne słowa. – Zielina, Mordownia, Baza i Grzebarzysko. Załapałeś?

Thomas zawahał się, następnie potrząsnął głową, zmieszany.

Alby zamrugał szybko, po czym mówił dalej. Wyglądał, jakby właśnie myślał o tysiącu innych rzeczy, które wolałby robić w tej chwili. Wskazał najbliższy narożnik, gdzie znajdowały się pola i drzewa owocowe.

– To Zielina, gdzie mamy uprawy. Nawadniamy je poprzez rury w ziemi. Musimy, inaczej już dawno pomarlibyśmy z głodu. Tu nigdy nie pada. Nigdy. – Wskazał na południowo-wschodni narożnik, na zagrody i oborę. – Mordownia. Tam trzymamy i ubijamy zwierzęta. – Wskazał na żałosne kwatery. – To Baza. Głupie miejsce, jest dwa razy większe niż na początku, ponieważ stale je powiększaliśmy, kiedy przysyłali nam drewno. To nie apartament, ale się sprawdza. Tak czy inaczej, większość z nas i tak śpi na zewnątrz.

Thomasowi zakręciło się w głowie. Tak wiele pytań kłębiło mu się pod czaszką, że nie potrafił ich uporządkować.

W końcu Alby wskazał na południowo-zachodni narożnik, na obszar leśny, gdzie znajdowało się kilka ławek oraz umierających drzew.

– Mówimy na to Grzebarzysko. Cmentarz znajduje się na tyłach tego miejsca, w rogu, gdzie las jest gęstszy. Nie ma tam nic więcej. Można tam posiedzieć i odpocząć, połazić, jeśli wolisz. – Odchrząknął, jak gdyby chciał zmienić temat. – Przez najbliższe dwa tygodnie będziesz pracował jeden dzień pod okiem różnych Opiekunów, dopóki nie dowiemy się, w czym jesteś najlepszy. Możesz być Pomyjem, Budolem, Grzebaczem lub Oraczem, coś ci znajdziemy. Idziemy dalej.

Alby ruszył w kierunku Południowych Wrót umiejscowionych pomiędzy Grzebarzyskiem a Mordownią. Thomas podążył za nim, krzywiąc się od nagłego zapachu gnoju dochodzącego z zagrody.

Cmentarz? Po co im cmentarz w miejscu pełnym nastolatków? – pomyślał. To intrygowało go o wiele bardziej niż nieznajomość słów używanych wciąż przez Alby'ego – takich jak *Pomyj* czy *Grzebacz* – które wcale nie brzmiały dobrze. O mały włos nie zapytałby o to, jednak zmusił się do trzymania dzioba na kłódkę.

Sfrustrowany, skierował swoją uwagę na zagrody na terenie Mordowni. Kilka krów skubało i przeżuwało siano szczelnie wypełniające korytko; świnie wylegiwały się w błocie, od czasu do czasu ruszając leniwie ogonem, dawały znak, że w ogóle żyją. W kolejnej zagrodzie znajdowały się owce, a w klatkach obok kury i indyki. Pracownicy krzątali się tu i ówdzie, sprawiając wrażenie, jak gdyby całe swoje dotychczasowe życie spędzili na farmie.

Dlaczego pamiętam zwierzęta? – zastanawiał się Thomas. Nie dostrzegał w nich niczego nowego lub interesującego. Wiedział, jak się nazywały, czym były karmione, jak wyglądały. Dlaczego pamiętał tego typu szczegóły, jednak nie był w stanie sobie przypomnieć, gdzie czy też w jakiej sytuacji już je wcześniej widział? Utrata pamięci była zaskakująca w całej swojej złożoności.

Alby wskazał na wielką oborę z tyłu, pomalowaną czerwoną farbą, która zdążyła już dawno wyblaknąć, przybierając matowy kolor rdzy.

– Tam pracuje Rozpruwacz. Paskudna robota, oj paskudna. Jeżeli nie przeszkadza ci krew, możesz zostać Rozpruwaczem.

Thomas pokręcił głową. Rozpruwacz, to wcale nie brzmiało zachęcająco. Idąc dalej, skupił swą uwagę na widoku po drugiej stronie Strefy, na miejscu, które Alby nazwał Grze-barzyskiem. Im bliżej muru, tym bardziej drzewa stawały się grubsze i rosły znacznie gęściej, miały w sobie więcej życia i liści. Mroczne cienie wypełniały głębię lasu pomimo wcze-snej pory dnia. Thomas spojrzał w górę, mrużąc oczy, w koń-cu dostrzegł słońce, choć wyglądało dziwnie – było bardziej pomarańczowe, niż być powinno. Zdał sobie sprawę, że to kolejny dowód na wybiórczość jego pamięci.

Skierował wzrok na Grzebarzysko, jednak jarzący się dysk wciąż unosił się przed jego oczami. Zmrużył oczy, aby go przegonić, gdy nagle ponownie dostrzegł czerwone światełka, które zamigotały głęboko w ciemności lasu.

Co to jest? – zastanawiał się, poirytowany, że Alby nie od-powiedział mu wcześniej. Cała ta otoczka tajemniczości dzia-łała mu już na nerwy.

Alby zatrzymał się, a Thomas ze zdziwieniem zorientował się, że dotarli do Południowych Wrót. Dwie ściany wznosi-ły się przed nimi, tworząc wyjście. Masywne płyty z szarego kamienia pokrywały liczne pęknięcia i gęsty bluszcz, przez co sprawiały wrażenie tak starych, jak tylko Thomas był w stanie sobie wyobrazić. Wyciągnął szyję, aby dostrzec szczyt murów wznoszących się wysoko ponad nimi. Zakręciło mu się w głowie i doznał niezwykłego wrażenia, że spogląda w dół, a nie w górę. Cofnął się chwiejnym krokiem, po raz kolejny podzi-wiając konstrukcję swojego nowego domu, a następnie skierował wzrok na Alby'ego, który stał obrócony plecami w stronę wyjścia.

– Tam znajduje się Labirynt – powiedział Alby, wskazując kciukiem przez ramię, a następnie zamilkł. Thomas spojrzał we wskazanym kierunku, przez szparę w ścianach, które tworzyły wyjście ze Strefy. Korytarze na zewnątrz wyglądały tak samo jak te, które widział nad ranem z okna przy Wschodnich Wro-tach. Myśl ta przyprawiła go o dreszcze, sprawiając, że zastanawiał się, czy lada moment nie zaatakuje ich wybiegający zza rogu Bóldożerca. Zrobił krok w tył, nim zdał sobie sprawę, co czyni.

Uspokój się – zbeształ się w myślach, zawstydzony.

Alby kontynuował.

– Jestem tu już dwa lata. Ci, którzy przybyli tu przede mną, w większości nie żyją. – Thomas wybałuszył oczy, serce uderzało mu o żebra jak opętane. – Od dwóch lat próbujemy znaleźć stąd wyjście i nic. Cholerne mury przemieszczają się każdej nocy, tak samo jak te przed nami. Sporządzenie mapy nie jest wcale takie proste. – Skinął głową w kierunku budynku z betonu, w którym wczorajszej nocy zniknęli Zwiadowcy.

Kłujący ból przeszył Thomasowi czaszkę – zbyt wiele informacji naraz zalewało jego umysł. Byli tutaj od dwóch lat? Mury Labiryntu się przemieszczały? Ile osób zginęło? Zrobił krok naprzód, chcąc zobaczyć Labirynt na własne oczy, jak gdyby odpowiedzi czekały tam na niego wyżłobione w skalnych murach.

Alby wyciągnął dłoń i pchnął Thomasa w pierś, odpychając go.

– Tam nie wejdziesz, sztamaku.

Thomas poskromił swoją dumę.

– Dlaczego?

– Wydaje ci się, że wysłałem do ciebie Newta przed pobudką dla zabawy? Purwa, to jest Pierwsza Zasada. Jedyna, której nie możesz złamać, bo nigdy ci nie odpuścimy. Nikomu, ale to nikomu, oprócz Zwiadowców, nie wolno wchodzić do Labiryntu. Jeżeli złamiesz tę zasadę i wcześniej nie zabiją cię Bóldożercy, to sami cię zatłuczemy, rozumiesz?

Thomas przytaknął, przeklinając w myślach Alby'ego. Był pewien, że przesadza. Miał nadzieję, że tak właśnie było. Tak czy inaczej, jeżeli miał jakiekolwiek wątpliwości odnośnie tego, co ubiegłej nocy powiedział Chuckowi, to właśnie zniknęły. Chciał zostać Zwiadowcą. Będzie Zwiadowcą. Głęboko wewnątrz wiedział, że musi tam iść, że musi wejść do Labiryntu. Pomimo wszystkiego, czego dowiedział się i doświadczył, uczucie to wzywało go, nie dając mu spokoju, niczym głód lub pragnienie.

Nagły ruch na murze, po lewej stronie Południowych Wrót, przykuł jego uwagę. Zaskoczony, zareagował natychmiast, spoglądając w samą porę, by dostrzec błysk srebra. Kępa bluszczu poruszyła się w chwili, gdy coś w niej zniknęło.

Thomas wskazał palcem na ścianę.

– Co to było? – zapytał, nim Alby zdążył go ponownie uciszyć.

Alby nie spojrzał nawet we wskazanym kierunku.

– Żadnych pytań, dopóki nie skończymy, świeżuchu. Ile razy mam ci jeszcze powtarzać? – Przerwał, a następnie westchnął. – To żukolec. W ten sposób obserwują nas Stwórcy. Lepiej, żebyś nie...

Przerwał mu grzmiący donośny alarm, który rozbrzmiewał ze wszystkich stron. Thomas zasłonił uszy, rozglądając się wokół. Rycząca syrena o mało nie sprawiła, że serce wyskoczyło mu z piersi. Jednak kiedy ponownie spojrzał na Alby'ego, powstrzymał emocje.

Alby nie wyglądał na przestraszonego. Wydawał się być raczej... zdziwiony. Zaskoczony. Alarm rozbrzmiewał, odbijając się echem od murów.

– Co się dzieje? – zapytał Thomas. Uspokoił się, że jego przewodnik nie podzielał dręczących go obaw o nadchodzącym końcu świata, jednak Thomas miał już dosyć zalewających go fal paniki.

– Dziwne. – Było to jedyne słowo, które wypowiedział Alby, rozglądając się uważnie po Strefie. Thomas dostrzegł rozglądających się wokół ludzi w zagrodach, najwyraźniej tak samo jak on zmieszanych. Jeden z nich, chudy, ubłocony chłopak, krzyknął do Alby'ego:

– Co jest z tym nie tak? – I spojrzał z jakiegoś powodu na Thomasa.

– Nie wiem – odburknął Alby nieobecnym głosem.

Thomas nie mógł już tego znieść.

– Alby! Co się dzieje?

– Pudło, smrodasie, Pudło! – To wszystko, co odpowiedział Alby, zanim ruszył szybkim krokiem, będącym oznaką paniki, w stronę centrum Strefy.

– Co z nim? – dopytywał się Thomas, starając się dotrzymać mu kroku. „Mów wreszcie!" – chciał do niego wykrzyczeć.

Jednak Alby nie odpowiedział ani nie zwolnił kroku, a Thomas, podchodząc coraz bardziej do windy, zauważył dziesiątki dzieciaków biegających po dziedzińcu. Dostrzegł Newta i zawołał go, starając się opanować przybierający na sile strach, powtarzając sobie, że wszystko będzie dobrze, że musi być jakieś sensowne wyjaśnienie tej sytuacji.

– Newt, co się dzieje?! – krzyknął.

Newt spojrzał na niego, następnie skinął głową i podszedł, dziwnie spokojny w środku panującego wokół chaosu. Pacnął go w plecy.

– W Pudle nadciąga cholerny Njubi. – Przerwał, jak gdyby oczekiwał, że Thomas będzie pod wrażeniem tej informacji. – Właśnie teraz.

– No i? – Przyglądając się uważniej Newtowi, Thomas zdał sobie sprawę, że to, co wcześniej postrzegał jako spokój, w rzeczywistości było niedowierzaniem. Być może nawet podekscytowaniem.

– A to – odpowiedział Newt – że nigdy wcześniej w tym samym miesiącu nie pojawiło się dwóch świeżuchów, a co dopiero dwa dni pod rząd.

Powiedziawszy to, pobiegł w kierunku Bazy.

Po dwóch minutach nieustannego ryku alarm w końcu
ustał. Tłum zebrał się na środku dziedzińca wokół stalowych
drzwi, przez które Thomas – zaskoczony, uświadomił to sobie – przybył zaledwie wczoraj.

Wczoraj, pomyślał. Czy to naprawdę wydarzyło się zaledwie *wczoraj*?

Ktoś klepnął go w rękę. Thomas obrócił się i ujrzał stojącego przy nim Chucka.

– Jak tam, świeżuchu? – zapytał Chuck.

– W porządku – odpowiedział, pomimo że było to dalekie
od prawdy. Wskazał na drzwi windy. – Dlaczego wszyscy tak
świrują? Przecież każdy z nas tak się tu dostał.

Chuck wzruszył ramionami.

– A bo ja wiem? W sumie to zawsze pojawiali się regularnie. Raz w miesiącu, zawsze tego samego dnia. Może ci, co
za tym stoją, zdali sobie sprawę, że twoja obecność tutaj to
jedna wielka porażka i wysłali lepszy model. – Roześmiał się
piskliwym chichotem, szturchając Thomasa łokciem w żebra
i sprawiając, że w jakiś niewytłumaczalny sposób Thomas
polubił go jeszcze bardziej.

Thomas spojrzał na swojego nowego przyjaciela z udawaną
złością.

– Zaczynasz mi działać na nerwy.

– Wiem, ale mimo to jesteśmy kumplami? – zapytał Chuck,
parskając śmiechem.

– Wygląda na to, że nie mam za dużego wyboru. – Jednak prawda była taka, że Thomas potrzebował przyjaciela, a Chuck nadawał się idealnie.

Chuck skrzyżował ramiona z wyrazem zadowolenia wypisanym na twarzy.

– W takim razie postanowione, świeżuchu. Tutaj każdy z nas potrzebuje kumpla.

Thomas chwycił Chucka za kołnierz, zgrywając się.

– Ogay, kumplu, w takim razie zwracaj się do mnie po imieniu albo spuszczę cię szybem, jak tylko Pudło odjedzie. – Puścił Chucka i wtedy wpadła mu do głowy myśl. – Zaraz, czy próbowaliście...

– Próbowaliśmy – przerwał mu Chuck, nim zdołał dokończyć myśl.

– Czego?

– Powrotu windą po wyładunku – odpowiedział Chuck. – Nic z tego. Pudło nie ruszy, dopóki ktoś jest w środku.

Thomas przypomniał sobie, że Alby już mu o tym wspominał.

– To już wiem, ale co z ...

– Też próbowaliśmy.

Thomas powstrzymał się od jęku niezadowolenia – rozmowa robiła się coraz bardziej irytująca.

– Ciężko się z tobą dogadać. Czego próbowaliście?

– Zejścia szybem po tym, jak winda odjechała. Nie da się. Możesz otworzyć drzwi, ale napotkasz jedynie bezkresną przestrzeń, otchłań i ciemność. Żadnych lin, zero. Nie ma takiej opcji.

– Jak to możliwe? Czy...

– Próbowaliśmy.

Tym razem Thomas jęknął.

– Ale czego?!

– Wrzucić jakieś rzeczy do szybu. Nigdy nie usłyszeliśmy, jak uderzają o ziemię. Spadają całą wieczność.

Thomas zawahał się, zanim odpowiedział, nie chcąc, aby Chuck ponownie mu przerwał.

– A ty co, czytasz w myślach czy jak? – zapytał, starając się włożyć w to jak najwięcej sarkazmu.

– Nie, po prostu jestem genialny – odpowiedział Chuck, puszczając do niego oko.

– Nigdy więcej nie waż się puszczać do mnie oka – rzucił Thomas z uśmiechem. Chuck może i był irytujący, jednak było w nim również coś, co sprawiało, że wszystko wydawało się mniej straszne.

Thomas wziął głęboki oddech i spojrzał z powrotem na tłum ludzi zebrany wokół szybu.

– Więc ile jeszcze do dostawy?

– Zazwyczaj około pół godziny od alarmu.

Thomas zastanowił się przez chwilę. Musiało być coś, czego jeszcze nie próbowali.

– Jesteś pewien odnośnie tego szybu? Czy próbowaliście... – przerwał, czekając na wtrącenie ze strony Chucka, jednak ten milczał. – Czy próbowaliście zrobić linę?

– Tak, z bluszczu. Najdłuższą, jaką się chłopakom udało upleść. Powiedzmy, że ten mały eksperyment się nie powiódł.

– Co masz na myśli?

Co znowu? – pomyślał Thomas.

– Nie było mnie przy tym, jednak słyszałem, że chłopak, który zgłosił się na ochotnika, ledwo zszedł trzy metry w dół, kiedy coś furknęło w powietrzu i przecięło go na pół.

– Że co? – roześmiał się Thomas. – W życiu w to nie uwierzę.

– Ach tak, mądralo. Widziałem kości tej ofermy. Przecięte równiutko na pół. Trzymają go dla przestrogi, żeby innych głupota nie korciła.

Thomas czekał, aż Chuck się roześmieje lub chociaż uśmiechnie, ponieważ to musiał być żart. Czy ktoś kiedyś słyszał, aby przecięto kogoś na pół? Jednak Chuck milczał.

– Ty tak na poważnie?

Chuck wlepił w niego oczy.

– Nie jestem kłamcą, świe... Thomasie. Chodźmy, zobaczymy, kogo przywiało. Nie mogę uwierzyć, że byłeś świeżuchem tylko przez jeden dzień, cholerny klumpasie.

Idąc, Thomas zadał ostatnie pytanie.

– Skąd wiecie, że to nie jest zaopatrzenie albo prowiant?

– Wtedy alarm się nie włącza – odpowiedział Chuck. – Zaopatrzenie dostajemy co tydzień o tej samej porze. Hej, spójrz. – Zatrzymał się i wskazał na kogoś w tłumie. Był to Gally, który utkwił wzrok właśnie w nich.

– O purwa – powiedział Chuck. – Chyba cię nie polubił.

– Taa – wymamrotał Thomas. – Tyle to i ja już wiem. Zresztą z wzajemnością.

Chuck szturchnął Thomasa łokciem i chłopcy dołączyli do zebranych gapiów, następnie oczekiwali w milczeniu na rozwój wydarzeń. Wszelkie pytania kłębiące się głowie Thomasa wyparowały. Stracił chęć do rozmowy po spotkaniu z Gallym. Chuck najwyraźniej wręcz przeciwnie.

– Zapytaj go, na czym polega problem – powiedział, starając się brzmieć jak twardziel.

Thomas chciał być na tyle odważny, jednak pomysł ten wydawał się obecnie najgorszą z opcji.

– Wiesz, on ma znacznie więcej kumpli ode mnie, więc nie warto z nim zadzierać.

– No tak, ale ty jesteś mądrzejszy. Założę się też, że jesteś od niego szybszy. Bez problemu powaliłbyś go i tych jego kumpli.

Jeden z chłopaków stojących przed nimi spojrzał na nich przez ramię z wyraźną irytacją.

Pewnie jakiś jego kumpel, pomyślał Thomas.

– Przymknij się – syknął na Chucka.

Drzwi za nimi zamknęły się z trzaskiem. Thomas odwrócił się i zobaczył zmierzających w ich stronę Alby'ego i Newta, którzy przed chwilą wyszli z Bazy. Obaj wyglądali na wykończonych.

Ich widok ponownie przywołał w pamięci Thomasa przerażający obraz wijącego się w łóżku z bólu Bena.

– Stary, będziesz musiał mi kiedyś wyjaśnić, o co chodzi z tą całą Przemianą. Co oni tam robią z tym biedakiem?

Chuck wzruszył ramionami.

– Nie znam szczegółów. Bóldożercy robią jakieś paskudne rzeczy, sprawiają, że ciało przemienia się coś okropnego. Po wszystkim... jesteś jakiś inny.

Thomas zwietrzył szansę na uzyskanie w końcu konkretnej odpowiedzi.

– Jak to inny? Co przez to rozumiesz? I co Bóldożercy mają z tym wspólnego? Czy to właśnie miał na myśli Gally, kiedy wspominał o „użądleniu"?

– Cicho! – odparł Chuck, przykładając palec do ust.

Thomas o mało nie krzyknął z frustracji, jednak się nie odezwał. Postanowił, że wyciągnie to z niego później, bez względu na to, czy mu się to spodoba, czy nie.

Alby oraz Newt dotarli do zgromadzenia i przepychając się przez tłum, zajęli miejsce z przodu, tuż przed włazem do Pudła. Wszyscy wyczekiwali w skupieniu i po raz pierwszy Thomas usłyszał zgrzyt i szczęk nadjeżdżającej windy, który przypomniał mu o jego własnej koszmarnej podróży ubiegłego dnia. Ogarnął go smutek, podobny do tego, który odczuwał, obudziwszy się w ciemności bez pamięci. Zrobiło mu się żal osoby, która teraz musiała przechodzić przez to samo.

Stłumiony huk obwieścił przyjazd dziwacznej windy.

Thomas obserwował w napięciu, jak Alby i Newt zajmują miejsca po przeciwnych stronach szybu. Szpara dzieliła metalowe drzwi dokładnie na środku, a po obu jej stronach znajdowały się niewielkie uchwyty. Przy akompaniamencie metalicznego zgrzytu drzwi stanęły otworem i obłok pyłu z otaczających murów wzbił się w powietrze.

W Strefie zaległa całkowita cisza. W momencie, gdy Newt przechylił się w stronę Pudła, słabe beczenie kóz odbiło się echem po dziedzińcu. Thomas wychylił się do przodu tak bardzo, jak tylko mógł, w nadziei, że uda mu się dostrzec nowo przybyłego.

Nagle Newt odskoczył, przyjmując z powrotem pozycję pionową, na jego twarzy malowało się wyraźne zmieszanie.

– Ja pikolę... – wydukał, rozglądając się z niedowierzaniem dookoła.

W tym czasie Alby również przyjrzał się przybyszowi, reagując podobnie.

– Niemożliwe – mruknął, niemal w transie.

Grad pytań rozległ się wokoło, gdy wszyscy zaczęli się przepychać w stronę szybu.

Co oni tam widzą? – zastanawiał się Thomas. Co tam zobaczyli?!

Poczuł dreszcz przerażenia, podobny do tego, który towarzyszył mu, kiedy podchodził do okna, aby zobaczyć Bóldożercę.

– Spokój! – wrzasnął Alby, uciszając tłum. – Powiedziałem, spokój!

– Co się stało?! – krzyknął ktoś z tyłu.

Alby powstał.

– Dwa świeżuchy w dwa dni pod rząd – wydukał, niemal szeptem. – A teraz jeszcze to. Przez całe dwa lata nic, a teraz coś takiego. – Następnie, z jakiegoś powodu, spojrzał wprost na Thomasa. – O co tu chodzi, świeżuchu?

Thomas patrzył na niego zmieszany. Twarz zalała mu purpura a żołądek wywracał się do góry nogami.

– A skąd ja mam to niby wiedzieć?

– Alby, dlaczego nam nie powiesz, co tam, purwa, jest? – zawołał Gally.

Rozległy się kolejne szmery i tłum ponownie naparł w kierunku szybu.

– Spokój, smrodasy! – wrzasnął Alby. – Powiedz im, Newt.

Newt spojrzał w dół windy po raz kolejny, następnie przeniósł wzrok na tłum i powiedział z powagą:

– To dziewczyna.

W jednej chwili rozległ się ogromny gwar. Thomas wyłapał poszczególne urywki rozmów.

– Dziewczyna?

– Pierwszy ją biorę!

– Jak wygląda?

– Ile ma lat?

Thomas tonął w morzu zamieszania. *Dziewczyna?* Nawet nie przyszło mu do głowy, aby się zastanowić, dlaczego w Strefie byli sami chłopcy. Prawdę mówiąc, nawet tego nie zauważył. Kim ona jest? – zastanawiał się. Dlaczego...

Newt ponownie ich uciszył.

– To nie wszystko – powiedział, a następnie wskazał na Pudło. – Ona chyba nie żyje.

Kilku gapiów chwyciło za liny z bluszczu i winorośli i opuściło Alby'ego oraz Newta do Pudła, by mogli wydobyć ciało dziewczyny. Nastrój pełen zdziwienia i skrytego szoku zapanował wśród większości mieszkańców Strefy, którzy przemieszczali się bezładnie z zadumanymi minami, kopiąc kamienie i niemal się nie odzywając. Nikt się nie przyznał, że oczekuje, aż w końcu zobaczy dziewczynę, jednak Thomas zakładał, że byli jej tak samo ciekawi jak on.

Jednym z chłopaków, którzy trzymali liny, był Gally, gotowy, by wyciągnąć dziewczynę oraz Alby'ego i Newta na powierzchnię. Thomas przyglądał mu się uważnie. Jego oczy przepełniał mrok. To była niemal chora fascynacja. Widoczny w tych oczach błysk przeraził Thomasa.

Z głębi szybu usłyszeli głos Alby'ego, który krzyknął, że są już gotowi, i Gally oraz kilku innych chłopców zaczęło wciągać liny. Kilka pomruków później bezwładne ciało dziewczyny spoczęło na jednym z kamiennych bloków dziedzińca. Wszyscy natychmiast ruszyli do przodu, tworząc kłębowisko wokół jej ciała. Czuć było wyraźne podniecenie unoszące się w powietrzu. Thomas jednak pozostał na swoim miejscu. Dziwna cisza przyprawiła go o gęsią skórkę, zupełnie jakby otworzyli wieko niedawno złożonej do ziemi trumny.

Pomimo zżerającej go ciekawości, Thomas nie próbował nawet podejść bliżej, aby lepiej się przyjrzeć wydarzeniu – wszyscy byli zbyt ściśnięci obok siebie. Jednak sylwetka dziewczyny mignęła mu przed oczami, zanim tłum ją zasłonił. Była chuda, ale nie niska. Z tego, co zauważył, miała około metra siedemdziesiąt wzrostu. Wyglądała na jakieś piętnaście albo szesnaście lat i miała czarne włosy. Ale tym, co zwróciło jego szczególną uwagę, była jej skóra – blada, wręcz perłowa.

Newt i Alby wspięli się chwilę później po linie, a następnie przedarli się przez tłum gapiów do martwego ciała dziewczyny. Nowo sformowany tłum całkowicie zasłonił Thomasowi pole widzenia. Kilka sekund później tłum ponownie się rozstąpił, ukazując wskazującego wprost na Thomasa Newta.

– Podejdź no tu, świeżuchu – powiedział, nie zawracając sobie zbytnio głowy uprzejmościami.

Serce podskoczyło Thomasowi do gardła, dłonie zaczęły mu się pocić. Czego od niego chcieli? Sprawy przybierały coraz to gorszy obrót. Zmusił ciało do wykonania kroku naprzód, starając się zachować wygląd człowieka niewinnego, a nie kogoś, kto miał winę wypisaną na twarzy i próbował zgrywać niewiniątko.

Uspokój się, chłopie – powiedział do siebie. – Przecież nie zrobiłeś nic złego. Ogarnęło go jednak dziwne uczucie, że być może jednak zrobił, tylko nie zdawał sobie z tego sprawy.

Streferzy zebrani wzdłuż ścieżki prowadzącej do Newta i dziewczyny wpatrywali się w niego, gdy ich mijał, zupełnie jak gdyby ponosił odpowiedzialność za cały Labirynt, Strefę i Bóldożerców. Thomas unikał kontaktu wzrokowego z którymkolwiek z nich, bojąc się, że w jego oczach mogą ujrzeć winę.

Podszedł do Newta i Alby'ego, którzy klęczeli przy dziewczynie. Thomas, nie chcąc spojrzeć im w oczy, skoncentrował się na dziewczynie. Pomimo przeraźliwej bladości, była naprawdę ładna. Więcej niż ładna. Była piękna. Miała jedwabiste włosy, nieskazitelną cerę, idealne usta, długie nogi. Poczuł się nieswojo, myśląc w ten sposób o martwej istocie, jednak nie mógł oderwać od niej wzroku.

Wkrótce nie będzie już taka śliczna – pomyślał, odczuwając delikatne skręcanie w żołądku. Niedługo jej ciało zacznie gnić... – Zaskoczyły go jego własne, makabryczne myśli.

– Znasz tę dziewczynę, sztamaku? – zapytał Alby wkurzonym głosem.

Thomasa zupełnie zaskoczyło to pytanie.

– *Czy ją znam?* Oczywiście, że nie. Poza wami nikogo tu nie znam – odpowiedział.

– Nie o to... – rozpoczął Alby, następnie powstrzymał się i westchnął poirytowany. – Chodziło mi o to, czy ona *wygląda znajomo?* Czy masz wrażenie, że już ją gdzieś widziałeś?

– Nie. W ogóle. – Thomas przesunął się, spojrzał w dół na swoje stopy, a następnie z powrotem na dziewczynę.

Alby zmarszczył czoło.

– Na pewno? – Wyglądał, jakby nie uwierzył w ani jedno jego słowo. Niemal kipiał z wściekłości.

Dlaczego on sądzi, że mam z nią cokolwiek wspólnego? – zastanawiał się w myślach Thomas. Napotkał gniewne spojrzenie Alby'ego i udzielił jedynej odpowiedzi, jaką znał.

– Tak. Dlaczego pytasz?

– Purwa – mruknął Alby, ponownie spoglądając na dziewczynę. – To nie może być przypadek. Dwa świeżuchy w dwa dni, jeden żywy i jeden martwy.

Nagle słowa Alby'ego zaczęły nabierać znaczenia, wywołując u Thomasa panikę.

– Chyba nie myślisz, że ja... – Nie potrafiło mu to nawet przejść przez gardło.

– Luzuj poślady – powiedział Newt. – Nikt nie mówi, że ją zatłukłeś.

Umysł Thomasa zawirował. Był pewien, że nigdy wcześniej jej nie widział – jednak nuta niepewności i tak wkradła się do jego umysłu.

– Przysięgam, w ogóle jej nie kojarzę – odpowiedział. Miał już dosyć oskarżeń.

– Czy jesteś...

Zanim Newt skończył wypowiadać zdanie, dziewczyna zerwała się gwałtownie do pozycji siedzącej. Biorąc ogromny wdech powietrza, otworzyła również oczy i zamrugała, wpatrując się w tłum zebrany wokół niej. Alby krzyknął i upadł na plecy. Newt wydał stłumiony okrzyk i poderwał się, odskakując na bok. Thomas nie ruszył się z miejsca, wpatrując się w dziewczynę, sparaliżowany ze strachu.

Dziewczyna patrzyła na nich roziskrzonymi błękitnymi oczami, gwałtownie łapiąc powietrze. Jej różowe usta drżały, gdy próbowała wypowiedzieć jakieś słowa, zupełnie niezrozumiałe. W końcu przemówiła – głosem głuchym i udręczonym, aczkolwiek wyraźnym.

– *Nic już nie będzie takie jak kiedyś.*

Thomas wpatrywał się nią ze zdumieniem, kiedy przewróciła oczami i upadła z powrotem na ziemię. Jej prawa pięść, zesztywniała tak jak jej ciało, skierowana była w niebo. W zaciśniętej dłoni trzymała pognieciony kawałek papieru.

Thomas próbował przełknął ślinę, jednak jego gardło było zbyt suche. Newt podbiegł do ciała dziewczyny, rozwarł palce jej dłoni i wyciągnął z nich zwitek papieru. Drżącymi rękoma rozłożył go, a następnie upadł na kolana, wypuszczając kartkę z ręki. Thomas przysunął się, aby spojrzeć.

Grubymi, czarnymi literami, na papierze sześć nagryzmolonych słów układało się w całość:

**Ona jest ostatnia.
Kolejnych nie będzie.**

Nad Strefą zapanowała niezmącona cisza. Zupełnie jak gdyby potężne tornado przetoczyło się przez dziedziniec i wessało wszelki dźwięk. Newt odczytał wiadomość na głos tym, którzy nie widzieli zwitka papieru, jednak miast wybuchu wszechobecnego zamieszania, Streferzy stali w miejscu oniemiali.

Thomas spodziewał się wrzasków, pytań i kłótni. Jednak nikt nie odezwał się nawet słowem. Wszystkie oczy utkwione były w dziewczynę, która leżała niczym we śnie, a jej pierś unosiła się i opadała w rytmie płytkich oddechów. W przeciwieństwie do pierwotnej diagnozy, teraz na jej twarzy malowało się życie.

Widok powstającego Newta rozpalił w Thomasie nadzieję na jakieś wytłumaczenie, na głos rozsądku, wewnętrzne uspokojenie. Jednak Newt zgniótł jedynie kartkę w dłoni, że aż żyły pulsowały mu pod skórą, i serce Thomasa zamarło. Nie wiedział dlaczego, jednak ta sytuacja napawała go wielkim niepokojem.

Alby złączył dłonie wokół ust i krzyknął:

– Plaster!

Thomas zastanawiał się nad znaczeniem tego słowa. Wiedział, że słyszał je już wcześniej, jednak nagle wyleciało mu z głowy. Dwóch starszych chłopaków przepychało się przez tłum. Jeden z nich był wysoki i krótko ostrzyżony, z nosem wielkości okazałej cytryny. Drugi z nich był niskiego wzrostu, a po bokach głowy siwe włosy przeplatały mu się z czarnymi. Thomas miał nadzieję, że ci dwaj rzucą nieco światła na całą tę sprawę.

– Co z nią robimy? – zapytał większy z chłopców, głosem o wiele wyższym, niż Thomas się spodziewał.

– Skąd mam wiedzieć? – odpowiedział Alby. – To wasza działka, więc coś wymyślcie.

Plaster – powtórzył w myślach Thomas. – To pewnie rodzaj tutejszego medyka.

Niski chłopak kucał już przy dziewczynie, mierząc jej tętno oraz nasłuchując oddechu.

– Kto pozwolił Clintowi jako pierwszemu się z nią zabawić? – krzyknął ktoś z tłumu. Rozbrzmiały salwy śmiechu.

– Ja jestem po nim!

Jak mogą się teraz zgrywać? – zastanawiał się Thomas. – Dziewczyna jest ledwie żywa.

Zrobiło mu się słabo.

Alby zmrużył oczy, usta wykrzywił mu niewielki uśmiech, który zupełnie nie wskazywał na to, że miał cokolwiek wspólnego z poczuciem humoru.

– Jeżeli któryś ruszy dziewczynę – przemówił – to nockę spędzi z Bóldożercami w Labiryncie. Nie ma zmiłuj. – Przerwał, obracając się powoli wokół, jak gdyby zależało mu na tym, aby wszyscy zobaczyli jego twarz. – Niech nikt nie waży się jej ruszyć! Nikt!

Po raz pierwszy Thomasowi spodobało się to, co usłyszał z ust Alby'ego.

Niski chłopak, którego nazwano Plastrem – miał na imię Clint, o ile Thomas dobrze zrozumiał – zakończył oględziny i powstał.

– Wygląda, że nic jej nie jest. Równy oddech, bicie serca w normie, chociaż nieco powolne. Możemy jedynie zgadywać, ale wydaje mi się, że jest w śpiączce. Jeff, zabierzmy ją do Bazy.

Jego kolega, Jeff, podszedł i podniósł ją za ręce, natomiast Clint chwycił dziewczynę za stopy. Thomas żałował, że mógł się jedynie bezczynnie temu przyglądać – z każdą kolejną sekundą zaczynał powątpiewać coraz bardziej w prawdziwość wypowiedzianych wcześniej słów. Ona naprawdę *wyglądała* znajomo. Co więcej, czuł się z nią związany, chociaż nie wiedział dlaczego. Myśl ta nie dawała mu spokoju, rozejrzał się więc dookoła, na wypadek gdyby ktoś usłyszał jego myśli.

– Na trzy – powiedział wyższy z medyków, Jeff, który zginając się wpół, przy swoim wzroście wyglądał zabawnie, niczym modliszka. – Raz... dwa... trzy!

Podnieśli dziewczynę szybkim szarpnięciem, niemal wyrzucając ją w powietrze, i Thomas o mały włos nie nawrzeszczał na nich, by byli bardziej uważni. Najwyraźniej była o wiele lżejsza, niż przypuszczali.

– Trzeba będzie ją obserwować – rzucił Jeff, nie zwracając się do nikogo konkretnego. – Możemy podawać jej zupę, dopóki się nie obudzi.

– Po prostu miejcie na nią oko – skwitował Newt. – Musi być w niej coś wyjątkowego, skoro ją tu przysłali.

Thomas poczuł ścisk w żołądku. Wiedział, że jego i tę dziewczynę w jakiś sposób coś łączyło. Przybyli do Strefy w odstępie jednego dnia, wydawała mu się znajoma, pomimo doświadczenia tak wielu okropieństw, odczuwał przemożną potrzebę zostania Zwiadowcą... Co to wszystko mogło oznaczać?

Alby pochylił się, aby spojrzeć dziewczynie jeszcze raz w oczy, zanim ją zabiorą.

– Połóżcie ją w pokoju obok Bena i pilnujcie dzień i noc. Chcę o wszystkim wiedzieć. Nieważne, czy będzie gadała przez sen, czy walnie klumpa w spodnie – macie mnie od razu powiadomić.

– Jasne – mruknął Jeff. Następnie wraz z Cliffem odeszli w stronę Bazy. Powłócząc nogami, nieśli ze sobą bujające się ciało dziewczyny, a zebrani gapowicze w końcu zaczęli komentować całą sytuację, zagęszczając powietrze różnorakimi teoriami.

Thomas przyglądał się temu w niemej kontemplacji. To dziwne powiązanie między nim a dziewczyną nie było jedynym, co odczuwał. Zawoalowane oskarżenia sprzed kilku minut dowodziły, że inni również coś podejrzewali, tylko co? Był już całkowicie skołowany, a obwinianie go o kolejne rzeczy sprawiało, że czuł się jeszcze gorzej. Zupełnie jakby czytając w jego myślach, Alby podszedł do Thomasa i chwycił go za ramię.

– Na pewno nigdy wcześniej jej nie widziałeś? – zapytał.

Thomas zawahał się, zanim odpowiedział.

– Nie... nie przypominam jej sobie. – Miał nadzieję, że jego roztrzęsiony głos nie zdradzi drzemiących w nim wątpliwości. Co, jeżeli jednak ją znał? Co wtedy?

– Jesteś pewien? – dopytywał Newt, stając tuż za Albym.

– Nie... nie wydaje mi się. Dlaczego tak mnie maglujecie? – Jedyne, czego Thomas w tej chwili pragnął, to aby zapadł już zmierzch, aby mógł już zostać sam i odpocząć od tego zamieszania.

Alby pokręcił głową, następnie odwrócił się w stronę Newta, zwalniając ramię Thomasa z uścisku.

– Coś tu śmierdzi. Zwołaj Zgromadzenie.

Powiedział to na tyle cicho, że nikt oprócz Thomasa nie mógł tego usłyszeć, jednak nie wróżyło to niczego dobrego. Po tych słowach odeszli, a Thomas odczuł ulgę na widok zmierzającego w jego stronę Chucka.

– Chuck, co to jest Zgromadzenie?

Chłopak wyglądał na zadowolonego z faktu, że zna odpowiedź.

– To spotkanie Opiekunów. Zwołują je wyłącznie wtedy, kiedy dzieje się coś dziwnego lub strasznego.

– Wydaje mi się, że dzisiejsze wydarzenia spełniają oba te kryteria. – Głośne burczenie w brzuchu przerwało myśli Thomasa. – Nie dokończyłem śniadania – dodał. – Dostaniemy gdzieś coś do jedzenia? Konam z głodu.

Chuck spojrzał na niego, unosząc brwi.

– Na widok tej laski włączyło ci się ssanie? Człowieku, jesteś o wiele bardziej porąbany, niż sądziłem.

Thomas westchnął.

– Po prostu skołuj mi jakieś żarcie.

Kuchnia była niewielka, jednak znajdowało się w niej wszystko, co było potrzebne do przygotowania porządnego posiłku. Duży piekarnik, mikrofalówka, zmywarka, kilka stołów. Wyglądała na starą i zużytą, lecz schludną. Widok sprzętów kuchennych oraz znajomy układ pomieszczenia sprawił, że wspomnienia – prawdziwe, wyraźne wspomnienia – pukały niemal do bram jego świadomości. Jednak po raz kolejny brakowało kluczowych fragmentów tej układanki – imion, twarzy, miejsc czy wydarzeń. Można się było wściec.

– Siadaj – zaprosił Chuck. – Przygotuję ci coś. Ale to już ostatni raz. Mamy szczęście, że Patelniaka nie ma w pobliżu, Wścieka się, kiedy buszujemy w jego lodówce.

Thomasowi ulżyło, że byli sami. Podczas gdy Chuck grzebał w lodówce w poszukiwaniu jedzenia, Thomas zdjął z plastikowego stolika drewniane krzesło i usiadł.

– To jakiś obłęd. Jakim cudem to się mogło wydarzyć? Ktoś nas tu zesłał. Jakiś szaleniec.

Chuck zatrzymał się.

– Przestań się użalać. Po prostu pogódź się z tym i więcej o tym nie myśl.

– Akurat. – Thomas spojrzał przez okno. To był odpowiedni moment na zadanie jednego z miliona kłębiących się w jego umyśle pytań. – Skąd bierzecie prąd?

– A kogo to obchodzi?

A to ci niespodzianka, pomyślał Thomas. Brak odpowiedzi.

Chuck położył na stole dwa talerze, na których znajdowały się kanapki i marchewki. Chleb był gruby i biały, marchewki lśniące i jasnopomarańczowe. Żołądek intensywnie poganiał Thomasa. Podniósł kanapkę i zatopił w niej łapczywie zęby.

– O rany! – wymamrotał z pełnymi ustami. – Przynajmniej żarcie jest tu dobre.

Thomasowi udało się skończyć posiłek, nie będąc niepokojonym przez Chucka. Miał szczęście, że Chuck nie przejawiał ochoty na rozmowę, ponieważ pomimo wszystkich tych dziwnych rzeczy, których doświadczył odnośnie swoich niby-wspomnień, ponownie się uspokoił. Z pełnym żołądkiem i uzupełnionym zapasem energii, wdzięczny za kilka chwil spokoju, zdecydował, że od tej pory nie będzie więcej narzekał i stawi czoła rzeczywistości.

Przełknąwszy ostatni kawałek posiłku, Thomas oparł się wygodnie na krześle.

– Powiedz mi, Chuck – zaczął, wycierając usta w chusteczkę – co mam zrobić, aby zostać Zwiadowcą?

– Ty znowu o tym. – Chuck spojrzał na kompana znad talerza, z którego wybierał okruszki chleba. Wydał z siebie ciche, bulgoczące beknięcie, które przyprawiło Thomasa o odruch wymiotny.

– Alby mówił, że niedługo rozpocznę okres próbny pod okiem różnych Opiekunów. Kiedy więc przyjdzie pora na Zwiadowców? – Thomas czekał cierpliwie na uzyskanie w końcu jakichś konkretnych informacji.

Chuck w dramatycznym geście przewrócił oczami, nie pozostawiając żadnych wątpliwości, co sądził o jego pomyśle.

– Powinni wrócić za parę godzin. Dlaczego więc ich o to nie zapytasz?

Thomas zignorował sarkazm, drążąc temat dalej.

– Co oni robią, kiedy wracają wieczorem? Co znajduje się wewnątrz betonowego budynku?

– Mapy. Spotykają się zaraz po powrocie, zanim o wszystkim zapomną.

Mapy? Thomas miał mętlik w głowie.

– Skoro próbują nakreślić mapę, to dlaczego nie zabierają ze sobą papieru? – zapytał.

Mapy. To zaintrygowało go bardziej niż wszystko, co wcześniej usłyszał. To była pierwsza rzecz, która sugerowała możliwość znalezienia wyjścia z tej sytuacji.

– Pewnie, że zabierają, jednak i tak muszą przedyskutować i przeanalizować parę rzeczy. Dodatkowo – wyjaśnił Chuck, przewracając oczami – większość czasu zajmuje im przeprowadzanie zwiadu, a nie pisanie. Dlatego nazywają się *Zwiadowcami*.

Thomas rozmyślał przez chwilę o mapach i Zwiadowcach. Czy to możliwe, aby Labirynt rzeczywiście był tak ogromny, że od dwóch lat nie potrafili znaleźć z niego wyjścia? Wydawało się to niemożliwe. Przypomniał sobie jednak, jak Alby wspominał coś o przesuwających się murach. Co, jeżeli skazano ich na dożywocie w tym miejscu?

Skazano. Słowo to wywołało u niego przypływ paniki i sprawiło, że iskierka nadziei, która pojawiła się wraz z uczuciem napełnionego żołądka, zasyczała cicho i zgasła.

– Chuck, a co, jeżeli wszyscy jesteśmy przestępcami? Jeżeli jesteśmy mordercami albo innymi zwyrodnialcami?

– Że co? – Chuck spojrzał na niego jak na kogoś niespełna rozumu. – Skąd żeś to wytrzasnął?

– Zastanów się. Nasze wspomnienia wymazano. Żyjemy wewnątrz miejsca, z którego nie ma wyjścia, otoczeni przez krwiożerczych kreaturo-strażników. Czy to nie przypomina ci czasem więzienia? – Kiedy Thomas wypowiedział swoje przypuszczenia na głos, wydały mu się one jeszcze bardziej wiarygodne. Na samą myśl o tym zrobiło mu się niedobrze.

– Stary, ja mam jakieś dwanaście lat – powiedział Chuck, uderzając się kciukiem w pierś. – No, góra trzynaście. Naprawdę sądzisz, że zrobiłem coś, za co mógłbym trafić do więzienia na resztę mojego życia?

– Nie obchodzi mnie, czy coś zrobiłeś, czy nie. Tak czy inaczej, osadzono cię w więzieniu. Czy to miejsce wygląda jak wakacyjny kurort?

Cholera, pomyślał Thomas. Mam nadzieję, że się mylę.

Chuck zadumał się przez chwilę.

– Czy ja wiem? Lepsze to niż...

– Tak, wiem, lepsze to niż kupa klumpu. – Thomas wstał i przysunął krzesło do stołu. Lubił Chucka, jednak jakakolwiek próba przeprowadzenia z nim inteligentnej rozmowy była niemożliwa. Nie wspominając nawet o dochodzącej do tego irytacji i frustracji. – Zrób sobie jeszcze jedną kromę, ja idę na zwiad. Widzimy się wieczorem.

Wyszedł z kuchni na dziedziniec, zanim Chuck zdążył zaoferować mu swoje towarzystwo. Drzwi Pudła były zamknięte, mieszkańcy Strefy zajmowali się swoimi codziennymi obowiązkami, skąpani w promieniach połyskującego na niebie słońca. Nie było śladu szalonej lunatyczki z przesłaniem o zagładzie.

Ponieważ poprzedniego dnia nie zobaczył wszystkiego, Thomas postanowił przyjrzeć się Strefie na własną rękę. Udał się do północno-wschodniej części, w kierunku wielkich rzędów zielonych łodyg kukurydzy, które wyglądały na gotowe do zbiorów. Były tam też inne warzywa: pomidory, sałata, groch oraz wiele innych gatunków, których Thomas nie rozpoznawał.

Wziął głęboki oddech, zaciągając się cudowną wonią ziemi i świeżych warzyw. Był niemal pewien, że zapach ten wywoła u niego jakieś pozytywne wspomnienia, jednak tak się nie stało. Podchodząc bliżej, spostrzegł, że kilku chłopców pieliło oraz zbierało uprawy na mniejszych polach. Jeden z nich pomachał do niego, uśmiechając się. Naprawdę się do niego uśmiechnął.

Może to miejsce nie jest w sumie takie straszne, pomyślał Thomas. Nie wszyscy tutaj muszą być palantami.

Ponownie zaciągnął się przyjemną wonią wiejskiego powietrza i oczyścił umysł z wszelkich myśli. Było jeszcze mnóstwo innych rzeczy, które chciał tu zobaczyć.

Udał się do południowo-wschodniej części Strefy, gdzie znajdowały się licho wyglądające drewniane ogrodzenia, za którymi trzymane były krowy, kozy, owce i świnie. Nie było jednak koni. Ale lipa! – pomyślał. – Jeźdźcy byliby z pewnością szybsi od pieszych Zwiadowców.

Gdy podszedł bliżej, zdał sobie sprawę, że we wcześniejszym życiu musiał mieć do czynienia ze zwierzętami. Ich zapach, wydawane przez nie odgłosy – wszystko to wydawało mu się bardzo znajome.

Ta woń nie była co prawda tak przyjemna, jak zapach warzyw, jednak Thomas wyobrażał sobie, że mogło być gorzej. Rozglądając się po farmie, uświadomił sobie, jak bardzo mieszkańcy Strefy dbali o to miejsce, jak schludnie jest ono utrzymane. Był pod wrażeniem tego, jak dobrze musieli być zorganizowani i jak ciężko wszyscy musieli pracować. Mógł sobie jedynie wyobrazić, jak wielki bałagan zapanowałby tu, gdyby wszyscy się lenili i zapuścili to miejsce na dobre.

Na końcu udał się do południowo-zachodniej części Strefy, rozciągającej się w pobliżu lasu.

Mijając pojedyncze, szkieletowe konary drzew znajdujących się na obrzeżach gęstego lasu, Thomas wzdrygnął się zaskoczony, gdy coś poruszyło się lekko pod jego stopami, a następnie wydało szybki stukot. Spojrzał w dół w samą porę, by dostrzec metaliczny połysk, zabawkę w kształcie szczura czmychającą obok niego w stronę niewielkiego lasu. Zanim się zorientował, że to wcale nie był szczur – przypominało to bardziej jaszczurkę z co najmniej sześcioma przebierającymi nogami, wychodzącymi z długiego, srebrnego tułowia – to coś znajdowało się już blisko trzy metry przed nim.

Żukolec.

„W ten sposób nas obserwują" – mówił Alby.

Thomas dostrzegł błysk czerwonego światła rozchodzącego się po ziemi przed stworzeniem, zupełnie jak gdyby pochodziło z jego oczu. Logika podpowiadała mu, że to pewnie jego mózg płata mu figle, jednak mógłby przyrzec, że ujrzał słowo DRESZCZ wypisane zielonymi literami na jego odwłoku. Coś tak dziwnego wymagało wyjaśnień.

Thomas puścił się biegiem za czmychającym szpiegiem i po kilku sekundach wkroczył w gęsty zagajnik. Świat spowiła ciemność.

Nie mógł uwierzyć, jak szybko światło zniknęło. Z perspektywy dziedzińca, las nie wydawał się zbyt wielki, mógł mieć najwyżej kilka akrów. Jednak drzewa były wysokie, a pnie potężne, osadzone blisko siebie. Tworzyły nad głowami gęste sklepienie z liści. Powietrze wokół przybrało zielonkawy, stonowany odcień, jak gdyby do zmierzchu pozostało zaledwie kilka minut.

Widok ten był zarówno piękny, jak i przerażający.

Przemieszczając się tak szybko, jak tylko mógł, Thomas przedzierał się przez gęstwinę drzew. Cieniutkie gałęzie smagały go po twarzy. Uchylił się, niemal przewracając, aby uniknąć zderzenia z nisko zwisającym konarem. Wyciągnął dłoń i chwycił za gałąź, a następnie podciągnął się, aby nie stracić równowagi. Puszysta kołdra liści i połamanych gałązek trzeszczała pod naporem jego kroków.

Przez cały czas jego wzrok utkwiony był w tułowiu żukolca, przemierzającego leśne podłoże. Im dalej się zagłębiał, tym bardziej jego czerwone światełko połyskiwało w zapadającej ciemności lasu.

Thomas zapuścił się już jakieś dziesięć, dwanaście metrów w głąb lasu, uchylając się, potykając i tracąc dystans z każdą sekundą, kiedy w końcu żukolec wskoczył na dosyć sporych rozmiarów drzewo i prędko przesunął się po jego konarach w górę. Zanim Thomas dotarł do drzewa, po gibkim stworzonku nie było już śladu. Zniknęło w gęstwinie listowia, jakby nigdy nie istniało.

Skubaniec mu umknął.

– Purwa! – wyszeptał Thomas, niemal żartem. Choć wydawało się to dziwne, słowo wypłynęło z jego ust naturalnie, zupełnie jakby już stał się mieszkańcem Strefy.

Gdzieś z jego prawej strony dobiegł go dźwięk ułamanej gałązki i natychmiast odwrócił głowę w tamtym kierunku. Wstrzymał oddech, nasłuchując.

Kolejny trzask, tym razem głośniejszy, niczym dźwięk łamanej na kolanie gałęzi.

– Kto tam?! – zawołał Thomas, czując, że jego ciało pokrywa gęsia skórka.

Jego głos odbił się od sklepienia stworzonego przez konary i liście, roznosząc się echem po zielonej otchłani. Stał nieruchomo, jakby nogi wrosły mu w ziemię. Wsłuchiwał się w niemal kompletną ciszę, którą zakłócało jedynie kilka śpiewających w oddali ptaków. Jednak nikt mu nie odpowiedział. Nie usłyszał również kolejnych dźwięków dobiegających z tamtej strony.

Niewiele myśląc, Thomas ruszył w kierunku miejsca, z którego dochodził dźwięk. Nie zwracając również uwagi na to, czy ktoś go usłyszy, przedzierał się, odpychając gałęzie, które z trzaskiem odskakiwały z powrotem na miejsce, kiedy je puszczał. Zmrużył oczy, aby przywykły do otaczającej go ciemności, żałując, że nie zabrał ze sobą latarki. Myśl o latarce skierowała jego uwagę ponownie na rozważania dotyczące pamięci. Po raz kolejny pamiętał konkretną rzecz z przeszłości, jednak nie potrafił jej ulokować w określonym miejscu czy też czasie, nie potrafił jej powiązać z jakimś konkretnym wydarzeniem lub osobą. Wprawiało go to we frustrację.

– Jest tam kto? – Thomas ponowił pytanie, odczuwając znaczny spokój, odkąd dźwięk łamanej gałęzi się nie powtórzył. To zapewne jakieś zwierzę, może kolejny żukolec.

Jednak na wszelki wypadek zawołał: – To ja, Thomas. Ten nowy. A raczej, prawie nowy.

Wzdrygnął się i pokręcił głową z nadzieją, że nikogo tam nie było. To musiało zabrzmieć jak wyznanie totalnego kretyna.

Ponownie nikt mu nie odpowiedział.

Thomas obszedł wielki dąb i stanął jak wryty. Lodowate ciarki przeszły mu po plecach. Wszedł na cmentarz.

Polana była niewielka, miała około dziesięciu metrów kwadratowych i przykryta była grubą warstwą zielonkawych chwastów, które rosły przy samej ziemi. Thomas zauważył kilka niezdarnie postawionych krzyży, powbijanych w narośl, których poziome elementy przymocowano do pionowych za pomocą kawałka sznurka. Tablice nagrobne były pomalowane na biało, jednak Thomas dostrzegł, że ktoś musiał to zrobić w pośpiechu, ponieważ spod farby prześwitywały zaschnięte plamy oraz fragmenty desek. Imiona wyryto w drewnie.

Thomas podszedł bliżej, niepewnym krokiem dotarł do najbliższego grobu i uklęknął przy nim, aby się przyjrzeć. Światło było tak stłumione, że odniósł niemal wrażenie, jakby spoglądał przez gęstą mgłę. Nawet ptactwo ucichło, jakby ułożyło się już w swych gniazdach do snu, a dźwięk owadów był ledwo słyszalny lub przynajmniej o wiele słabiej niż zazwyczaj. Po raz pierwszy Thomas zdał sobie sprawę z wilgoci panującej w lesie, kropelki potu ociekały mu z czoła, pleców i dłoni.

Nachylił się bliżej nad pierwszym krzyżem. Wyglądał na świeżo postawiony i miał wyryte imię *Stephen* – literka n była wyraźnie mniejsza i wyryta na samym brzegu, zapewne, dlatego, że ktoś nie wziął pod uwagę ilości miejsca, jakiej będzie potrzebował.

Stephen – wypowiedział w myślach Thomas, czując jak ogarnia go niespodziewany smutek. – Co ci się przytrafiło? Chuck zanudził cię na śmierć?

Wstał i podszedł do kolejnego krzyża, twardo wbitego w ziemię, który był niemal całkowicie zarośnięty chwastami. Ktokolwiek tu leżał, musiał być jednym z pierwszych, którzy zginęli, ponieważ grób wyglądał staro. Wyżłobiono na nim imię: George.

Thomas rozejrzał się dookoła i dostrzegł przynajmniej tuzin kolejnych grobów. Kilka z nich wyglądało na równie nowe, jak pierwszy, który oglądał. Srebrzysty błysk przykuł jego uwagę. Był inny niż ten pochodzący od czmychającego żuka, który zawiódł go do lasu, jednak równie dziwny. Przeszedł między nagrobkami, aż dotarł do grobu przykrytego folią z plastiku lub taflą szkła, której krawędzie umazane były brudem. Zmrużył oczy, starając się dostrzec, co znajdowało się pod przezroczystą powłoką. Gdy w końcu mu się udało, wydał stłumiony okrzyk zdumienia. Powłoka okazała się być oknem skrywającym kolejny grób, w którym spoczywały gnijące ludzkie szczątki.

Pomimo iż był przerażony do szpiku kości, Thomas nachylił się jeszcze bliżej, aby się przyjrzeć. Grobowiec był mniejszy od pozostałych – wewnątrz spoczywała jedynie *połowa* rozkładającego się ciała. Przypomniał sobie opowieść Chucka o chłopaku, który po tym, jak Pudło odjechało, próbował opuścić się w dół ciemnego szybu, i jak coś przecięło go na pół. Na szkle widniały wyryte słowa, które Thomas z trudem mógł odczytać:

Niech ten zdechlak będzie dla wszystkich ostrzeżeniem: Nie można uciec przez szyb windy.

Thomas o mało nie wybuchnął śmiechem – to wyglądało zbyt groteskowo, aby mogło być prawdą. Poczuł jednak wstręt do samego siebie za to, że był tak płytki i pyskaty.

Potrząsając głową, wstał od grobu, aby przeczytać imiona pozostałych zmarłych, gdy usłyszał odgłos kolejnej trzaskającej gałęzi, tym razem na wprost niego, tuż za drzewami pod drugiej stronie cmentarza.

Kolejny trzask. I kolejny. Coraz głośniej. Polanę spowiła gęsta ciemność.

– Kto tam jest? – zawołał Thomas roztrzęsionym, dudniącym głosem, który zabrzmiał, jakby rozchodził się wewnątrz wytłumionego tunelu. – Poważnie, to nie jest śmieszne. – Bał się przyznać przed samym sobą, jak bardzo był przerażony.

Zamiast odpowiedzi, tajemniczy osobnik porzucił pozory obserwatora i rzucił się do biegu, przedzierając się przez gęstwinę wokół polany otaczającej cmentarz. Krążył, zbliżając się do miejsca, w którym stał Thomas. Thomas zamarł, sparaliżowany strachem. Zaledwie kilka metrów od siebie usłyszał coraz to głośniejsze odgłosy zbliżającego się napastnika, aż w końcu niewyraźna postać chudej, kulejącej istoty poruszającej się nerwowym biegiem mignęła mu przed oczami.

– Coś ty za...

Napastnik wybiegł spomiędzy drzew, nim Thomas zdołał dokończyć. Dostrzegł jedynie błysk bladej skóry i olbrzymich oczu – obraz makabrycznej zjawy – po czym krzyknął, próbując uciec, jednak było już za późno. Upiorna postać wzbiła się w powietrze, wskakując na jego ramiona, łapiąc go w potężnym uścisku. Thomas runął na ziemię. Poczuł, jak płyta nagrobna wbija mu się w plecy, po czym przełamuje na pół, rozdzierając głęboko jego skórę.

Odepchnął i uderzył napastnika. Przedzierając się rękami przez atakującą go masę skóry i kości, starał się znaleźć punkt oparcia. Intruz wyglądał jak monstrum, potwór z koszmaru, jednak Thomas wiedział, że to musiał być mieszkaniec Strefy, który postradał zmysły. Usłyszał szczęk kłapiących zębów, przerażające *trzask, trzask, trzask*. Następnie poczuł przejmujące ukłucie, gdy oprawca w końcu zatopił głęboko zęby w jego ramieniu.

Thomas krzyknął przeraźliwie, zupełnie jakby wraz z bólem do jego żył przetoczono adrenalinę. Oparł dłonie na piersi napastnika i odepchnął go, prostując ramiona, napierając z całej siły na przygniatające go i szamoczące się ciało napastnika. Oprawca w końcu ustąpił; ostry trzask przeszył powietrze, gdy kolejny z nagrobków rozpadł się na kawałki.

Thomas wierzgał wszystkimi kończynami, wciągając łapczywie powietrze, i po raz pierwszy przyjrzał się dokładnie intruzowi.

To był ten chory dzieciak.

To był Ben.

11

Wyglądało na to, że od ostatniej wizyty Thomasa Benowi polepszyło się tylko trochę. Miał na sobie wyłącznie bokserki, a jego blada jak u trupa skóra opinała patykowate kości niczym płachta ciasno owinięta wokół sterty badyli. Pulsująca sieć zielonych żył oplatała całe jego ciało. Była jednak o wiele mniejsza niż wczoraj. Jego przekrwione ślepia wpatrywały się w Thomasa, jakby był kolejnym posiłkiem.

Ben przykucnął, gotowy do kolejnego ataku. Nagle w jego prawej dłoni błysnęło ostrze noża. Paraliżujący strach i niedowierzanie, że to się dzieje naprawdę, zakradły się do każdego zakamarka umysłu Thomasa.

– Ben!

Thomas spojrzał w kierunku, z którego dobiegł głos, i ku swemu zaskoczeniu ujrzał Alby'ego stojącego na skraju cmentarza, niczym zjawa w gasnącym świetle dnia. Odetchnął z ulgą – Alby trzymał w dłoniach wielki napięty łuk ze strzałą wymierzoną wprost w Bena.

– Ben – powtórzył Alby. – Przestań w tej chwili albo nie doczekasz jutra!

Thomas spojrzał ponownie na Bena, który wpatrywał się złowieszczo w Alby'ego, oblizując wargi.

Co dolega temu szajbusowi? – zastanawiał się Thomas. Dzieciak zamienił się w potwora. Ale dlaczego?

– Jeśli mnie zabijesz – wrzasnął Ben, wypluwając wściekle ślinę, która trafiła Thomasa w twarz – to będziesz miał na sumieniu nie tego, co trzeba. – Skierował gniewny wzrok z powrotem na Thomasa. – Tego smrodasa powinieneś zatłuc – dokończył głosem przepełnionym szaleństwem.

– Nie bądź głupi, Ben – odpowiedział spokojnie Alby, wciąż trzymając napięty łuk. – Thomas dopiero do nas trafił, nie musisz się nim przejmować. Cały czas odczuwasz skutki Przemiany. Nie powinieneś był opuszczać łóżka.

– On nie jest jednym z nas! – krzyknął Ben. – Widziałem go. On jest... zły. Musimy go zabić! Pozwól mi go wybebeszyć!

Thomas cofnął się mimowolnie o krok, przerażony słowami Bena. O co mu chodziło, kiedy mówił, że go widział? Dlaczego sądził, że Thomas jest zły?

Alby nadal stał nieruchomo z łukiem wycelowanym wprost w Bena.

– Zostaw to mnie i Opiekunom, smrodasie. – Jego ręce były idealnie nieruchome, zupełnie jakby opierał łuk na jakiejś gałęzi. – A teraz zabieraj swoje mizerne dupsko w troki i pędem do Bazy.

– On będzie nas chciał zabrać do domu – powiedział Ben. – Będzie nas chciał wydostać z Labiryntu. Lepiej od razu rzućmy się z Urwiska! Lepiej od razu wyprujmy sobie nawzajem flaki!

– O czym ty mówisz? – odezwał się Thomas.

– Zawrzyj twarzostan! – wrzasnął Ben. – Zawrzyj tę paskudną, zdradziecką mordę!

– Ben – powiedział spokojnie Alby. – Policzę do trzech.

– On jest zły, on jest zły, on jest zły... – powtarzał pod nosem Ben, niemal nucąc. Kołysał się w tył i w przód, przerzucając nóż z jednej ręki do drugiej, wlepiając oczy w Thomasa.

– Raz.

– Zły, zły, zły, zły, zły... – cedził przez zęby Ben, uśmiechając się. Jego kły błyszczały na zielono w bladym świetle zmroku.

Thomas chciał odwrócił wzrok, chciał stamtąd uciec. Nie potrafił się jednak poruszyć; stał jak zahipnotyzowany, zbyt przerażony, by zareagować.

– Dwa – powiedział Alby głosem, w którym pobrzmiewało ostrzeżenie.

– Ben – przemówił Thomas, starając się to wszystko zrozumieć. – Ja nie... Ja nawet nie wiem, co...

Ben wrzasnął, wydał z siebie pomruk szaleństwa i wyskoczył w górę, rozcinając powietrze nożem.

– Trzy! – krzyknął Alby.

Świst wystrzelonej strzały przeszył powietrze. Sekundę później obrzydliwy, mokry, tępy odgłos poinformował go, że trafił do celu.

Głowa Bena odskoczyła gwałtownie w lewo, wykręcając jego ciało, aż wylądował na brzuchu, stopami skierowanymi w stronę Thomasa. Nie wydał z siebie żadnego dźwięku.

Thomas zerwał się na nogi i podszedł do niego niepewnym krokiem. Długie drzewce strzały wystawało z policzka Bena. Krwi było, o dziwo, o wiele mniej, niż sądził, jednak i tak się z niego sączyła. Gęsta i czarna niczym ropa. Całe ciało leżało w bezruchu, za wyjątkiem małego, drżącego palca u prawej dłoni. Thomas o mało nie zwymiotował. Czy Ben zginął przez niego? Czy to była jego wina?

– Chodź – powiedział Alby. – Grzebacze jutro się nim zajmą.

Co tu się właśnie wydarzyło? – zastanawiał się Thomas, a świat wokół niego wirował, gdy spoglądał na martwe ciało u swoich stóp. Co ja mu takiego zrobiłem?

Podniósł wzrok, oczekując odpowiedzi, jednak Alby'ego już nie było, a jedynym dowodem, że kiedykolwiek tam stał, była drżąca gałąź.

Thomas zmrużył oczy, unikając oślepiających promieni słońca, gdy wychodził z lasu. Kulał, ból w kostce nie dawał mu spokoju, jednak nie pamiętał, żeby się zranił. Jedną dłonią uciskał miejsce, gdzie został ugryziony; drugą ściskał brzuch, jak gdyby miało go to uchronić przed nieuniknionym pawiem. Przed oczami pojawiła mu się głowa Bena, wykrzywiona pod nienaturalnym kątem, brocząca krwią, która ściekała strużką z drzewca strzały, rozpryskując się o ziemię...

Tego już było za wiele.

Upadł na kolana przy jednym z postrzępionych drzew na skraju lasu i zwymiotował; wykaszlał i wypluł pozostałości paskudnej, kwaśnej żółci zalegającej mu w żołądku, od której zbierało mu się na kolejne wymioty. Cały się trząsł i myślał, że wymioty już nigdy nie ustąpią.

Wtedy, jak gdyby jego własny mózg z niego zakpił, wpadła mu do głowy myśl. Był w Strefie od około dwudziestu czterech godzin. Jeden pełny dzień. Tylko tyle. No właśnie. I co się w tym czasie wydarzyło? Same okropne rzeczy!

Z pewnością mogło być już tylko lepiej.

Tej nocy Thomas wpatrywał się w gwiaździste niebo, zastanawiając się, czy kiedykolwiek jeszcze odnajdzie sen. Za każdym razem, gdy zamykał oczy, nawiedzał go potworny obraz wskakującego na niego Bena, przepełnione szaleństwem ślepia i obłęd wypisany na jego twarzy. Na jawie czy we śnie, mógłby przysiąc, że wciąż słyszy mokry, tępy odgłos strzały przebijającej policzek chłopaka.

Wiedział, że już nigdy nie zapomni wydarzeń z cmentarza.

– Powiedz coś – przemówił Chuck po raz piąty, odkąd położyli się do śpiworów.

– Nie – odpowiedział Thomas, tak jak zrobił to już wcześniej.

– Wszyscy wiedzą, co się stało. Już wcześniej, raz czy dwa, bywało, że użądlony przez Bóldożercę wariat dostawał szału i rzucał się na kogoś. Nie myśl, że jesteś taki wyjątkowy.

Po raz pierwszy Thomas nie uważał, że towarzystwo Chucka jest lekko irytujące, teraz sądził, że jest wręcz nieznośne.

– Po prostu się zgryw...

– Zamknij się, Chuck, i śpij. – Thomas nie mógł już tego znieść.

W końcu jego „kumpel" usnął i, sądząc po rozchodzących się po Strefie odgłosach chrapania, reszta mieszkańców również. Kilka godzin później Thomas jako jedyny wciąż nie spał. Chciało mu się płakać, jednak nie potrafił. Chciał odszukać Alby'ego i go uderzyć, bez powodu, jednak tego nie zrobił. Chciał wykrzyczeć całą zżerającą go złość, kopać, opluć i otworzyć wieko Pudła, wskoczyć w otchłań szybu. Jednak tego nie zrobił.

Zamknął oczy i przegonił myśli oraz mroczne obrazy, i po jakimś czasie usnął.

Chuck musiał wyciągać go rano ze śpiwora, zaprowadzić pod prysznic i pomóc mu się ubrać. Przez cały czas Thomas słaniał się na nogach, obojętny, rwąca głowa nie dawała mu spokoju, a ciało domagało się, by powrócił na legowisko. Śniadanie było jedną wielką niewyraźną plamą i godzinę później nie potrafił sobie przypomnieć, co jadł. Był tak zmęczony, że czuł się, jakby ktoś zaciągnął mu w mózgu hamulec ręczny i przykrył grubym, wełnianym kocem. Zgaga czyniła spustoszenie w jego piersi.

Jednak z tego, co wiedział, drzemki nie były tu mile widziane w ciągu dnia.

Stał wraz z Newtem przed oborą Mordowni, czekając na swój pierwszy dzień pracy pod okiem przydzielonego mu Opiekuna. Pomimo ciężkiego poranka, Thomas był naprawdę podekscytowany możliwością nauczenia się czegoś nowego, tym, że choć na chwilę porzuci myśli o Benie i o wydarzeniach na cmentarzu. Zewsząd otaczała go trzoda – muczące krowy, beczące owce i kwiczące świnie. Gdzieś nieopodal zaszczekał pies i Thomas pomodlił się w duchu, aby Patelniak nie nadał nowego znaczenia słowu *hotdog*.

Hotdog, pomyślał. Kiedy po raz ostatni go jadłem? Z kim go wtedy jadłem?

– Tommy, czy ty mnie w ogóle słuchasz?

Thomas otrząsnął się z zamyślenia i skupił swą uwagę na Newcie, który mówił coś do niego już od dłużej chwili. Thomas nie zarejestrował z tego ani jednego słowa.

– Tak, sorry. Kiepsko w nocy spałem.

Na twarzy Newta zagościła żałosna próba uśmiechu.

– Nie dziwię ci się, chłopie. Miałem, cholera, tak samo. Pewnie masz mnie teraz za niezłego krótasa, że każę ci spinać poślady po wczorajszych wydarzeniach.

Thomas wzruszył ramionami.

– Praca jest teraz chyba najlepszym rozwiązaniem. Przynajmniej przestanę o tym myśleć.

Newt skinął głową, a jego uśmiech wydał się szczerszy.

– Mądrze gadasz, Tommy. Właśnie dlatego udaje nam się utrzymać tu porządek. Jak masz lenia, to łapiesz doła i się poddajesz. Jasne jak słońce.

Thomas przytaknął, bezmyślnie kopiąc kamyki po zakurzonej, kamiennej podłodze Strefy.

– Więc co jest z tą dziewczyną? – Jeżeli cokolwiek przeniknęło przez mgłę jego porannego zamroczenia, to była to właśnie myśl o niej. Chciał się o niej więcej dowiedzieć, zrozumieć tę dziwną, łączącą ich więź.

– Wciąż w śpiączce. Śpi. Plaster karmi ją zupą ugotowaną przez Patelniaka, sprawdza jej stan i takie tam. Wydaje się być zdrowa, po prostu się wyłączyła.

– To naprawdę dziwne. – Gdyby nie incydent na cmentarzu z Benem w roli głównej, to Thomas był pewien, że tylko ona zaprzątałaby mu głowę tej nocy. Może nie mógłby zasnąć z zupełnie innego powodu. Musiał się dowiedzieć, kim była i czy są w jakiś sposób ze sobą związani?

– Tak – odpowiedział Newt. – *Dziwne* jest tak samo dobre, jak każde inne określenie.

Thomas spojrzał przez ramię Newta na wielką, wypłowiałą, czerwoną oborę, odsuwając myśli o dziewczynie na bok.

– Od czego więc zaczynamy? Od wydojenia krów czy zarżnięcia paru bezbronnych świnek?

Newt roześmiał się i Thomas uświadomił sobie, że nie słyszał tego dźwięku zbyt często, odkąd tutaj przybył.

– Njubi zawsze zaczynają od wizyty u Rozpruwacza. Spokojna głowa, siekanie produktów dla Patelniaka nie jest częścią programu. Do twoich zadań należy opieka nad trzodą.

– Szkoda, że nie pamiętam niczego z przeszłości. Kto wie, może lubiłem moczyć się we krwi zwierząt. – Thomas żartował, jednak Newt chyba nie poznał się na jego poczuciu humoru. Skinął jedynie głową w stronę obory.

– Zanim słońce zajdzie, załapiesz co i jak. Chodź, poznasz Winstona, będzie twoim Opiekunem.

Winston był pryszczatym dzieciakiem, umięśnionym, acz niskiego wzrostu, i Thomasowi wydawało się, że aż nadto lubi swoją profesję.

Może osadzili go tu za to, że był seryjnym mordercą? – pomyślał Thomas.

Winston oprowadzał Thomasa przez pierwszą godzinę, wyjaśniając, w których zagrodach trzymane są konkretne zwierzęta, gdzie znajdują się klatki z kurczętami i indykami oraz co i gdzie znajdowało się w oborze. Pies, nieznośny czarny labrador wabiący się Szczek, natychmiast przypałętał się do nogi chłopca i nie dawał mu już spokoju przez resztę dnia. Na pytanie, skąd wziął się tam pies, Winston odpowiedział, że był tu od zawsze. Całe szczęście, imię dostał raczej dla żartów, ponieważ nie ujadał nawet przez chwilę.

Kolejną godzinę Thomas spędził, oporządzając zwierzęta, karmiąc świnie, naprawiając ogrodzenie, zdrapując klumpska. *Klumpska*. Thomas łapał się na tym, że coraz częściej używał języka Strefy.

Trzecia godzina okazała się dla Thomasa najtrudniejsza. Musiał przyglądać się, jak Winston zarzyna wieprza i ćwiartuje go na poczet przyszłych posiłków. Idąc na przerwę obiadową, Thomas przyrzekł sobie dwie rzeczy. Po pierwsze, nie zwiąże swojej kariery w Strefie ze światem zwierząt. Po drugie, już nigdy więcej nie zje wieprzowiny.

Winston powiedział Thomasowi, że może już iść i że sam da sobie radę, co Thomasowi bardzo odpowiadało. Idąc w kierunku Wschodnich Wrót, nie potrafił przestać myśleć o Winstonie, który w ciemnym kącie obory pastwi się nad powieszonym na haku, obdartym ze skóry wieprzem. Ten facet go przerażał.

Thomas właśnie mijał Pudło, kiedy zdziwiony zauważył, że po jego lewej stronie, przez Zachodnie Wrota, ktoś właśnie wychodził z Labiryntu – krótko ostrzyżony, umięśniony Azjata o czarnych włosach, który wyglądał, jakby był niewiele starszy od niego. Zwiadowca zatrzymał się tuż za wejściem, następnie pochylił się, opierając dłonie na kolanach, i z trudem łapał oddech. Wyglądał, jak gdyby dopiero co zakończył udział w maratonie. Czerwoną twarz, ubranie i ciało miał zlane potem.

Thomas wpatrywał się w niego, starając się przezwyciężyć swoją ciekawość – nigdy wcześniej nie widział Zwiadowcy z tak bliska ani też z żadnym nie rozmawiał. W dodatku, biorąc pod uwagę ostatnich kilka dni, Zwiadowca wrócił do Strefy znacznie wcześniej niż zwykle. Thomas podszedł bliżej, wierząc, że uda mu się go poznać i zadać parę pytań.

Jednak zanim zdołał wydusić z siebie chociaż słowo, chłopak runął na ziemię.

12

Thomas nie ruszył się przez krótką chwilę. Chłopak zwalił się jak kłoda i leżał przed nim, ledwo się poruszając, jednak Thomas, porażony nagłym rozwojem wypadków, bał się cokolwiek zrobić. Co, jeżeli dolegało mu coś poważnego? Co, jeżeli został... *użądlony*? Co, jeżeli...

Porzucił tę myśl. Zwiadowca najwyraźniej potrzebował pomocy.

– Alby! – krzyknął. – Newt! Niech ktoś ich zawoła!

Thomas podbiegł do leżącego chłopaka i uklęknął przy nim.

– Hej, nic ci nie jest?

Zwiadowca oparł głowę na wyciągniętych rękach, nie mogąc złapać tchu. Był przytomny, jednak Thomas nigdy wcześniej nie widział kogoś tak wykończonego.

– W... porządku – odpowiedział, dysząc, a następnie spojrzał na niego. – Coś ty za jeden?

– Jestem tu nowy. – Dopiero wypowiedziawszy te słowa, Thomas uświadomił sobie, że Zwiadowcy cały ubiegły dzień spędzili w Labiryncie i nie uczestniczyli w ostatnich wydarzeniach. Czy ten chłopak wiedział w ogóle o pojawieniu się dziewczyny? Ktoś musiał mu o tym powiedzieć. – Jestem Thomas, w Strefie dopiero od kilku dni.

Zwiadowca podniósł się z trudem i usiadł. Potargane, mokre od potu czarne włosy przykleiły mu się do czaszki.

– A tak, Thomas – wydyszał. – Njubi, tak jak ta laska.

Wtedy nadbiegł Alby, wyraźnie zdenerwowany.

– Co ty tu robisz, Minho? Co się stało?

– Wylaksuj, Alby – odpowiedział Zwiadowca i wydawało się, że w tej samej chwili odzyskał siły. – Przydaj się na coś i przynieś mi wody. Gdzieś tam pod drodze upuściłem mój plecak.

Alby nie ruszył się z miejsca. Kopnął Minho w nogę – zbyt mocno, żeby to był żart.

– Co się stało?

– Ledwo dyszę, smrodasie! – wrzasnął Minho ostrym głosem. – Przynieś mi, purwa, wody!

Alby spojrzał na Thomasa, który był wstrząśnięty, gdy zobaczył, jak nieśmiały cień uśmiechu przemknął po jego twarzy, nim zmienił się w groźne spojrzenie.

– Tylko Minho może się tak do mnie zwracać bez obawy, że zepchnę jego dupsko z Urwiska.

Następnie, ku jeszcze większemu zdziwieniu Thomasa, Alby odwrócił się i odbiegł, najprawdopodobniej po wodę dla przyjaciela.

Thomas odwrócił się do Minho.

– Pozwala ci sobą tak dyrygować?

Minho wzruszył ramionami, następnie otarł z czoła świeże krople potu.

– Przestraszyłeś się tych wrzasków? Stary, musisz się jeszcze wiele nauczyć. Cholerni Njubi.

Odpowiedź zraniła Thomasa bardziej niż powinna, biorąc pod uwagę, że znał go od zaledwie od trzech minut.

– Czy on nie jest tu przywódcą?

– Przywódcą? – odburknął Minho. – Tak, jeśli chcesz, możesz go tak nazywać. Albo nie, może od razu zwracajmy się do niego El Presidente. Nie, jeszcze lepiej, Admirale Alby. To jest dobre. – Przetarł oczy, chichocząc.

Thomas nie wiedział, jak ma to rozumieć – nie potrafił stwierdzić, kiedy Minho żartował.

– Więc kto jest w takim razie przywódcą?

– Posłuchaj, świeżuchu, lepiej zawrzyj twarzostan, zanim jeszcze bardziej się pogubisz. – Następnie Minho westchnął, jakby był znudzony, po czym mruknął pod nosem: – Dlaczego wy, smrodasy, musicie zawsze zadawać głupie pytania? Wkurza mnie to już.

– A co mam niby zrobić? – Thomas poczuł, jak buzuje w nim złość. *Tak jakbyś ty zachowywał się inaczej, gdy tu trafiłeś* – cisnęło mu się na usta.

– Rób, co ci każą, i trzymaj jęzor na wodzy. Właśnie to masz robić.

Wypowiadając ostatnie zdanie, Minho po raz pierwszy spojrzał mu prosto w oczy i Thomas odsunął się nieznacznie, nim zdołał się powstrzymać. W tej samej chwili zdał sobie sprawę, że popełnił błąd – nie mógł pozwolić, aby ten koleś sądził, że może się do niego zwracać w ten sposób.

Odsunął się i wstał. Spoglądając na starszego chłopaka z góry, odpowiedział:

– Z pewnością tak właśnie zrobiłeś, kiedy sam byłeś tu nowy.

Minho przyglądał się Thomasowi uważnie. Wpatrując się w jego oczy, powiedział:

– Byłem jednym z pierwszych w Strefie, smrodasie. Nie parskaj chlipadłem, jeżeli nie wiesz, o czym mówisz.

Thomas, nieco przestraszony, ale mający już dosyć tego chamskiego zachowania, zaczął się zbierać, by odejść, gdy Minho wyciągnął dłoń i chwycił go za rękę.

– Siadaj, po prostu się zgrywam. Zrobisz to samo, gdy pojawią się kolejni... – zamarł, po czym wprawiony w zakłopotanie, zmarszczył czoło. – Raczej nie będzie już kolejnego Njubi, co? – Minho zmrużył nieznacznie oczy, jakby mu się przyglądał. – Widziałeś tę laskę? Wszyscy gadają, że się znacie.

Thomas przyjął postawę obronną.

– Widziałem ją, ale wcale nie wygląda znajomo. – Momentalnie poczuł się winny z powodu wypowiedzianego kłamstwa. Nawet jeżeli było to drobne kłamstewko.

– Niezła jest?

Thomas zawahał się, ponieważ nigdy wcześniej się nad tym nie zastanawiał, zważywszy na jej demoniczne zachowanie i apokaliptyczną kwestię: „Nic już nie będzie takie jak kiedyś". Zapamiętał jednak, że była piękna.

– Tak, wydaje mi się, że jest niezła.

Minho odchylił się i położył plecami na ziemi, zamykając oczy.

– Taaa, masz rację. O ile kogoś kręcą laski w śpiączce. – Ponownie parsknął śmiechem.

– Jasne. – Thomas nie potrafił się zdecydować, czy go polubił, czy wręcz przeciwnie. Jego osobowość zmieniała się co chwilę. Po dłuższym milczeniu, Thomas postanowił zaryzykować. – Więc... – zaczął ostrożnie – udało ci się dzisiaj coś odkryć?

Minho otworzył szeroko oczy i skupił wzrok na Thomasie.

– Wiesz co, świeżuchu? To chyba najdurniejsze pytanie, jakie możesz zadać Zwiadowcy. – Zamknął z powrotem oczy. – Ale nie dzisiaj.

– Co masz na myśli? – zapytał Thomas z nadzieją, że uzyska jakieś informacje.

Odpowiedz, pomyślał, błagam, po prostu mi odpowiedz!

– Wstrzymaj się, dopóki nasz El Comandante nie wróci. Nie lubię się powtarzać. W dodatku nie wiem, czy on będzie chciał, żebyś o tym usłyszał.

Thomas westchnął. Brak odpowiedzi zupełnie go nie zdziwił.

– Przynajmniej powiedz mi, dlaczego jesteś taki padnięty. Przecież biegacie tam codziennie.

Minho jęknął, podciągnął się, a następnie założył nogę na nogę.

– Zgadza się, świeżuchu, przebiegam przez Labirynt codziennie. Powiedzmy, że się dzisiaj czymś podnieciłem i postanowiłem w ekstra tempie wrócić do Strefy.

– Dlaczego? – Thomas usilnie pragnął usłyszeć, co się wydarzyło w Labiryncie.

Minho wyrzucił ręce do góry.

– Stary, chyba ci już mówiłem. Cierpliwości. Poczekajmy na powrót Imperatora Alby'ego.

Jego głos jakby złagodniał i Thomas w końcu postanowił. Lubił go.

– W porządku, już się przymknę. Tylko w zamian dopilnuj, żeby Alby pozwolił mi zostać.

Minho przyglądał się mu uważnie przez chwilę.

– Ogay, świeżuchu. Ty tu rządzisz.

Chwilę później przyszedł Alby, przyniósł duży plastikowy kubek wody i wręczył go Minho, który opróżnił całą zwartość za jednym zamachem.

– Dobra – powiedział Alby. – Nażłopałeś się, to teraz mów. Co się stało?

Minho uniósł brwi i skinął w stronę Thomasa.

– On jest w porządku – odpowiedział Alby. – Może tu być, gadaj wreszcie!

Thomas siedział cicho w oczekiwaniu, podczas gdy Minho z trudem się podnosił, krzywiąc się przy każdym ruchu, a całe jego ciało wrzeszczało z wyczerpania. Zwiadowca oparł się o mur i spojrzał na obu chłodno.

– Znalazłem trupa.

– Że co? – zapytał Alby. – Czyjego trupa?

Minho uśmiechnął się.

– Trupa Bóldożercy.

13

Thomas był zafascynowany informacją na temat Bóldożercy. Sama myśl o tej paskudnej kreaturze go przerażała, jednak zastanawiało go, dlaczego martwy stwór budził tak wielkie emocje. Czy to się wcześniej nie zdarzyło?

Alby wyglądał, jak gdyby ktoś zdzielił go patelnią.

– To nie pora na żarty – powiedział.

– Słuchaj – odpowiedział Minho. – Na twoim miejscu też bym nie uwierzył. Ale zaufaj mi. Widziałem go. Był wielki, tłusty, ohydny i martwy.

Z całą pewnością to się wcześniej nie wydarzyło – uświadomił sobie Thomas.

– Znalazłeś *martwego* Bóldożercę – powtórzył Alby.

– Tak, Alby – odpowiedział Minho, zirytowanym głosem. – Kilka kilometrów stąd, w pobliżu Urwiska.

Alby spojrzał na Labirynt, a następnie z powrotem na Minho.

– Dlaczego więc nie zabrałeś go ze sobą?

Minho zaśmiał się ponownie, wydając z siebie pół-chrząknięcie, pół-chichot.

– Chyba żeś się nabzdryngolił. Stary, to coś waży chyba z pół tony! Zresztą i tak nawet przez szmatę bym tego nie ruszył.

Alby uparcie zadawał kolejne pytania.

– Jak wyglądał? Czy miał na sobie metalowe kolce? Ruszał się w ogóle? Czy jego skóra była jeszcze wilgotna?

Głowa Thomasa aż pękała od natłoku pytań. Metalowe kolce? Wilgotna skóra? Co u licha? Zdołał jednak się powstrzymać, nie chcąc im przypominać o swojej obecności. I o tym, że być może powinni jednak porozmawiać w cztery oczy.

– Wylaksuj, stary – powiedział Minho. – Musisz to zobaczyć na własne oczy. Jest... jakiś dziwny.

– Jak to dziwny? – Alby wyglądał na zmieszanego.

– Stary, padam na pysk, konam z głodu i rwie mnie łeb. Jednak jeżeli chcesz go teraz przytaszczyć, to może uda nam się dotrzeć tam i z powrotem, zanim Wrota się zamkną.

Alby spojrzał na zegarek.

– Poczekajmy lepiej do rana.

– To najmądrzejsza rzecz, jaką powiedziałeś od tygodnia. – Minho wyprostował się, uderzył Alby'ego w ramię i ruszył w kierunku Bazy, lekko utykając. Powłóczył nogami i sprawiał wrażenie, jak gdyby całe jego ciało było siedliskiem bólu. – Powinienem tam wrócić, ale mam to gdzieś. Idę na parszywe żarło Patelniaka.

Thomas poczuł się zawiedziony. Musiał przyznać, że Minho wyglądał na skonanego i na pewno umierał z głodu, jednak chciał się dowiedzieć czegoś więcej.

Nagle Alby zwrócił się do Thomasa, zaskakując go.

– Jeżeli wiesz o czymś i mi nie mówisz...

Thomas miał już dość posądzania go o to, że coś wiedział. Przecież na tym polegał cały problem. *Nic* nie wiedział. Spojrzał Alby'emu prosto w oczy i zapytał go prostu z mostu:

– Dlaczego tak bardzo mnie *nienawidzisz?*

Wyraz, który pojawił się na twarzy Alby'ego był nie do opisania – po części zmieszanie, po części złość, po części zaskoczenie.

– Dlaczego cię nienawidzę? Chłopie, niczego się nie nauczyłeś, odkąd wylazłeś z Pudła. To nie ma nic wspólnego z nienawiścią, miłością, przyjaźnią czy czymkolwiek tam jeszcze. Liczy się wyłącznie to, czy przetrwamy. Przestań zachowywać się jak cykor i zacznij używać mózgownicy, jeżeli ją w ogóle masz.

Thomas poczuł się, jakby ktoś go uderzył w twarz.

– Ale... dlaczego ciągle mnie posądzasz o to, że...

– Bo to wszystko nie może być dziełem przypadku, krótasie! Pojawiasz się, następnego dnia przysyłają dziewczynę, szurniętą wiadomość, Ben chce cię użreć, a teraz jeszcze martwy Bóldożerca. Coś tu śmierdzi i nie spocznę, dopóki smroda nie znajdę.

– Ale ja nic nie wiem, Alby. – Ulżyło mu, gdy dopowiedział stanowczym głosem: – Nawet nie wiem, gdzie byłem przed trzema dniami, a co dopiero, dlaczego ten koleś znalazł zwłoki jakiegoś Bóldożercy, więc zejdź ze mnie!

Alby odchylił się nieznacznie, wpatrując się w Thomasa przez kilka sekund w milczeniu. W końcu przemówił:

– Wylaksuj, świeżuchu. Dorośnij i zacznij myśleć. Nikt nikogo o nic nie posądza. Ale jeżeli coś pamiętasz, jeżeli coś wydaje ci się nawet znajome, to lepiej od razu o tym powiedz. Przyrzeknij.

Nie, dopóki nie odzyskam całej pamięci, pomyślał Thomas. Nie, dopóki nie będę chciał się tym podzielić.

– Dobra, ale...

– Przyrzeknij!

Thomas zawahał się, miał już dosyć Alby'ego i tego, jak go traktował.

– No dobra – odpowiedział w końcu. – Przyrzekam.

Po tej deklaracji Alby odwrócił się i odszedł bez słowa.

Thomas znalazł na Grzebarzysku drzewo, jedno z ładniejszych na skraju lasu, które rzucało mnóstwo cienia. Wzdrygnął się na samą myśl o powrocie do Winstona-rzeźnika i wiedział, że musi coś zjeść, jednak chciał być sam tak długo, jak było to możliwe. Opierając się o gruby pień, marzył o wietrze, jednak na próżno.

Poczuł, jak zamykają mu się powieki, kiedy nagła obecność Chucka zepsuła całą tę ciszę i spokój.

– Thomas! Thomas! – krzyczał chłopak, biegnąc w jego stronę, wymachując rękoma, z wymalowanym na twarzy podekscytowaniem.

Thomas przetarł oczy i jęknął. Niczego nie pragnął w tej chwili bardziej niż półgodzinnej drzemki. Dopiero gdy Chuck zatrzymał się tuż przed nim, zdyszany, spojrzał na niego.

– Czego?

Słowa powoli wylewały się z ust dyszącego Chucka.

– Ben... Ben... on... żyje.

Wszelkie oznaki zmęczenia natychmiast opuściły ciało Thomasa. Zerwał się na nogi, stając twarzą w twarz z Chuckiem.

– Że co?!

– On... żyje. Grzebacze poszli po niego... strzała nie trafiła w mózg... Plaster go opatrzył.

Thomas odwrócił się i spojrzał w stronę lasu, gdzie jeszcze wczoraj został zaatakowany przez szaleńca.

– Chyba sobie jaja robisz. Przecież go widziałem...

Nie był martwy? Thomas nie wiedział, co odczuwał w tej chwili bardziej: dezorientację, ulgę czy też strach, że zostanie ponownie zaatakowany...

– No, ja też – odpowiedział Chuck. – Leży teraz zamknięty w Ciapie, z wielkim bandażem na głowie.

– W Ciapie? O czym ty mówisz?

– No, w Ciapie. To nasze więzienie z północnej strony Bazy. – Chuck wskazał w tamtym kierunku. – Wpakowali go tam od razu, więc Plaster pozszywał go dopiero na miejscu.

Thomas przetarł oczy. Zżerało go poczucie winy, kiedy uświadomił sobie, co tak naprawdę czuł – ulgę, że Ben leżał martwy i że nie musiał się martwić ponownym spotkaniem z nim.

– Co teraz z nim będzie? – zapytał.

– Rano odbyło się już Zgromadzenie Opiekunów i podjęli jednomyślną decyzję w tej sprawie. Wygląda na to, że Ben pożałuje, że strzała nie utkwiła mu we łbie. – Thomas zmrużył oczy, zmieszany słowami Chucka. – Będzie Wygnańcem. I to jeszcze dzisiaj. Za to, że chciał cię zabić.

– Wygnańcem? Co to oznacza? – Thomas musiał zapytać, chociaż wiedział, że to nie mogło być nic dobrego, skoro Chuck uważał to za gorsze od bycia martwym.

Wtedy Thomas ujrzał prawdopodobnie najbardziej zatrważającą rzecz, odkąd przybył do Strefy. Chuck nic nie odpowiedział, tylko się uśmiechnął. *Uśmiechnął się*, pomimo okoliczności, pomimo tej sytuacji, pomimo złowieszczego dźwięku swoich słów. Następnie odwrócił się i odbiegł, być może po to, aby przekazać ekscytującą wiadomość kolejnej osobie.

Tego wieczoru Newt i Alby zebrali wszystkich Streferów przy Wschodnich Wrotach na pół godziny przed ich zamknięciem. Pierwsze ślady półmroku pełzały już po niebie. Zwiadowcy właśnie powrócili z Labiryntu i udali się do tajemniczego Pokoju Map, zatrzaskując za sobą żelazne drzwi. Minho dotarł tam już wcześniej. Alby powiedział Zwiadowcom, aby się pośpieszyli – chciał ich widzieć z powrotem w przeciągu dwudziestu minut.

Thomasowi wciąż nie dawało spokoju to, w jaki sposób Chuck się uśmiechnął, kiedy powiedział o Wygnaniu. Chociaż nie wiedział dokładnie, co to oznaczało, z pewnością nie wróżyło to niczego dobrego. Zwłaszcza że wszyscy zebrali się tak blisko Labiryntu.

Czy oni chcą go tam zostawić? – zastanawiał się. Na pastwę Bóldożerców?

Pozostali Steferzy szemrali przyciszonym głosem. Przemożne uczucie strasznego oczekiwania spowiło wszystkich niczym opary gęstej mgły. Thomas jednak stał w skupieniu ze skrzyżowanymi ramionami, czekając na rozwój wydarzeń. Zwiadowcy w końcu wyszli na zewnątrz – wszyscy wyglądali na wykończonych, a na ich twarzach malował się wyraz głębokiego zamyślenia. Minho wyszedł jako pierwszy, przez co Thomas zastanawiał się, czy nie był on czasem Opiekunem Zwiadowców.

– Przyprowadźcie go! – krzyknął Alby, strasząc pogrążonego w myślach Thomasa.

Chłopiec opuścił ręce i odwrócił się, rozglądając się dookoła Strefy w poszukiwaniu Bena. Niepokój wzrastał w nim z każdą chwilą, kiedy zastanawiał się, co z nim zrobią, gdy go już przyprowadzą.

Po drugiej stronie, nieopodal Bazy, dostrzegł trzech przysadzistych chłopaków, którzy dosłownie ciągnęli Bena za sobą po ziemi. Miał podarte ubranie, które ledwo na nim wisiało. Zakrwawiony, gruby bandaż zakrywał połowę jego głowy i twarzy. Nie wydając z siebie żadnego ruchu, wyglądał na tak samo martwego jak wtedy, kiedy Thomas widział go po raz ostatni. Za wyjątkiem jednej rzeczy.

Miał wybałuszone oczy, w których odbijało się przerażenie.

– Newt – przemówił Alby przyciszonym głosem. Thomas nie usłyszałby go, gdyby nie stał kilka kroków od nich. – Przynieś Drąg.

Newt przytaknął, idąc już w kierunku niewielkiej szopy na narzędzia. Z całą pewnością oczekiwał na rozkaz.

Thomas ponownie skupił swoją uwagę na Benie i strażnikach. Blady, wynędzniały chłopak wciąż nie stawiał oporu, pozwalając, aby go ciągnęli przez zakurzony, kamienny dziedziniec. Gdy dotarli do tłumu, postawili go na nogi przed obliczem Alby'ego, ich przywódcy; Ben spuścił głowę, unikając kontaktu wzrokowego z kimkolwiek.

– Sam jesteś sobie winien, Ben – przemówił Alby. Następnie potrząsnął głową i spojrzał w kierunku budy, do której wszedł Newt.

Thomas podążył wzrokiem w tym samym kierunku, w samą porę, aby ujrzeć wychodzącego przez pochyłe drzwi Newta. Trzymał kilka aluminiowych prętów, złączył ich końce ze sobą, tworząc z nich około sześciometrowy trzon.

Gdy skończył, chwycił za jakiś przedmiot o nieregularnym kształcie i zaczął ciągnąć przedmiot w kierunku tłumu. Na dźwięk metalicznego zgrzytu, wydanego przez ciągnięty przez Newta po kamiennej podłodze pręt, ciarki przeleciały Thomasowi po plecach

Przerażało go to całe wydarzenie – nie potrafił wyzbyć się uczucia, że był za to wszystko odpowiedzialny, chociaż nigdy nie zrobił niczego, czym mógłby Bena sprowokować.

Czy była w tym jego wina? Nie znał odpowiedzi, jednak nosił ją w sobie, tak samo jak konający nosi choróbsko we krwi.

W końcu Newt stanął przed Albym i podał mu koniec pręta. Dopiero teraz Thomas dostrzegł dziwne przymocowanie. Pętla z chropowatej skóry przywiązana do metalu z masywnym skoblem. Wielki zatrzask ujawniał, że pętlę można było otworzyć i zamknąć, a jej przeznaczenie stało się dla niego oczywiste.

To była obroża.

14

Thomas przyglądał się, jak Alby rozpina obrożę, następnie owija ją wokół szyi Bena. Ben podniósł wzrok, gdy skórzana pętla zamknęła się z głośnym trzaskiem. Łzy napłynęły mu do oczu, smarki kapały mu z nozdrzy. Streferzy przyglądali się wszystkiemu w całkowitej ciszy.

– Błagam cię, Alby – prosił Ben roztrzęsionym głosem, tak żałosnym, że Thomas nie mógł uwierzyć, że to ta sama osoba, która jeszcze wczoraj próbowała rozszarpać mu gardło. – Poprzewracało mi się w głowie od Przemiany, przysięgam. Nie mógłbym go zabić, po prostu na chwilę straciłem rozum. Proszę cię, Alby, błagam!

Każde jego słowo było niczym pięść zadająca miażdżący cios w brzuch i sprawiało, że Thomas czuł się jeszcze bardziej winny i zdezorientowany.

Alby nie odpowiedział. Pociągnął za obrożę, upewniając się, że była zapięta i dobrze przymocowana do długiego pręta. Następnie minął Bena, podniósł pręt i ruszył wzdłuż niego, przejeżdżając po aluminiowej powłoce palcami. Gdy dotarł do końca, ścisnął mocno pręt i odwrócił się twarzą do tłumu. Z przekrwionymi oczyma, twarzą pociemniałą od gniewu, ciężko oddychając, nagle wydał się Thomasowi złowrogi.

Po przeciwnej stronie kija widniał zupełnie inny obraz: Ben trząsł się i łkał, gruba obroża ze starej skóry zaciskała się wokół jego bladej, wychudłej skóry, przyczepiona do długiego pręta, który wyznaczał sześciometrową granicę pomiędzy nim i Albym. Trzon z aluminium wyginał się nieznacznie na środku. Nawet stojącemu w pewnym oddaleniu Thomasowi wydawał się zaskakująco solidny.

Alby przemówił niemal ceremonialnym tonem, spoglądając na wszystkich i na nikogo zarazem.

– Benie z grupy Budoli, zostałeś skazany na Wygnanie za próbę zabójstwa Thomasa Njubi. Tak postanowili Opiekunowie, a ich słowo jest święte. Twa noga nigdy już nie przekroczy progu tego miejsca. Nigdy. – Nastała długa cisza. – Opiekunowie, zajmijcie miejsce przy Kiju Wygnania.

Thomas nie mógł znieść tego, że jego powiązanie z Benem zostało wyciągnięte na światło dzienne. Nie mógł znieść dręczącej go winy. Bycie w centrum uwagi mogło ponownie postawić go w świetle podejrzeń. Dotychczasowe poczucie winy zostało wyparte przez gniew. Bardziej niż cokolwiek innego pragnął, aby Ben w końcu zniknął, aby to wszystko się już skoczyło.

Jeden za drugim, chłopcy wystąpili z tłumu i podeszli do długiego pręta. Podnieśli go obiema dłońmi, chwytając tak, jak gdyby szykowali się do przeciągania liny. Pomiędzy nimi stał Newt oraz Minho, co utwierdziło Thomasa w przekonaniu, że był on Opiekunem Zwiadowców. Rozpruwacz Winston również zajął pozycję.

Gdy wszyscy stali już na swoich miejscach – dziesięciu Opiekunów ustawiło się pomiędzy Benem i Albym – nastała cisza. Jedynym dźwiękiem był przytłumiony szloch Bena, który stale wycierał oczy i cieknący nos. Rozglądał się na prawo i lewo, pomimo że obroża na szyi uniemożliwiała mu dostrzeżenie pręta i Opiekunów znajdujących się za nim.

Uczucia targające Thomasem ponownie uległy przemianie. Z całą pewnością coś było z Benem nie tak. Dlaczego zasłużył na taki los? Czy nic nie można było dla niego zrobić? Czy przez resztę dni Thomasa będą dręczyły wyrzuty sumienia? Niech to się już skończy! – wykrzyczał w myślach. – Niech już będzie po wszystkim!

– Błagam – przemówił Ben głosem pełnym desperacji. – *Błłaaaaaagaam!* Niech ktoś mi pomoże! Nie możecie mi tego zrobić!

– Zamknij się! – ryknął z tyłu Alby.

Ben zignorował go, prosząc o pomoc i próbując zerwać skórzaną pętlę zaciśniętą wokół jego szyi.

– Niech ktoś ich powstrzyma! Pomóżcie mi! Błagam! – Przeskakiwał wzrokiem z twarzy na twarz, błagając pełnymi łez oczami. Każdy ze Streferów, bez wyjątku, odwrócił wzrok. Thomas prędko schował się za wysokiego chłopaka, by uniknąć konfrontacji z Benem.

Nie mogę już więcej spojrzeć w te oczy, pomyślał.

– Jeżeli pozwolilibyśmy takim smrodasom jak ty na takie zachowanie – przemówił Alby – to nigdy nie przetrwalibyśmy tu tak długo. Opiekunowie, szykować się.

– Nie, nie, nie, nie, nie – kwilił Ben pod nosem. – Przysięgam, zrobię wszystko! Przysięgam, że więcej tego nie zrobię! *Błłaaaa...*

Jego przenikliwy płacz przerwał dudniący trzask zamykających się Wschodnich Wrót. Iskry rozpryskiwały się po kamieniach, gdy masywny, prawy mur, przesuwał się w lewą stronę, skrzypiąc ogłuszająco, odgradzając na noc Strefę od Labiryntu. Ziemia pod ich stopami zatrzęsła się i Thomas nie był pewien, czy będzie w stanie obserwować nieuchronnie nadchodzące zdarzenia.

– Opiekunowie, teraz! – krzyknął Alby.

Głowa Bena odskoczyła w tył, gdy szarpnęło nim do przodu, i Opiekunowie ruszyli, wypychając pręt ze Strefy do Labiryntu. Z gardła Bena wydobył się rozdzierający krzyk, głośniejszy od dźwięków zamykających się Wrót. Upadł na kolana, by po chwili, gwałtownym szarpnięciem, zostać z powrotem postawionym na nogi przez przysadzistego Opiekuna z czarnym włosami i grymasem na twarzy, stojącego z przodu.

– *Nieeeeeee!* – wrzeszczał Ben. Ślina wylatywała z jego ust, gdy wierzgając na wszystkie strony, próbował dłońmi rozerwać obrożę. Jednak nie był w stanie przeciwstawić się połączonej sile Opiekunów, którzy wypychali skazańca mijającego właśnie prawą ścianę, przesuwając go coraz bliżej skraju Strefy. – *Niee!* – krzyczał bezustannie.

Ben próbował zaprzeć się na progu, jednak zyskał jedynie ułamek sekundy. Pręt wypchnął go szarpnięciem w otchłań Labiryntu. Chwilę później chłopak znajdował się już dobry metr za Strefą, wijąc się i szarpiąc na wszystkie strony, próbując zerwać obrożę. Sekundy dzieliły mury kamiennych Wrót od oddzielania Labiryntu od Strefy z wielkim hukiem.

Ostatkiem sił, Benowi w końcu udało się obrócić szyję w skórzanej pętli i spojrzeć w stronę wlepiających w niego wzrok mieszkańców Strefy. Thomas nie mógł uwierzyć, że spoglądał na ludzką istotę – widział szaleństwo w oczach Bena, flegmę tryskającą z jego ust, zielone żyły pod bladą skórą rozciągniętą na chudych kościach. Wyglądał tak obco, jak Thomas tylko mógł to sobie wyobrazić.

– Stop! – krzyknął Alby.

Ben wrzeszczał bez chwili przerwy, wydając z siebie dźwięk tak przeszywający, że Thomas aż zatkał uszy. To był zwierzęcy, obłąkany, rozdzierający struny głosowe ryk. W ostatniej chwili, w jakiś sposób Opiekun z przodu odczepił większy pręt od części, do której przymocowana była obroża, i wciągnął pręt szarpnięciem do środka, pozostawiając Bena na Wygnaniu. Ostatnie krzyki Bena przerwał potworny huk zamykających się ścian.

Thomas mocno zacisnął powieki i, ku swojemu zaskoczeniu, poczuł spływające po policzkach łzy.

Drugą noc z rzędu Thomas, kładąc się spać, miał przed oczyma udręczoną twarz Bena. Jakby się to wszystko potoczyło, gdyby nie on? Thomas niemal wmówił sobie, że czułby wtedy spokój, radość i podekscytowanie z możliwości odkrywania swojego nowego życia i dążenia do zostania Zwiadowcą. Niemal. W głębi duszy wiedział, że Ben był jedynie jednym z jego wielu zmartwień.

Teraz już go nie było, został Wygnańcem w świecie Bóldożerców, zabrany w miejsce, gdzie znoszą swoją zdobycz, ofiarę zdaną na łaskę losu. Chociaż Thomas miał tuzin powodów, by nim gardzić, było mu go jednak żal.

Nie, nie potrafił sobie tego wyobrazić, jednak zważywszy na ostatnie chwile Bena, jego histeryczne wierzganie, plucie i wrzaski, nie kwestionował już dłużej zasady Strefy, mówiącej o tym, że nikomu poza Zwiadowcami, i to wyłącznie w ciągu dnia, nie wolno było wchodzić do Labiryntu. Ben już raz został użądlony, co oznaczało, że wiedział, być może lepiej niż ktokolwiek inny, co go czekało.

Biedny facet, pomyślał Thomas. Biedaczysko.

Wzdrygnął się i przewrócił na bok. Im więcej o tym rozmyślał, tym częściej dochodził do wniosku, że bycie Zwiadowcą nie jest wcale najlepszym pomysłem. Pomimo to, z niewiadomych mu powodów, ta myśl nie dawała mu spokoju.

Następnego dnia, gdy tylko nastał świt, hałas robiony przez pracujących Streferów wybudził Thomasa z naprawdę głębo-

kiego snu. Podniósł się, przetarł oczy, próbując przegonić nie-
ubłagane wycieńczenie. Dając jednak za wygraną, położył się
z powrotem, marząc, że nikt nie będzie mu przeszkadzał.

Nie trwało to nawet minutę.

Ktoś szturchnął go w ramię i Thomas przebudził się na dobre, a jego oczom ukazał się stojący nad nim Newt.

Co znowu? – pomyślał.

– Wstawaj, ślamajdo.

– Taa, ja też się cieszę na twój widok. Która jest godzina?

– Siódma, świeżuchu – odpowiedział Newt z drwiącym
uśmiechem. – Tak sobie pomyślałem, że dam ci pospać po
tym, przez co ostatnio przeszedłeś.

Thomas zwinął się w pozycję siedzącą, psiocząc pod nosem
na to, że nie może jeszcze przez kilka godzin poleżeć w spokoju.

– Pospać? A wy co, banda farmerów? – Farmerzy. Dlaczego
tak dobrze ich pamiętał? Po raz kolejny jego pamięć wprawiała go w zdumienie.

– Ano... tak, skoro już o tym wspominasz. – Newt klap-
nął obok Thomasa i usiadł z podwiniętymi nogami. Przez
jakiś czas siedział cicho, przyglądając się zgiełkowi i zamę-
towi wśród zapracowanych mieszkańców Strefy. – Dzisiaj
będziesz pomagał Oraczowi, świeżuchu. Zobaczymy, czy to
bardziej przypadnie ci do gustu niż zarzynanie cholernych
świnek.

Thomas miał dosyć bycia traktowanym jak dziecko.

– Miałeś mnie już tak nie nazywać.

– Że jak niby, cholerną świnką?

Thomas zmusił się do uśmiechu i pokręcił głową.

– Nie, świeżuchem. Nie jestem już ostatni, pamiętasz?
Dziewczyna w śpiączce, coś ci to mówi? Na nią możesz wo-
łać świeżynka, ja nazywam się Thomas.

Myśli o dziewczynie krążyły mu po głowie, sprawiając, że na nowo przypomniał sobie o tym, co ich ze sobą łączyło. Ogarnęło go uczucie dziwnego smutku, jak gdyby za nią tęsknił, jak gdyby chciał ją zobaczyć. To bez sensu, pomyślał. Nawet nie wiem, jak ma na imię.

Newt odchylił się, unosząc brwi.

– A niech mnie! Widzę, że przez noc wyrosły ci niezłe cojones.

Thomas zignorował go.

– Kto to jest Oracz?

– Tak nazywamy tych, którzy zaiwaniają na Zielinie, zajmują się uprawą, pieleniem, sadzeniem i tym podobnym.

Thomas skinął głową w tamtym kierunku.

– Kto jest Opiekunem?

– Zart. W porządku gość, o ile nie dasz dyla z roboty. To ten wielki jegomość, który stał wczoraj z przodu.

Thomas nic nie odpowiedział, zastanawiając się, czy w jakiś sposób uda mu się nie wspominać o Benie i Wygnaniu. Od tego wszystkiego robiło mu się słabo i zżerało go poczucie winy, więc zmienił temat rozmowy.

– Dlaczego mnie obudziłeś?

– Nie cieszy cię widok mojej mordy z samego rana?

– Wybacz, niespecjalnie. Więc... – Jednak dudnienie otwierających się o poranku murów przerwało mu, nim zdołał dokończyć. Spojrzał na Wschodnie Wrota, niemal oczekując, że ujrzy stojącego po drugiej stronie Bena. Zamiast tego zobaczył rozciągającego się podczas porannych ćwiczeń Minho. Następnie dostrzegł, jak chłopak wychodzi poza Strefę i coś podnosi.

To był kawałek pręta z przywiązaną do niego skórzaną obrożą. Minho nie przywiązywał do tego większej uwagi, tylko rzucił ją do innego Zwiadowcy, który zaniósł obrożę z powrotem do szopy z narzędziami.

Thomas odwrócił się do Newta, zmieszany. Jak Minho mógł się zachowywać tak nonszalancko?

– Co u...

– Byłem świadkiem tylko trzech Wygnań, Tommy. Wszystkie tak paskudne, jak to, które wczoraj oglądałeś. Jednak za każdym, twojamać, razem, Bóldożercy zostawiają obrożę u progu. Na samą myśl o tym włosy na tyłku stają mi dęba.

Thomas musiał się z nim zgodzić.

– Co oni robią z tymi, których złapią? – zapytał. Czy aby na pewno chciał to wiedzieć?

Newt wzruszył tylko ramionami, jego obojętność nie była zbyt przekonująca. Najwyraźniej nie chciał o tym rozmawiać.

– Opowiedz mi więc o Zwiadowcach – powiedział nagle Thomas. Te słowa pojawiły się w jego ustach niespodziewanie, jakby znikąd. Zachował jednak spokój, pomimo dziwnej potrzeby przeproszenia rozmówcy i zmiany tematu. Chciał wiedzieć o nich wszystko. Nawet pomimo tego, czego doświadczył w nocy, nawet pomimo tego, że widział przez okno Bóldożercę, chciał wiedzieć. Ta żądza wiedzy była nieustępliwa i nie do końca rozumiał dlaczego. Bycie Zwiadowcą wydawało mu się czymś zupełnie naturalnym i oczywistym.

Newt zawahał się, zdezorientowany.

– O Zwiadowcach? Dlaczego?

– Tak tylko pytam.

Newt spojrzał srogo na Thomasa.

– To najlepsi z najlepszych. Muszą być. Wszystko od nich zależy. – Podniósł kamyk i rzucił, obserwując z roztargnieniem, jak odbija się od ziemi.

– Dlaczego nie jesteś jednym z nich?

Newt ponownie spojrzał na Thomasa, z surowym wyrazem w oczach.

– Byłem, dopóki kilka miesięcy temu nie zraniłem się w nogę. Od tamtej pory to już nie to samo. – Schylił się i potarł kostkę u prawej stopy, a krótki grymas bólu przetoczył mu się po twarzy. Thomas doszedł do wniosku, że musiało to być raczej wspomnienie niż rzeczywisty, fizyczny ból, który poczuł.

– Co się stało? – zapytał, sądząc, że im bardziej zmusi Newta do mówienia, tym więcej się dowie.

– Uciekałem przed cholernymi Bóldożercami, a co innego? O mało mnie nie dorwali. – Zawahał się. – Wciąż dostaję dreszczy, jak pomyślę, że mogłem przechodzić przez Przemianę.

Przemiana. Thomas doszedł do wniosku, że ten temat pomoże mu znaleźć odpowiedzi na dręczące go pytania.

– Co to w ogóle jest? Co się wtedy z kimś dzieje? Czy każdemu, tak jak Benowi, odbija palma i pała chęcią mordu?

– Z Benem było o wiele gorzej. Myślałem, że chciałeś rozmawiać o Zwiadowcach. – Ton jego głosu ostrzegł Thomasa wyraźnie, że rozmowa na temat Przemiany dobiegła końca.

To sprawiło, że był jeszcze bardziej ciekawy, chociaż odpowiadał mu również powrót do tematu Zwiadowców.

– Ogay. Zamieniam się w słuch.

– Jak mówiłem, to najlepsi z najlepszych.

– Więc jak ich wybieracie? Sprawdzacie wszystkich, jacy są szybcy?

Newt spojrzał na Thomasa oburzony, następnie jęknął.

– Zrób no użytek ze zwojów mózgowych, świeżuchu. Tommy, czy jak ci tam. To, jak szybko potrafisz przebierać nogami, to jedna sprawa. W sumie najmniej ważna.

To wzbudziło jego zainteresowanie.

– Co masz na myśli?

– Kiedy mówię *najlepsi z najlepszych*, to mam na myśli we wszystkim. Aby przeżyć w cholernym Labiryncie, musisz być bystry, szybki i silny. Musisz umieć podejmować decyzje, być gotowy na odpowiednie ryzyko. Nie możesz być lekkomyślny i nie możesz być cholernym cykorem. – Newt rozprostował nogi i oparł się na dłoniach. – Tam jest naprawdę paskudnie. Nie spieszno mi tam wracać.

– Myślałem, że Bóldożercy wychodzą jedynie po zmroku.

– Przeznaczenie, czy nie, Thomas nie chciał natrafić na jednego z nich.

– Taa, na ogół.

– Więc dlaczego jest tam tak strasznie? – O czym jeszcze nie wiedział?

Newt westchnął.

– Napięcie, stres. Korytarze Labiryntu zmieniają się każdego dnia. Musisz zapamiętać wiele szczegółów, musisz nas stąd wyprowadzić. Martwisz się też o te cholerne mapy. Najgorsze jest to, że zżera cię strach, że możesz nie wrócić. Normalny labirynt byłby nie lada wyzwaniem – a ten *zmienia się* co wieczór, więc jeśli podejmiesz parę błędnych decyzji, to nockę spędzasz z wściekłymi bestiami. To nie jest miejsce dla przygłupów i mazgajów.

Thomas zmarszczył brwi, nie do końca pojmując swoją wewnętrzną żądzę. Zwłaszcza po ostatniej nocy. Jednak wciąż to czuł. Odczuwał to całym sobą.

– Skąd to zainteresowanie? – zapytał Newt.

Thomas zawahał się, wciąż myśląc, zbyt przestraszony, by wypowiedzieć to ponownie na głos.

– Chcę zostać Zwiadowcą.

Newt odwrócił się i spojrzał mu prosto w oczy.

– Jesteś tu zaledwie od kilku dni, sztamaku. Nie wydaje ci się, że to trochę za wcześnie na śmiertelne życzenia?

– Mówię poważnie. – Thomas sam ledwie to rozumiał, jednak czuł w głębi serca, że to była właściwa decyzja. W rzeczywistości, to silne pragnienie zostania Zwiadowcą było jedyną rzeczą, dzięki której się trzymał, która pomagała mu się odnaleźć w całej tej sytuacji.

Newt nie spuszczał z niego wzroku.

– Ja też. Zapomnij. Jeszcze nikt nie został Zwiadowcą w pierwszym miesiącu od przybycia, a co dopiero w pierwszym tygodniu. Musisz się nieźle wykazać, zanim zarekomendujemy cię Opiekunowi.

Thomas wstał i zaczął zwijać śpiwór.

– Newt, mówię serio. Nie mogę przez cały dzień wyrywać chwastów, inaczej oszaleję. Nie mam pojęcia, co robiłem, zanim mnie tu zesłali w metalowym pudle, jednak przeczucie podpowiada mi, że powinienem zostać Zwiadowcą. Poradzę sobie.

Newt wciąż siedział, wpatrując się w Thomasa, nie oferując pomocy.

– Nikt nie mówi, że sobie nie poradzisz. Ale póki co, daj sobie z tym spokój.

Thomas poczuł ogarniającą go falę niecierpliwości.

– Ale...

– Słuchaj, Tommy, możesz mi w tej kwestii zaufać. Przestań ujadać, jaki to ty jesteś zbyt dobry, aby brudzić sobie łapy przy burakach, bo stworzono cię do zaszczytnej roli Zwiadowcy, ponieważ przysporzysz sobie samych wrogów. Odpuść sobie na razie ten temat.

Przysparzanie sobie wrogów było ostatnią rzeczą, jakiej Thomas pragnął. Zdecydował się obrać inny kierunek.

– W porządku, w takim razie pogadam o tym z Minho.

– Nieźle żeś to sobie obmyślił, sztamaku. Zwiadowcy są wybierani na Zgromadzeniu, a jeżeli sądzisz, że ja jestem twardy, to oni cię po prostu wyśmieją.

– Tak do waszej wiadomości, to mogę się wam przydać. To całe czekanie to po prostu strata czasu.

Newt powstał i dźgnął go palcem w twarz.

– Słuchaj no, świeżuchu. Słuchaj uważnie, co ci powiem.

– Ku swemu zaskoczeniu, Thomas nie czuł się zastraszony. Z początku przewrócił oczami, następnie skinął głową. – Dla twojego dobra lepiej będzie, jeśli porzucisz te brednie, zanim ktoś się o tym dowie. Nie tak to tutaj funkcjonuje, a nasze życie zależy właśnie od tego, jak pewne rzeczy funkcjonują.

Przerwał, jednak Thomas się nie odezwał, obawiając się nadchodzącego wykładu.

– Chodzi o porządek – kontynuował Newt. – Porządek. Powtarzaj sobie to cholerne słowo w swojej zakurzonej mózgownicy. Żyjemy tak długo tylko dlatego, że wszyscy ciężko tyramy i przestrzegamy porządku. To z tego powodu wywaliliśmy Bena – nie mogliśmy przecież pozwolić, aby szaleńcy biegali wokół, starając się ukatrupić ludzi, czyż nie? Porządek. Ostatnią rzeczą, jakiej nam tu trzeba, to abyś to spieprzył.

Nieustępliwość, która do tej pory dodawała mu sił, opuściła nagle jego ciało. Thomas wiedział, że czas się przymknąć.

– Ok. – Tylko tyle powiedział.

Newt klepnął go w plecy.

– Zawrzyjmy umowę.

– Że co? – Thomas poczuł, jak jego nadzieja powstaje z martwych.

– Ty będziesz trzymał gębę na kłódkę, a ja wrzucę cię na listę kandydatów, jak tylko wykażesz nieco ikry. Miel dalej ozorem, a ja już, purwa, dopilnuję, że się tego w życiu nie doczekasz. Umowa stoi?

Thomasowi nie podobał się pomysł oczekiwania, zwłaszcza że nie wiedział, ile to może potrwać.

– Ta umowa jest do kitu.

Newt uniósł brwi.

Thomas w końcu przytaknął.

– Stoi.

– Chodź, wrzucimy coś na ruszt u Patelniaka. Mam nadzieję, że nie dostaniemy od tego klumpska.

Tamtego poranka Thomas w końcu miał okazję poznać osławionego Patelniaka, choć widział go tylko z daleka. Był zbyt zajęty wydawaniem śniadania armii konających z głodu Streferów. Nie mógł mieć więcej niż szesnaście lat, jednak zapuścił już brodę, a włosy wystawały mu z każdego kawałka ciała, zupełnie jakby każdy mieszek próbował uciec spod jego przesiąkniętych olejem łachów. Nie sprawiał również wrażenia osoby przykładającej zbytniej uwagi do higieny przy wydawaniu posiłków, pomyślał Thomas. Zanotował sobie w pamięci, aby uważać na ohydne czarne kudły na talerzach.

Właśnie dosiadł się wraz z Newtem do Chucka, który siedział przy stole piknikowym tuż za kuchnią, kiedy spora grupa Streferów zerwała się i pognała w kierunku Zachodnich Wrót, rozmawiając o czymś z podekscytowaniem.

– Co się tam dzieje? – zapytał Thomas, dziwiąc się samemu sobie, jak nonszalancko to powiedział. Najwyraźniej nieustanny rozwój nowych wypadków był tutaj na porządku dziennym.

Newt wzruszył ramionami, wcinając jajka.

– Idą odprowadzić Minho i Alby'ego, którzy wyruszają po ciało martwego Bóldożercy.

– Hej – powiedział Chuck. Kawałek bekonu wyleciał mu przy tym z ust. – Mam pytanko w związku z tym.

– Tak, Chuckie? – zapytał nieco sarkastycznie Newt. – Co cię zżera?

Chuck sprawiał wrażenie głęboko zamyślonego.

– Znaleźli martwego Bóldożercę, tak?

– Ano tak – odpowiedział Newt. – Dzięki, że podzieliłeś się tym z nami.

Chuck w zamyśleniu stukał przez chwilę widelcem w stół.

– No to kto w takim razie? Kto zabił to cholerstwo?

Dobre pytanie, pomyślał Thomas. Czekał na odpowiedź Newta, jednak ten milczał. Najwyraźniej sam nie miał zielonego pojęcia.

Poranek Thomas spędził w towarzystwie Opiekuna Zieliny, „spinając poślady", jakby to powiedział Newt. Zart był wysokim, ciemnowłosym gościem, który stał z przodu, trzymając pręt w trakcie Wygnania Bena, i który, z jakiegoś nieznanego powodu, cuchnął zsiadłym mlekiem. Nie mówił za wiele, jednak pokazał Thomasowi co i jak, żeby ten mógł rozpocząć pracę samodzielnie. Pielenie, przycinanie drzewa morelowego, sadzenie kabaczka i nasion cukinii, zbieranie warzyw. Nie było to porywające zajęcie i przez większość czasu Thomas nie zwracał uwagi na innych, pracujących wraz z nim Streferów, jednak nie mógł też powiedzieć, że nienawidził tego zajęcia w takim samym stopniu, jak roboty u Winstona rzeźnika.

Zart i jego podopieczny opielali grządki młodej kukurydzy, kiedy Thomas zdecydował, że jest to odpowiedni moment na uzyskanie kilku odpowiedzi. Opiekun wydawał się o wiele bardziej przystępny.

– Powiedz mi, Zart... – rozpoczął Thomas.

Opiekun spojrzał na niego, po czym wrócił do swojej pracy. Miał zapadnięte oczy i pociągłą twarz. Z jakiegoś powodu wyglądał na skrajnie znudzonego.

– Co jest, świeżuchu?

– Ilu w sumie jest tu Opiekunów? – zapytał Thomas, starając się, by zabrzmiało to naturalnie. – I jakie mam tu opcje kariery?

– Są Budole, Pomyje, Grzebacze, Kucharze, Mapownicy. Jest Plaster, Oracz, Rozpruwacz. No i oczywiście Zwiadowcy. Nie wiem, może znajdzie się jeszcze paru innych. Patrzę głównie na swoją robotę.

Większość z tych słów była dla niego jasna, jednak Thomas zastanawiał się nad kilkoma z nich.

– Co robi Pomyj? – Wiedział, że tym zajmuje się Chuck, jednak nigdy nie chciał o tym mówić. Odmawiał jakiejkolwiek rozmowy na ten temat.

– To, co robią sztamaki, kiedy nie potrafią nic innego. Czyszczą kible, pucują prysznice, myją kuchnię, sprzątają Mordownię po uboju, generalnie wszystko. Wystarczy ci jeden dzień z tymi frajerami, a możesz mi wierzyć, że zrobisz wszystko, aby do nich nie trafić.

Thomas poczuł wyrzuty sumienia względem Chucka. Zrobiło mu się go żal. Dzieciak tak bardzo starał się z kimś zakumplować, jednak wszyscy zdawali się go olewać. Tak, może był trochę nadpobudliwy i gęba mu się nie zamykała, jednak Thomas cieszył się, gdy Chuck był w pobliżu.

– A Oracze? – zapytał, wyrywając olbrzymi chwast, którego korzenie oblepione były grudkami ziemi.

Zart odchrząknął i odpowiedział, nie przerywając pracy.

– Do nich należy cała ciężka robota na Zielinie. Kopanie rowów i wszystko inne. W czasie wolnym mają również inne zajęcia w Strefie. W sumie to wielu Streferów ma więcej niż tylko jedną fuchę. Nikt ci o tym nie wspominał?

Thomas zignorował pytanie i kontynuował, zdeterminowany, by uzyskać tak wiele odpowiedzi, jak tylko to było możliwe.

– A co z Grzebaczami? Wiem, że chowają trupy, jednak tych nie ma chyba zbyt wiele?

– To odrażający goście. Bawią się też w strażników i policjantów, jednak wszyscy mówią na nich Grzebacze. Gdy nadejdzie twój dzień, baw się dobrze, stary. – Zachichotał, po raz pierwszy w obecności Thomasa, i nie było w tym nic miłego.

Thomas miał więcej pytań. O wiele więcej. Chuck i cała reszta nigdy nie chcieli udzielić mu żadnej odpowiedzi. A Zart – proszę bardzo. Jednak nagle Thomasowi przeszła ochota na konwersacje. Ni stąd, ni zowąd, z jakiegoś powodu znowu nawiedziły go myśli o tamtej dziewczynie, o Benie i o martwym Bóldożercy, co akurat powinno być dobrą nowiną, jednak wszyscy reagowali zgoła inaczej.

Jego nowe życie było do kitu.

Wziął głęboki, długi oddech. Skup się na pracy, pomyślał. I tak zrobił.

Zanim nastało popołudnie, Thomas padał ze zmęczenia – całe to schylanie się, kucanie i chodzenie po ziemi na kolanach to była jedna wielka katorga. Mordownia czy Zielina, jeden grzyb.

Zwiadowca, pomyślał, idąc na przerwę. Pozwólcie mi zostać Zwiadowcą. Po raz kolejny pomyślał o tym, jak absurdalnym było, że tak bardzo tego pragnął. I chociaż nie potrafił tego wyjaśnić, to pragnienie było niezaprzeczalne. Tak samo silne były myśli o tej dziewczynie, jednak starał się je od siebie odgonić.

Zmęczony i obolały, udał się do Kuchni po coś na ząb i po wodę. Mógłby zjeść konia z kopytami, chociaż przed dwiema godzinami dopiero co zjadł lunch. W tej chwili nie pogardziłby nawet wieprzowiną.

Zatopił zęby w jabłku i opadł na ziemię obok Chucka. Był tam również Newt, jednak siedział sam, nie zwracając na nikogo uwagi. Miał przekrwione oczy i czoło pokryte zmarszczkami. Thomas przyglądał się, jak Newt obgryza paznokcie. Nie widział wcześniej takiego zachowania u tego chłopaka.

Chuck również to dostrzegł i zadał pytanie, które chodziło Thomasowi po głowie.

– Co mu jest? – wyszeptał. – Wygląda jak ty, kiedy wyciągnęliśmy cię z Pudła.

– Nie wiem – odpowiedział mu Thomas. – Idź i go o to zapytaj.

– Słyszę każde wasze cholerne słowo – powiedział Newt donośnym głosem. – Nie dziwię się, że nikt nie chce obok was spać, sztamaki.

Thomas poczuł się, jakby przyłapano go na kradzieży, jednak naprawdę się o niego martwił – Newt był jedną z niewielu osób w Strefie, które darzył prawdziwą sympatią.

– Co ci jest? – zapytał Chuck. – Bez obrazy, ale wyglądasz jak klump.

– Taki już mam wyraz twarzy – odparł Newt, a następnie zamilkł, wpatrując się przed siebie przez dłuższą chwilę. Thomas o mało nie wyskoczył z kolejnym pytaniem, kiedy Newt w końcu przemówił. – To ta dziewczyna. Ciągle jęczy i gada od rzeczy, ale nie chce się obudzić. Plaster robi, co może, by ją nakarmić, ale z każdym dniem je coraz mniej. Mówię wam, coś tu nieźle śmierdzi.

Thomas spojrzał w dół na swoje jabłko, następnie je ugryzł. Miało teraz kwaśny smak – zdał sobie sprawę, że on również martwił się o tę dziewczynę. Niepokoił się o nią. Zupełnie, jakby nie była mu obca.

Newt westchnął głęboko.

– Purwa. Ale to nie tym się teraz martwię.

– Więc czym? – zapytał Chuck.

Thomas pochylił się do przodu, na tyle zaciekawiony, że był w stanie przegonić myśli o dziewczynie.

Newt zmrużył oczy, spoglądając na jedno z wejść do Labiryntu.

– Albym i Minho – mruknął pod nosem. – Powinni wrócić już kilka godzin temu.

Zanim Thomas zdał sobie sprawę, był już z powrotem w pracy, ponownie wyrywając chwasty i odliczając minuty do końca zmiany. Nieustannie zerkał na Zachodnie Wrota, wyglądając jakiegokolwiek znaku od Alby'ego i Minho. Zaczął podzielać obawy Newta.

Newt wspominał, że powinni byli wrócić do południa, mieli więc wystarczająco wiele czasu, aby dotrzeć do martwego Bóldożercy, zbadać go przez godzinę czy dwie i wrócić. Nic więc dziwnego, że wyglądał na zmartwionego. Kiedy Chuck rzucił, że pewnie poszli pozwiedzać i trochę się rozerwać, Newt obdarzył go spojrzeniem tak srogim, że Thomas obawiał się, iż Chuck może samoistnie zapłonąć.

Nigdy nie zapomni następnego wyrazu, który pojawił się na twarzy Newta. Kiedy Thomas zapytał go, dlaczego nie pójdzie wraz z innymi Streferami poszukać swoich przyjaciół, jego twarz wykrzywiła się w grymasie absolutnego przerażenia – jego policzki zapadły się, przybierając ziemistą i ciemną barwę. Stopniowo zaczęło mu przechodzić i wyjaśnił, że wysyłanie grupy poszukiwawczej jest zakazane, aby nie zaginęło jeszcze więcej osób, jednak na jego twarzy wyraźnie było widać strach.

Labirynt go przerażał.

Cokolwiek go tam spotkało – być może miało to coś wspólnego z jego uporczywym bólem w kostce – musiało być naprawdę przerażające.

Thomas starał się o tym nie myśleć, skupiając się z powrotem na wyrywaniu chwastów.

Tego wieczoru kolacja była ponurym wydarzeniem i nie miało to nic wspólnego z jakością jedzenia. Patelniak i jego kucharze zaserwowali każdemu okazałą porcję kotleta, ubijanych ziemniaków, zielonego groszku oraz gorące bułeczki. Thomas bardzo szybko doszedł do wniosku, że kawały odnośnie kuchni Patelniaka były jedynie kawałami. Wszyscy w mig pochłonęli swoje porcje i w większości poprosili o dokładkę. Tego dnia Streferzy obżerali się niczym skazańcy zebrani na swój ostatni posiłek, zanim zostaną zesłani na wieczność w otchłań piekielną.

Zwiadowcy powrócili o normalnej porze i Thomas zmartwił się jeszcze bardziej widokiem Newta biegającego od Wrót do Wrót, chłopak nie próbował nawet ukryć zżerającej go paniki. Jednak po Albym i Minho nie było ani śladu. Newt wysłał Streferów na zasłużoną strawę, jednak sam uparł się, by wyczekiwać brakującej dwójki. Nikt nie powiedział tego na głos, jednak Thomas doskonale zdawał sobie sprawę, że niedługo Wrota zamkną się z hukiem.

Thomas niechętnie posłuchał rozkazu i usiadł wraz z Chuckiem i Winstonem przy piknikowym stole w południowej części Bazy. Zdołał przełknąć jedynie kilka kęsów, nim uświadomił sobie, że dłużej tego nie wytrzyma.

– Nie mogę tutaj tak siedzieć, kiedy ich wciąż nie ma – powiedział, upuszczając widelec na talerz. – Idę do Newta, będę czekać razem z nim. – Wstał i ruszył w stronę Wrót.

Jak można było się spodziewać, Chuck podążał tuż za nim.

Znaleźli Newta przy Zachodnich Wrotach, przechadzającego się tam i z powrotem, nerwowo przeczesującego włosy dłonią. Gdy nadeszli, spojrzał na nich.

– Gdzie oni wsiąknęli? – zapytał słabym, pełnym napięcia głosem.

Thomasa wzruszyło, że Newt tak bardzo troszczył się o przyjaciół – zupełnie jakby byli jego rodziną.

– Wyślijmy za nimi grupę poszukiwawczą – zasugerował ponownie. Bezczynne siedzenie i zamartwianie się na śmierć wydawało mu się totalną głupotą, kiedy mogli przecież wyjść i ich poszukać.

– Cholera jas... – zaczął Newt, jednak się powstrzymał. Zamknął na chwilę oczy i wziął głęboki wdech. – Nie możemy. Po prostu. Nie wspominaj o tym więcej. To wbrew zasadom. Zwłaszcza że te cholerne Wrota wkrótce się zamkną.

– Ale dlaczego nie możemy? – zapytał z niedowierzaniem Thomas, nie dając za wygraną. – Przecież jeżeli tam zostaną, to dorwą ich Bóldożercy. Czy nie powinniśmy czegoś zrobić?

Newt odwrócił się do niego, jego twarz kipiała ze złości, jego oczy płonęły z wściekłości.

– Zawrzyj twarzostan, świeżuchu! – wrzasnął. – Nie jesteś tu, purwa, nawet tydzień! Wydaje ci się, że nie zaryzykowałbym życia, aby ich ocalić?

– Nie... ja... Przepraszam. Ja nie chciałem... – Thomas nie wiedział, co odpowiedzieć. Starał się jedynie pomóc.

Wyraz twarzy Newta złagodniał.

– Ty jeszcze nie kumasz, Tommy. Jeżeli wyjdziesz tam w nocy, to od razu możemy kopać ci dół. Jeżeli oni nie wrócą... – Zawahał się, nie chcąc powiedzieć tego, o czym wszyscy myśleli. – Obaj złożyli przysięgę, tak jak ja. Jak my wszyscy. Ciebie również to czeka, kiedy weźmiesz udział w pierwszym Zgromadzeniu i zostaniesz przydzielony swojemu Opiekunowi. Nigdy nie wchodzimy do Labiryntu w nocy. Choćby nie wiem co. Nigdy.

Thomas spojrzał na Chucka, który był równie blady, co Newt.

– Newt tego nie powie – powiedział chłopak – więc ja to zrobię. Jeżeli oni nie wrócą, to znaczy, że już nie żyją. Minho jest zbyt bystry na to, aby się zgubić. Nie ma takiej opcji. Oni są już martwi.

Newt nic nie odpowiedział, a Chuck odwrócił się i ruszył z powrotem w stronę Bazy ze spuszczoną głową.

Martwi – pomyślał Thomas. Cała ta sytuacja stała się tak śmiertelnie poważna, że nie wiedział, jak ma się zachować, i poczuł przerażającą pustkę w sercu.

– Sztamak ma rację – powiedział stanowczo Newt. – Dlatego nie możemy po nich iść. Nie możemy sobie pozwolić na jeszcze większą stratę.

Położył dłoń na ramieniu Thomasa, a następnie pozwolił, by opadła do jego boku. Oczy zaszły mu łzami i Thomas był pewien, że pomimo tego, iż jego wspomnienia znajdowały się poza zasięgiem, szczelnie zamknięte w komnacie zapomnienia, jeszcze nigdy wcześniej nie widział nikogo przepełnionego tak ogromnym smutkiem. Zapadająca ciemność budzącego się do życia zmierzchu idealnie oddawała ponury nastrój jego samopoczucia.

– Wrota zatrzasną się za dwie minuty – oświadczył Newt tak zwięźle i zdecydowanie, że jego słowa niemal zawisły w powietrzu, jak gdyby uwięzione w gęstej mgle. Następnie odszedł, przygarbiony, nie odzywając się słowem.

Thomas pokręcił głową i spojrzał ponownie w stronę Labiryntu. Prawie nie znał Alby'ego i Minho, jednak poczuł ukłucie w piersi na samą myśl o tym, że są gdzieś tam pomiędzy tymi korytarzami, zabici przez obrzydliwe kreatury, które ujrzał przez okno pierwszego dnia w Strefie.

Ze wszystkich stron rozbrzmiał donośny huk, sprowadzając Thomasa z powrotem na ziemię. Chwilę później nastąpił chrzęst i głośne zgrzytanie kamienia o kamień. Wrota zamykały się na noc.

Prawa ściana dudniła, przesuwając się po kamiennej posadzce, rozrzucając na bok ziemię i kamienie. Pionowy rząd łączących się prętów, wzbity wysoko ku niebu, sunął naprzeciw wyżłobionym wgłębieniom po przeciwnej stronie muru, gotów, by szczelnie zamknąć wejście aż do następnego wschodu słońca. Po raz kolejny Thomas spoglądał ze zdziwieniem na masywną, przemieszczającą się konstrukcję, która zaprzeczała wszelkim prawom fizyki. To wydawało się wprost niemożliwe.

Wtem jakiś ruch po lewej stronie zwrócił jego uwagę.

Coś poruszało się wewnątrz Labiryntu, na końcu długiego korytarza, na wprost niego.

Z początku oblała go fala paniki. Zrobił krok do tyłu, obawiając się, że mógł to być Bóldożerca. Następnie jednak dostrzegł wyraźnie dwie postaci, które niepewnym krokiem zmierzały przez korytarz w kierunku Wrót. Jego oczy w końcu przedarły się przez spowitą początkowo strachem mgłę i uświadomił sobie, że to był Minho z uwieszonym u jego szyi Albym, którego praktycznie ciągnął za sobą po ziemi. Minho podniósł wzrok i dostrzegł Thomasa.

– Dopadli go! – krzyknął Minho zduszonym i słabym z wycieńczenia głosem. Każdy stawiany przez niego krok wyglądał, jakby miał być jego ostatnim.

Thomas był tak oszołomiony rozwojem wypadków, że upłynęła chwila, nim zdołał zareagować.

– Newt! – W końcu krzyknął, zmuszając się, aby oderwać wzrok od Minho i Alby'ego i spojrzeć w przeciwnym kierunku. – Idą! Widzę ich! – Wiedział, że powinien wbiec do Labiryntu i im pomóc, jednak zasada dotycząca nie wychodzenia poza Strefę wryła mu się głęboko w pamięć.

Newt zdążył już dotrzeć do Bazy, jednak na krzyk Thomasa obrócił się natychmiast i pognał, kuśtykając, w kierunku Wrót.

Thomas odwrócił się z powrotem w stronę Labiryntu i momentalnie ogarnął go strach. Alby wyśliznął się z uścisku Minho i upadł na ziemię. Thomas obserwował, jak Minho próbował rozpaczliwie postawić go z powrotem na nogi, jednak w końcu odpuścił i zaczął go ciągnąć za ręce po kamiennej podłodze.

Wciąż byli jednak sto metrów od celu.

Prawa ściana szybko się zamykała, zdając się przyśpieszać, miast zwolnić, jak chciał tego Thomas. Od całkowitego zamknięcia dzieliło ich zaledwie kilka sekund. Nie mieli szans, aby zdążyć. Żadnych.

Thomas odwrócił się, by spojrzeć na Newta, który kuśtykając tak szybko, jak tylko mógł, zdołał pokonać zaledwie połowę dzielącego go od Thomasa dystansu.

Spojrzał ponownie na Labirynt, na zamykające się mury. Jeszcze tylko kilka metrów i będzie po wszystkim.

Minho potknął się, upadając na ziemię. Nie mieli żadnych szans. Czas minął. Już po wszystkim.

Thomas usłyszał, jak Newt wykrzykuje coś za jego plecami.

– Nie rób tego, Tommy! Nie waż się tego robić!

Pręty na prawej ścianie, niczym wyciągnięte ramiona, już zaczynały docierać do celu, wślizgując się w niewielkie otwory, służące im za miejsce wieczornego spoczynku. Zgrzytający, skrzypiący dźwięk zamykających się Wrót rozległ się wokoło, zagłuszając wszystko inne.

Półtora metra. Metr. Pół.

Thomas wiedział, że nie ma wyboru. Ruszył. Przecisnął się przez wbijające się w szczelinę pręty w ostatniej sekundzie i wszedł do Labiryntu.

Wrota za nim zamknęły się z głośnym hukiem, odbijając się echem po pokrytym bluszczem kamieniu, niczym śmiech szaleńca w szpitalu dla obłąkanych.

17

Przez kilka sekund Thomas czuł się, jak gdyby świat zamarł. Ogłuszające dudnienie zamykających się Wrót zastąpiła złowroga cisza, a niebo spowiła ciemność, zupełnie jakby nawet słońce przestraszyło się tego, co czaiło się w Labiryncie. Zapadł zmierzch i gigantyczne, kamienne mury wyglądały teraz jak przeogromne grobowce na zachwaszczonym cmentarzu olbrzymów. Thomas oparł się plecami o chropowatą skałę, nie mogąc uwierzyć w to, co się właśnie stało.

Przeraził się konsekwencjami swoich czynów.

Nagle przeszywający krzyk Alby'ego zwrócił jego uwagę. Minho jęczał obok. Thomas odepchnął się od ściany i pobiegł do dwóch Zwiadowców.

Minho podciągnął się i ponownie powstał, jednak wyglądał koszmarnie, co można było dostrzec nawet w bladym świetle. Był zlany potem, brudny, cały podrapany. Alby, który leżał na ziemi z rozerwanym ubraniem, z rozcięciami i siniakami na dłoniach, wyglądał jeszcze gorzej. Thomas wzdrygnął się. Czyżby Alby został zaatakowany przez Bóldożercę?

– Świeżuchu – wysapał Minho. – Jeżeli wydaje ci się, że to było mądre, to posłuchaj. Jesteś, purwa, najgłupszym krótasem, jaki stąpał po tej ziemi. Jesteś chodzącym trupem, tak samo jak my.

Thomas poczuł, jak oblewa się purpurą na twarzy – spodziewał się przynajmniej choć odrobiny wdzięczności.

– Przecież nie mogłem was tak po prostu zostawić.

– I co ci z tego przyszło? – zapytał Minho, przewracając oczami. – Zresztą nieważne, koleś. Złamałeś Pierwszą Zasadę, więc zdychaj, wszystko mi jedno.

– Też cię lubię. Chciałem pomóc. – Thomas poczuł się, jakby ktoś właśnie kopnął go w twarz.

Minho wydobył z siebie wymuszony śmiech, a następnie uklęknął przy Albym. Thomas przyjrzał się dokładniej nieprzytomnemu kompanowi i zdał sobie sprawę z powagi sytuacji. Alby wyglądał na półżywego. Jego ciemna skóra szybko traciła kolor, oddychał krótko i płytko.

Ogarnęła go rozpacz.

– Co się stało? – zapytał, starając się zapomnieć o targającym nim gniewie.

– Nie chce mi się teraz o tym gadać – odpowiedział Minho, sprawdzając Alby'emu puls i przykładając ucho do jego piersi. – Powiedzmy tylko, że Bóldożercy potrafią nieźle zgrywać trupa.

To zdanie całkowicie zaskoczyło Thomasa.

– Więc, go... użarł? Czy raczej użądlił? Czy on przechodzi teraz przez Przemianę?

– Musisz się jeszcze wiele nauczyć. – odpowiedział Minho.

Thomas miał ochotę krzyknąć. Wiedział, że musi się jeszcze wiele nauczyć, dlatego przecież zadawał pytania.

– Czy on umrze? – wykrztusił z siebie, czując zażenowanie z powodu tego, jak płytko i pusto to zabrzmiało.

– Najprawdopodobniej, zwłaszcza że nie udało nam się wrócić przez zachodem słońca. Może umrzeć nawet w ciągu godziny. Nie wiem, ile to potrwa bez Serum. My też jesteśmy już martwi, więc nie rozczulaj się tak nad nim. Si, senior, niedługo będzie już po nas. – Minho powiedział to w sposób tak rzeczowy, że Thomas z trudem pojął znaczenie jego słów.

Jednak wkrótce dopadł go ogrom przerażającej rzeczywistości i zaczęło mu się przewracać w żołądku.

– My naprawdę zginiemy? – zapytał, nie mogąc się z tym pogodzić. – Chcesz mi powiedzieć, że nie mamy żadnych szans?

– Żadnych.

Thomasa denerwowały już nieustannie przeczące odpowiedzi.

– Bez jaj. Musi być coś, co możemy przecież zrobić. Ilu Bóldożerców się na nas rzuci? – Spojrzał badawczo w stronę korytarza wiodącego w głąb Labiryntu, jakby oczekując pojawienia się tam kreatur wezwanych na dźwięk ich imienia.

– Nie wiem.

Wtem w głowie Thomasa zaświtała myśl, napełniając go nadzieją.

– Ale...co z Benem? I z Gallym, i z innymi, którzy zostali użądleni i przeżyli?

Minho spojrzał na niego wzrokiem, który zdawał się mówić, że Thomas był głupszy od krowiego klumpa.

– Czy ty mnie słuchasz? Oni zdążyli wrócić przed zmierzchem, tępa dzido. Wrócili i dostali Serum. Każdy z nich.

Thomas zastanawiał się przez chwilę nad wspomnianym serum, jednak w pierwszej kolejności czekały inne, ważniejsze pytania.

– Sądziłem, że Bóldożercy wychodzą jedynie nocą.

– No to źle myślałeś, smrodasie. Wychodzą *zawsze* w nocy, co wcale nie oznacza, że nie pojawiają się za dnia.

Thomas postanowił nie dawać za wygraną. Nie zamierzał tu umierać.

– Czy kiedykolwiek wcześniej znaleźliście kogoś, kto przeżył noc poza murami?

– Nie.

Thomas zmarszczył brwi, łudząc się, że uda mu się znaleźć choć iskierkę nadziei.

– Ilu w takim razie zmarło?

Minho wpatrywał się w ziemię, kucając z jednym ramieniem opartym na kolanie. Był wyraźnie wyczerpany, niemal oszołomiony.

– Co najmniej dwunastu. Przecież byłeś na cmentarzu.

– Tak.

Więc tak umarli – pomyślał.

– Przynajmniej tylu znaleźliśmy. Było ich więcej, ale ich ciał nigdy nie odnaleziono. – Minho wskazał z roztargnieniem w stronę wejścia do Strefy. – Nie bez powodu postawiliśmy w lesie ten cholerny cmentarz. Nic nie sprowadzi cię bardziej na ziemię niż wspomnienia o zarżniętych przyjaciołach.

Minho wstał i chwycił Alby'ego za ręce, następnie skinął w kierunku jego nóg.

– Łap za te smrody. Musimy go przenieść pod Wrota. Niech chociaż jedno ciało znajdą rano bez problemu.

Thomas nie mógł uwierzyć w te makabryczne słowa.

– Nie wierzę, że to się dzieje naprawdę! – krzyknął w stronę murów, obracając się wokół własnej osi. Miał już dosyć.

– Nie maż się. Trzeba było przestrzegać zasad i zostać w środku. A teraz pomóż mi i łap go za nogi.

Wzdrygając się z powodu skurczów w żołądku, Thomas podszedł i podniósł nogi Alby'ego. Na wpół przenieśli, na wpół przeciągnęli niemal pozbawione życia ciało przez prawie trzydzieści metrów, pod pionową szczelinę w skale, gdzie następnie Minho oparł Alby'ego o ścianę w pozycji półsiedzącej. Jego pierś unosiła się i opadała, z trudem napełniając się powietrzem, jednak jego skóra zlana była potem. Wyglądał, jakby to były jego ostatnie chwile życia.

– Gdzie go ugryźli? – zapytał Thomas. – Widzisz gdzieś ślad?

– Oni, purwa, nie gryzą, tylko kłują. I nie zobaczysz śladu.

Może mieć ich z tuzin na całym ciele. – Minho założył ramiona na piersi i oparł się o ścianę.

Z jakiegoś powodu Thomas pomyślał, że słowo *ukłuć* brzmi o wiele gorzej niż *ugryźć*.

– Co to znaczy, że kłują?

– Stary, musisz ich zobaczy, żeby zrozumieć, o czym mówię.

Thomas wskazał na ręce Minho, następnie na jego nogi.

– Dlaczego więc nie *ukłuli* ciebie?

Minho wyciągnął ręce przed siebie.

– Może i ukłuli. Może to cholerstwo dopadnie mnie lada chwila.

– Oni... – rozpoczął Thomas, jednak nie wiedział, jak zakończyć. Nie wiedział, czy Minho mówił poważnie.

– Nie było żadnych ich, tylko ten jeden, którego wzięliśmy za trupa. Oszalał i użądlił Alby'ego, a później uciekł. – Minho spojrzał ponownie w stronę Labiryntu, który był już niemal całkowicie spowity ciemnością. – Jestem jednak pewien, że niedługo zjawi się cała chmara tych skubańców, żeby nas wykończyć swoimi igłami.

– Igłami? – Thomas z każdą chwilą dowiadywał się coraz to bardziej niepokojących rzeczy.

– Tak, igłami. – Minho nie wdawał się w szczegóły, a wyraz jego twarzy wskazywał, że nie ma zamiaru tego zmieniać.

Thomas spojrzał na ogromne mury pokryte gęstym pnączem. Ogarniająca go rozpacz zaczęła w końcu pobudzać jego szare komórki.

– Nie możemy się po tym wspiąć? – Spojrzał na Minho, który nie odezwał się ani słowem. – Te pnącza. Czy możemy się po nich wspiąć?

Minho westchnął poirytowany.

– Ty chyba bierzesz nas, świeżuchu, za bandę kretynów. Naprawdę sądzisz, że nigdy wcześniej nie wpadliśmy na ten genialny pomysł wspięcia się po tych cholernych murach?

Po raz pierwszy Thomas poczuł, jak na równi ze strachem i paniką wzbiera w nim wściekłość.

– Po prostu próbuję coś wymyślić. Może byś tak przestał krytykować i zaczął w końcu ze mną rozmawiać!

Minho zerwał się gwałtownie na nogi i chwycił Thomasa za koszulkę.

– Ty nic nie rozumiesz, smrodasie! Nic nie wiesz i jeszcze wszystko pogarszasz przez tę swoją głupią nadzieję. Jesteśmy już trupami, rozumiesz? Trupami!

Thomas nie potrafił stwierdzić, które uczucie było w tej chwili silniejsze – wściekłość na Minho czy żal, który wobec niego odczuwał. Zbyt łatwo się poddał.

Minho spojrzał na swoje dłonie, które trzymały w uścisku koszulkę Thomasa, i na jego twarzy pojawił się wstyd. Zwolnił uścisk i wycofał się. Thomas ostentacyjnie poprawił ubranie.

– Jasna cholera – wyszeptał Minho, następnie padł na ziemię, skrywając twarz w zaciśniętych pięściach. – Nigdy wcześniej się tak nie bałem, stary. Nie aż tak.

Thomas chciał coś odpowiedzieć, powiedzieć mu, żeby się nie mazał, żeby ruszył głową, żeby mu opowiedział o wszystkim, co wie. Żeby powiedział cokolwiek!

Otworzył usta, aby przemówić, jednak zamknął je natychmiast, gdy tylko usłyszał ten hałas. Minho podniósł prędko głowę. Spojrzał w głąb jednego z mrocznych, kamiennych korytarzy. Thomas poczuł, jak jego własny oddech przyśpiesza.

Dochodził z głębi Labiryntu – niski, niepokojący dźwięk. Nieustanny warkot poprzedzony co kilka sekund metalowym brzękiem, niczym dźwięk ostrych, ocierających się o siebie noży. Z każdą sekundą coraz głośniejszy, następnie dołączyła do niego seria upiornych stukotów, które przywodziły Thomasowi na myśl długie paznokcie rysujące po tafli szkła. Głuchy jęk przeszył powietrze i w oddali rozległ się dźwięk, który brzmieniem przypominał szczęk łańcuchów

Całość była iście przerażająca i niewielka cząstka skrywanej przez Thomasa odwagi powoli zaczęła opuszczać jego ciało.

Minho powstał, jego twarz była niemal niewidoczna w gasnącym świetle dnia. Jednak gdy przemówił, Thomas wyobraził sobie jego szeroko otwarte z przerażenia oczy.

– Musimy się rozdzielić. To nasza jedyna szansa. Po prostu się nie zatrzymuj. Nie zatrzymuj się ani na chwilę!

Następnie odwrócił się i odbiegł, znikając w jednej chwili, w mrocznej otchłani Labiryntu.

18

Thomas wpatrywał się w miejsce, w którym rozpłynął się Minho.

Nagle poczuł do niego przemożną niechęć. Minho był tu weteranem, był Zwiadowcą. Thomas był Njubi, który przebywał w Strefie zaledwie od kilku dni, a w Labiryncie od kilku minut. Jednak z nich dwóch to Minho nie wytrzymał i spanikował, uciekając na odgłos zbliżającego się niebezpieczeństwa.

Jak on mógł mnie tutaj tak zostawić? – zastanawiał się Thomas. Jak on mógł mi to zrobić?!

Zbliżające się odgłosy był coraz głośniejsze. Ryk silników przeplatał się z dudniącym, brzękliwym dźwiękiem, przypominającym wciągane na łańcuchach machiny w starej, brudnej fabryce. Wtedy do jego nozdrzy dotarł zapach – smród spalenizny, jakiejś oleistej substancji. Thomas nie miał pojęcia, co zmierzało w jego stronę. Widział Bóldożercę, jednak jedynie przez chwilę i w dodatku przez brudne okno. Co oni mu zrobią? Jak długo będą się nad nim pastwić?

– Stop – powiedział do siebie. Musiał przestać marnować czas, czekając bezczynnie na śmierć.

Odwrócił się i spojrzał na Alby'ego, który nadal siedział oparty o kamienną ścianę, wyglądając niczym słabnący w mroku cień. Klękając, Thomas dotknął jego szyi i sprawdził puls. Coś wyczuł. Następnie przyłożył ucho do jego piersi, tak jak to wcześniej zrobił Minho.

Bu-bum, bu-bum, bu-bum.

Alby wciąż żył.

Thomas usiadł z powrotem na piętach i przetarł czoło dłonią, wycierając pot. W jednej chwili, w przeciągu zaledwie kilku sekund, dowiedział się wiele o samym sobie. O Thomasie, którym był *wcześniej*.

Nie mógł zostawić kompana na pewną śmierć. Nawet kogoś tak zrzędliwego jak Alby.

Chwycił go za dłonie, następnie przykucnął i zarzucił jego ręce z tyłu, wokół własnej szyi. Wciągnął pozbawione życia ciało na swoje plecy i stęknął z wysiłku, podnosząc się.

Nie miał jednak wystarczająco dużo siły. Wstając, upadł prosto na twarz. Alby runął bezwładnie na bok, wydając głuchy jęk.

Przerażające odgłosy zbliżających się Bóldożerców stawały się coraz głośniejsze z każdą sekundą, odbijając się echem od kamiennych murów Labiryntu. Thomasowi wydawało się, że dostrzegł w oddali jasne błyski światła, pulsujące na tle błękitnego nieba. Nie chciał się spotkać ze źródłem tych świateł i tych dźwięków.

Próbując kolejnego podejścia, ponownie chwycił za rękę Alby'ego i zaczął go ciągnąć po ziemi. Nie mógł wprost uwierzyć, że Alby był aż tak ciężki i po zaledwie trzech metrach zdał sobie sprawę, że nic z tego nie będzie. Zresztą, dokąd miał go zanieść?

Zaciągnął go z powrotem pod szczelinę wyznaczającą wejście do Strefy i usadowił ponownie w pozycji siedzącej, opierając jego głowę o kamienny mur.

Usiadł obok niego, dysząc z wycieńczenia i rozmyślając gorączkowo. Spoglądał w mroczne zakamarki Labiryntu, szukając rozwiązania i rozpaczliwie przeszukując korytarze swojego umysłu. Niemal nic nie widział i wiedział już, pomimo tego, co mówił Minho, że ucieczka byłaby głupotą, nawet jeżeli zdołałby unieść Alby'ego. Mógł się nie tylko zgubić, lecz zamiast uciec w przeciwnym kierunku, równie dobrze mógł wbiec wprost na Bóldożerców.

Rozmyślał o ścianie i o pnączu. Minho nie wyjaśnił mu tego, ale dał do zrozumienia, że wspinaczka po murze była niemożliwa. Jednak...

W głowie uformował mu się plan. Wszystko zależało od nieznanych mu jeszcze zdolności Bóldożerców, jednak nic lepszego nie przychodziło mu do głowy.

Thomas zrobił kilka kroków wzdłuż muru, aż natrafił na gąszcz bluszczu pokrywający większość kamiennej płyty. Wyciągnął dłoń i chwycił pnącze, które zwisało do samej ziemi, i owinął je wokół dłoni. Było grubsze i o wiele bardziej wytrzymałe, niż sądził – mogło mieć jakieś półtora centymetra średnicy. Szarpnął silnie i przy dźwięku podobnym do rozrywanego, grubego kawałka papieru, luźne pnącze, oderwane od muru, zaczęło spadać na ziemię. Coraz więcej i więcej, wraz z każdym krokiem oddalającego się od ściany Thomasa. Gdy odsunął się na odległość trzech metrów, nie widział już końca tego pnącza wysoko na murze. Zniknęło w gęstej ciemności. Jednak roślina wciąż opadała swobodnie na ziemię, więc Thomas wiedział, że musiała być na górze do czegoś przymocowana.

Wahając się przez chwilę, Thomas wziął głęboki wdech, a następnie pociągnął z całych sił za bluszcz.

Nie puszczał.

Szarpnął ponownie. I jeszcze raz, ciągnąc i rozluźniając nieustannie uścisk obiema rękoma. Następnie uniósł stopy i zawisł na linie, sprawiając, że jego ciało zakołysało się do przodu.

Pnącze wciąż nie puszczało.

W pośpiechu chwycił za kolejne. Oderwał je od ściany, zyskując w ten sposób liny do wspinaczki. Wypróbował każdą z nich i wszystkie okazały się równie wytrzymałe, jak pierwsza, którą sprawdzał. Ośmielony, wrócił do Alby'ego i obwiązał go linami.

Gwałtowny trzask rozbrzmiał echem po Labiryncie, po nim nastąpił okropny dźwięk zgniatanego metalu. Thomas odwrócił się gwałtownie. Był przerażony. Jego umysł był tak bardzo zaabsorbowany linami, że przez chwilę zapomniał o Bóldożercach. Spojrzał w każdą z trzech odnóg Labiryntu. Nie dostrzegł niczego, jednak odgłosy stawały się coraz głośniejsze. Narastający warkot, skrzypienie i szczęk. Thomas zauważył również, że niebo nieco się rozjaśniło. Był w stanie dostrzec znacznie więcej szczegółów Labiryntu niż jeszcze przed kilkoma minutami.

Przypomniał sobie dziwne światła, które widział wraz z Newtem przez okno w Strefie. Bóldożercy byli już blisko. Musieli być.

Zatamował wzbierającą w nim falę przerażenia i wrócił do pracy.

Wziął jedną z lin i owinął ją wokół prawego ramienia Alby'ego. Roślina nie sięgała dalej, więc musiał podsadzić go tak wysoko, jak tylko było to możliwe. Owinąwszy go kilka razy, zawiązał pnącze na supeł, po czym wziął kolejną linę i obwiązał lewe ramię Alby'ego, następnie obie jego nogi, obwiązując każdą z osobna. Martwił się, że może odciąć mu dopływ krwi, jednak musiał zaryzykować.

Starając się zignorować kłębiące się w jego głowie wątpliwości odnośnie powodzenia tego planu, Thomas wrócił do pracy. Teraz przyszła kolej na niego.

Chwycił obiema rękoma za pnącze i zaczął się wspinać po ścianie, dokładnie nad miejscem, w którym przed chwilą zostawił związanego kompana. Grube liście bluszczu sprawdzały się dobrze w roli uchwytu dla dłoni i Thomas poczuł olbrzymią ulgę, kiedy zorientował się, że niezliczone szczeliny w kamiennej ścianie posłużyły mu jako idealne podparcie dla nóg. Zaczął się zastanawiać, o ile łatwiej byłoby mu bez...

Powstrzymał się od skończenia tej myśli. Nie mógł zostawić Alby'ego.

Gdy dotarł już do miejsca położonego kilkadziesiąt centymetrów nad nim, Thomas owinął jedno z pnączy kilkakrotnie wokół własnej piersi, przytrzymując je pod pachami dla utrzymania równowagi. Powoli zaczął wypuszczać linę z uścisku, jednak nogami wciąż opierał się mocno w wielkiej szczelinie. Poczuł ulgę, kiedy okazało się, że pnącze wytrzymało jego ciężar.

Teraz przyszła kolej na trudniejszą część planu.

Cztery pnącza przywiązane do Alby'ego na dole mocno opinały jego ciało. Thomas chwycił za część przywiązaną do jego lewej nogi i pociągnął. Udało mu się ją podnieść o zaledwie kilka centymetrów, nim puścił – ciężar był zbyt wielki. Nie miał tyle siły.

Zszedł z powrotem na ziemię, postanawiając popchnąć Alby'ego od dołu, zamiast ciągnąć od góry. Na próbę starał się go podnieść choćby o metr, kończyna po kończynie. Najpierw podsadził lewą nogę i obwiązał ją nową liną. Następna była prawa noga. Gdy uporał się z obiema, zrobił to samo z rękoma – najpierw prawa, następnie lewa.

Zrobił krok w tył, zdyszany, by przyjrzeć się efektom swojej pracy.

Alby zwisał przy ścianie, nie dając żadnych oznak życia, o dobry metr wyżej niż jeszcze pięć minut wcześniej.

Z otchłani Labiryntu rozległo się szczękanie metalu. Warkot. Pobrzękiwanie. Jęki. Thomasowi wydawało się, że z lewej strony ujrzał czerwone światła. Bóldożercy byli coraz bliżej i teraz miał już pewność, że było ich znacznie więcej niż tylko jeden.

Wrócił do pracy.

Korzystając z tego samego sposobu, w jaki podsadzał poszczególne części ciała Alby'ego każdorazowo o metr, Thomas piął się powoli w górę po kamiennym murze. Był już tuż pod bezwładnym ciałem Alby'ego, owinął pnącze wokół swojej piersi dla utrzymania równowagi, a następnie podniósł Alby'ego tak wysoko, jak tylko mógł, i przywiązał go do pnącza. Następnie powtórzył cały proces.

Wspinaczka. Obwiązanie. Podnoszenie i przywiązanie.

Wspinaczka. Obwiązanie. Podnoszenie i przywiązanie. Przynajmniej Bóldożercy nie poruszali się aż tak szybko po Labiryncie, dzięki czemu miał trochę czasu.

Raz po raz, stopniowo przemieszczali się w górę. Wysiłek, jaki go to kosztowało, był przeogromny. Thomas wkładał w to wszystkie swoje siły, a pot znaczył każdy centymetr jego skóry. Liny zaczęły mu się wyślizgiwać z dłoni. Stopy bolały go od wciskania się w kamienne szczeliny. Odgłosy były coraz głośniejsze – potworne, przerażające dźwięki. Thomas jednak nie przerwał pracy.

Gdy znaleźli się około dziesięciu metrów nad ziemią, w końcu się zatrzymał, kołysząc się na linie, którą obwiązał się wokół piersi. Przy pomocy wycieńczonych, trzęsących się rąk, odwrócił się od ściany w stronę Labiryntu. Wyczerpanie, jakiego nigdy wcześniej nie odczuwał, przepełniało każdą cząstkę jego ciała. Padał ze znużenia. Jego mięśnie wiły się z bólu. Nie był już w stanie podnieść Alby'ego choćby o centymetr. Miał dosyć.

To była ich kryjówka. Lub przynajmniej punkt obserwacyjny.

Wiedział, że nie uda mu się wspiąć na sam szczyt. Miał jedynie nadzieję, że Bóldożercy nie będą chcieli – lub mogli – spojrzeć w górę. Albo że w najgorszym przypadku, zamiast bycia zmiażdżonym przez nich na ziemi, uda mu się ich z tej pozycji przepędzić, jednego po drugim.

Nie wiedział, czego się spodziewać. Nie wiedział, czy dożyje świtu. Jednak wisząc na tych pnączach, Thomas i Alby spotkają swoje przeznaczenie.

Po upływie kilku minut dostrzegł pierwsze migoczące światło odbijające się od pobliskich ścian Labiryntu. Przerażające dźwięki, które słyszał, nasiliły się w ciągu ostatniej godziny, a teraz dołączył do nich wysoki, mechaniczny pisk, niczym śmiertelny ryk maszyny.

Jego uwagę zwróciło czerwone światełko, które pojawiło się na ścianie z jego lewej strony. Odwrócił się i omal nie krzyknął – żukolec był zaledwie o kilka centymetrów od niego. Jego patykowate odnóża przedzierały się przez bluszcz i w jakiś sposób przylegały do ściany. Czerwone światło wydobywające się z jego oka było niczym niewielkie słońce, które oślepiało go swoim blaskiem. Thomas zmrużył oczy, starając się skupić na pancerzu mechanicznego owada.

Tułów żukolca składał się ze srebrzystego walca o średnicy około ośmiu centymetrów i długości około dwudziestu pięciu. Wystawało z niego dwanaście ruchomych odnóży, rozmieszczonych na całej długości stwora, co sprawiało, że wyglądał niczym jaszczur. Z powodu oślepiającego czerwonego światła, które świeciło wprost w niego, Thomas nie mógł dostrzec głowy żukolca, jednak wydawała mu się ona niewielkich rozmiarów, a jej główną funkcją zdawało się być postrzeganie.

Wtem dostrzegł najgorsze. Miał wrażenie, że już to widział wcześniej, gdy żukolec przemykał obok niego w kierunku lasu. Teraz był już tego całkowicie pewien – czerwone światło jego oka rzucało mroczną poświatę na siedem wielkich liter wymazanych na tułowiu, jakby wypisanych krwią:

DRESZCZ

Thomas nie potrafił sobie wyobrazić powodu, dla którego ktoś miałby umieszczać to słowo na owadzie, poza tym, żeby obwieścić Streferom, że był zły.

Wiedział, że stworzenie musiało szpiegować dla tych, którzy ich tu zesłali – tyle powiedział mu Alby, wyjaśniając, że w ten sposób obserwują ich Stwórcy. Thomas znieruchomiał i wstrzymał oddech w nadziei, że żuk reaguje jedynie ruch. Po długiej chwili jego płuca domagały się powietrza.

Przy dźwięku szczęknięcia, a następnie terkotu, chrząszcz odwrócił się i czmychnął, znikając w gęstwinie bluszczu. Thomas wciągnął w płuca olbrzymi haust powietrza, po chwili kolejny, czując, jak owinięte wokół piersi pnącza wbijają się mu w skórę.

Kolejny mechaniczny pisk rozbrzmiał gdzieś w głębi korytarza, tym razem niedaleko, a tuż za nim rozległ się gwałtowny ryk maszyny. Thomas starał się upodobnić do pozbawionego życia ciała Alby'ego, które zwisało bezwładnie na pnączach.

I wtedy coś wyszło zza rogu naprzeciw i ruszyło wprost na nich.

Coś, co widział już wcześniej, jednak z bezpiecznej odległości, zza grubej szyby.

Coś niewyobrażalnego.

Bóldożerca.

19

Przerażony Thomas wpatrywał się w monstrualną kreaturę zmierzającą korytarzem wprost na niego.

Potwór wyglądał jak efekt nieudanego eksperymentu. Postać rodem z koszmarów. Pół-zwierzę, pół-maszyna. Bóldożerca dudnił i szczękał, przemieszczając się po kamiennym chodniku. Jego ciało przypominało gigantycznego ślimaka, skąpo pokrytego włosiem, połyskującego od śluzu, i drżało groteskowo przy każdym nabieranym oddechu. Potwór nie miał żadnej widocznej głowy czy też ogona. Był długi na blisko dwa metry i szeroki na metr dwadzieścia.

Co dziesięć lub piętnaście sekund ostre metalowe kolce wyskakiwały z jego cielska i stwór gwałtownie zwijał się w kulę, po czym przetaczał się do przodu. Następnie zatrzymywał się, jakby przeprowadzając rozeznanie. Wtedy kolce chowały się z powrotem w wilgotnej skórze kreatury z obrzydliwym siorbiącym dźwiękiem. Powtarzało się to nieustannie, a stworzenie przemieszczało się za każdym razem o niecały metr.

Jednak nie tylko włosy i kolce wychodziły z jego ciała. Gdzieniegdzie znajdowało się kilka losowo przymocowanych mechanicznych odnóży, z których każde pełniło inną funkcję. Do niektórych przymocowane były jasne światła. Inne z kolei miały długie, groźnie wyglądające igły. Jedno miało trójpalczaste kleszcze, które zatrzaskiwały się co chwilę bez wyraźnego powodu. Gdy kreatura przetaczała się do przodu, odnóża składały się, unikając zmiażdżenia. Thomas zastanawiał się, co lub kto mógł stworzyć tak przerażające i obrzydliwe monstrum.

Źródło dochodzących do jego uszu dźwięków wreszcie się ujawniło. Gdy Bóldożerca zwijał się i przetaczał, wydawał z siebie metaliczny stukot, niczym ostrze piły mechanicznej. Ostrza oraz odnóża tłumaczyły przyprawiające o gęsią skórkę szczękanie metalu o kamień. Jednak nic nie budziło w Thomasie większej grozy od udręczonych, grobowych jęków, które w jakiś sposób wydawała z siebie kreatura, kiedy się nie poruszała. Brzmiały one jak krzyki konających na polu bitewnym żołnierzy.

Mając całokształt obrazu – bestię oraz wydawane przez nią dźwięki – Thomas nie był w stanie przypomnieć sobie najczarniejszego z koszmarów, z którym mogłaby się równać zmierzająca w jego stronę kreatura. Przezwyciężył strach, zmuszając swoje ciało do pozostania w całkowitym bezruchu. Był pewien, że jego jedyną szansą na ocalenie było pozostanie niezauważonym.

Może nas nie zauważy, pomyślał. *Może.* Jednak rzeczywistość wyglądała inaczej. Żukolec zdążył już zdradzić ich dokładne położenie.

Bóldożerca przetaczał się i szczękał coraz bliżej, zygzakując to w tył, to w przód, jęcząc przy tym i warkocząc. Za każdym razem, gdy się zatrzymywał, jego metalowe odnóża rozkładały się i przekręcały to w jedną, to w drugą stronę, sprawiając, że wyglądał niczym mały, wędrujący robot, poszukujący jakichś form życia na obcej planecie. Światła rzucały przyprawiające o gęsią skórkę cienie. Mgliste wspomnienie próbowało wydostać się z umysłu Thomasa. Dotyczyło straszących go cieni na ścianach, kiedy był dzieckiem. Pragnął cofnąć się do tej chwili, kiedykolwiek to było, uciec do rodziców, którzy, jak miał nadzieję, wciąż żyli, tęsknili za nim i na pewno go szukali.

W jego nozdrza uderzyła silna woń spalenizny – obrzydliwe połączenie przegrzanego silnika i zwęglonej ryby. Nie mógł uwierzyć, że ludzie mogli stworzyć coś tak potwornego i w dodatku nasłać to na dzieci.

Starając się o tym nie myśleć, Thomas zamknął na chwilę oczy i skoncentrował się na tym, aby nie zmącić panującej ciszy. Kreatura wciąż zmierzała do przodu.

warrrrrrrrrrrrrrrkkot
szczęk-szczęk-szczęk
warrrrrrrrrrrrrrrkkot
szczęk-szczęk-szczęk

Thomas rzucił okiem na dół, nie poruszając głową – Bóldożerca w końcu dotarł do muru, na którym wisiał Thomas wraz z Albym. Zatrzymał się przy zamkniętych Wrotach wiodących do Strefy, zaledwie kilka metrów na prawo od Thomasa.

– *Błagam, idź w drugą stronę* – prosił w milczeniu Thomas.

– *Zawróć.*

– *Odejdź.*

– *W tamtą stronę.*

– *Błagam!*

Kolce Bóldożercy wyskoczyły na zewnątrz; jego ciało poturlało się w kierunku Thomasa i Alby'ego.

warrrrrrrrrrrrrrrkkot
szczęk-szczęk-szczęk

Zatrzymał się, następnie ponownie przetoczył pod mur.

Thomas wstrzymał oddech, nie ośmielając się wydać z siebie choćby dźwięku. Bóldożerca znajdował się teraz dokładnie pod nimi. Thomas bardzo pragnął spojrzeć w dół, wiedział jednak, że jakikolwiek ruch może zdradzić jego położenie. Snopy światła wydobywające się ze stworzenia oświetlały punktowo miejsce wokół, jakby na oślep, nie zatrzymując się w jednym położeniu.

Następnie, bez jakiegokolwiek ostrzeżenia, zgasły.

Świat spowiła ciemność i nastała grobowa cisza. Zupełnie jak gdyby kreatura została wyłączona. Nie poruszała się, nie wydawała żadnych dźwięków. Nawet grobowe jęki ustały całkowicie. A bez światła Thomas nie widział kompletnie nic. Był ślepy.

Nabrał powietrza nosem. Jego łomoczące serce potrzebowało rozpaczliwie tlenu. Czy bestia go usłyszała? Czy go wyczuła? Strugi potu spływały mu po włosach, dłoniach i ubraniu. A strach, jakiego nigdy wcześniej nie zaznał, przepełniał go do granic szaleństwa.

Wciąż nic. Brak ruchu, brak światła, brak dźwięku. Próby przewidzenia kolejnego posunięcia kreatury dobijały go.

Mijały sekundy. Minuty. Wijąca się roślina wbijała się w ciało Thomasa – poczuł odrętwienie w klatce piersiowej. Chciał wykrzyczeć do potwora stojącego pod nim: „Zabij mnie albo wracaj z powrotem do swojej nory!".

Wówczas, przy nagłym wybuchu światła i eksplozji dźwięków, Bóldożerca ożył, warkocząc i szczękając.

Następnie zaczął się wspinać po ścianie.

Kolce Bóldożercy wbijały się w kamienną ścianę, rozrzucając rozszarpany bluszcz i rozkruszone kawałki kamienia na wszystkie strony. Jego odnóża przesuwały się niczym nogi żukolca, niektóre wbijały się ostrymi zakończeniami w kamienny mur dla utrzymania równowagi. Jasne światło wydobywające się z jednego z odnóży skierowane było wprost na Thomasa, jednak tym razem snop światła nie zmieniał się.

Thomas poczuł, jak ostatni promyk nadziei uchodzi z jego ciała. Wiedział, że jedyną możliwością, jak mu pozostała, była ucieczka.

Przepraszam, Alby – pomyślał, rozplątując grube pnącze oplatające jego pierś. Przytrzymując się mocno lewą dłonią listowia, udało mu się rozplątać więzy i był gotów do ucieczki. Wiedział, że nie może iść w górę – to sprowadziłoby Bóldożercę wprost na Alby'ego. Z kolei droga w dół była jedyną opcją, o ile zależało mu na szybkiej śmierci.

Musiał uciekać w bok.

Wyciągnął dłoń i chwycił za pnącze, które znajdowało się pół metra na lewo od niego. Owinąwszy je sobie wokół dłoni, pociągnął je gwałtownym ruchem. Było wytrzymałe, tak jak pozostałe. Szybki rzut oka na wydarzenia poniżej pokazał, że Bóldożerca zdołał już pokonać połowę dzielącej ich odległości i poruszał się coraz szybciej, nie robiąc żadnych postojów.

Thomas wypuścił owiniętą wokół jego piersi linę i podciągnął się w lewo, szurając ciałem po murze. Zanim mechaniczny pająk zdołał dotrzeć do Alby'ego, Thomas sięgnął po kolejne grube pnącze. Tym razem chwycił je oburącz i odwrócił się twarzą w stronę muru, opierając na nim pewnie stopy. Przerzucił nogi w prawą stronę tak daleko, jak sięgała zielona lina, następnie wypuścił ją i uczepił się kolejnej. I kolejnej. Niczym nadrzewna małpa, Thomas przemieszczał się szybciej, niż był w stanie to sobie wyobrazić.

Odgłosy jego prześladowcy nie ustępowały ani na chwilę, teraz dodatkowo wzmożone przez przyprawiające o dreszcze trzaski i dźwięki rozłupywanego kamienia. Thomas przemieścił się w prawo jeszcze kilkakrotnie, zanim odważył się spojrzeć za siebie.

Bóldożerca obrał nowy cel.

W końcu, pomyślał Thomas. Coś poszło po mojej myśli.

Odpychając się od ściany ze wszystkich sił, skok za skokiem, umknął szkaradnej kreaturze.

Thomas nie musiał spoglądać za siebie, by przekonać się, że z każdą sekundą Bóldożerca był coraz bliżej niego. Słyszał za sobą coraz głośniejsze odgłosy poczwary. W końcu będzie musiał jakoś zejść na ziemię, inaczej zabawa w kotka i myszkę nie potrwa zbyt długo.

Przy kolejnym przeskoku rozluźnił uścisk, zanim uchwycił się mocno pnącza. Lina otarła mu dłoń, jednak zniżył się o kilkadziesiąt centymetrów w stronę podłoża. Zrobił to samo przy kolejnej linie. I następnej. Po kolejnych trzech był już połowie drogi na ziemię. Poczuł rwący ból w obu rękach – pieczenie spowodowane przetarciem skóry na obu dłoniach. Adrenalina tłocząca się w jego żyłach pomogła mu przezwyciężyć strach. Nie zatrzymywał się ani na chwilę.

Przy kolejnym przeskoku Thomas nie zauważył na czas wyłaniającej się z ciemności ściany i było już za późno – korytarz kończył się dokładnie w tym miejscu i zakręcał w prawo. Thomas uderzył w kamienną ścianę, wypuszczając linę z dłoni. Wyrzucając ręce do góry, wymachiwał nimi gwałtownie, starając się uniknąć twardego lądowania na kamiennej posadzce. W tej samej chwili kątem oka dostrzegł na rogu Bóldożercę, który zmienił kurs i był tuż przy nim, wyciągając ku niemu metalowe pazury.

Thomas uchwycił się w końcu pnącza, niemal wyrywając sobie ręce ze stawów przy nagłym szarpnięciu. Odepchnął się od ściany obiema stopami ze wszystkich sił, odskakując na bok w chwili, gdy Bóldożerca natarł na niego z kleszczami i śmiercionośnymi igłami. Thomas wierzgnął prawą nogą, kopiąc odnóże z kleszczami. Głośny trzask był oznaką udanego manewru, jednak wszelka euforia wyparowała z niego z chwilą, gdy uświadomił sobie, że wprawiona w ruch lina ciągnęła go właśnie z powrotem w stronę kreatury.

Usiłując powstrzymać wyskakujące spomiędzy jego żeber serce, Thomas złączył nogi i podciągnął je mocno do piersi. Gdy tylko wpadł na obrzydliwe, najeżone igłami cielsko Bóldożercy, kopnął je obiema nogami, odpychając się, wierzgając, aby uniknąć chmary igieł i kleszczy, które atakowały go ze wszystkich stron. Odskoczył w lewo, następnie w stronę ściany Labiryntu, starając się uchwycić kolejnej liny. Bestialskie narzędzia mordu trzaskały i szczękały tuż za nim. Poczuł, jak coś rani go głęboko w plecy.

Wymachując ponownie rękoma, Thomas sięgnął obiema dłońmi kolejnego pnącza.

Uchwycił się go na tyle mocno, aby uniknąć upadku i ześlizgnąć się powoli na ziemię, ignorując przeszywający ból w dłoniach. Jak tylko oparł stopy na kamiennym chodniku, zerwał się do ucieczki, pomimo rozpaczliwego krzyku wyczerpania dobywającego się z jego ciała.

Grzmiący trzask rozbrzmiał za jego plecami, a tuż po nim dudnienie, huk i donośny warkot ścigającego go Bóldożercy.

Thomas nie spojrzał jednak za siebie, wiedząc, że każda sekunda była na wagę złota.

Skręcił za róg, następnie za kolejny. Uderzając stopami o kamienną podłogę, uciekał co sił w płucach, tak szybko, jak tylko pozwalały mu na to jego obolałe nogi. Starał się zapamiętać trasę ucieczki, łudząc się, że będzie mu dane przeżyć na tyle długo, aby mógł wykorzystać te informacje i powrócić do Strefy.

W prawo, następnie w lewo. Wzdłuż długiego korytarza, następnie ponownie w prawo. W lewo. W prawo. Dwukrotnie w lewo. Kolejny długi korytarz. Odgłosy pościgu nie ustawały ani nie słabły, jednak on również nie zwalniał.

Biegł, nie zatrzymując się, serce rozrywało mu pierś. Łykał olbrzymie hausty powietrza, starając się dostarczyć płucom tlenu, jednak wiedział, że już dłużej nie wytrzyma. Zastanawiał się, czy nie łatwiej byłoby się zatrzymać i walczyć, skończyć z tym.

Gdy skręcił za kolejny róg, wpadł w poślizg i zatrzymał się, gdy ujrzał, co znajduje się na jego drodze. Dysząc resztkami sił, wpatrywał się przed siebie.

Naprzeciw niego trzech Bóldożerców toczyło się, wbijając ostre kolce w kamienną podłogę. Pędzili prosto na niego.

Thomas odwrócił się i ujrzał, że jego pierwotny prześladowca nadal go ściga, choć nieco zwolnił, szczękając metalowymi kleszczami, zupełnie jakby z niego szydził.

Wie, że już po mnie – pomyślał Thomas. Po tym całym wysiłku, znalazł się teraz w pułapce, otoczony przez Bóldożerców. To już koniec. Nie minął nawet tydzień, a jego życie dobiegło już kresu.

Dręczony żalem, podjął decyzję. Nie podda się bez walki.

Woląc sytuację jeden na jednego, od jednego na trzech, ruszył wprost na Bóldożercę, który go ścigał. Paskudztwo cofnęło się nieznacznie, przestało poruszać kleszczami, jakby zaskoczone jego odwagą. Z lekkim wahaniem, Thomas ruszył z wrzaskiem na Bóldożercę.

Potwór przebudził się, wypuszczając kolce ze skóry; potoczył się do przodu, gotowy do czołowego zderzenia z wrogiem. Ten nagły zryw sprawił, że Thomas o mało się nie zatrzymał i przypływ szalonej odwagi omal go nie opuścił, jednak biegł dalej.

Na sekundę przed zderzeniem, przyglądając się z bliska metalowi, sierści i śluzowi kreatury, Thomas wbił lewą nogę w ziemię i odskoczył w prawo. Rozpędzony Bóldożerca, nie mogąc się zatrzymać, przemknął tuż obok niego, nim gwałtownie zahamował. Thomas spostrzegł, że monstrum poruszało się obecnie znacznie szybciej. Wydając z siebie metaliczny skowyt, bestia obróciła się, gotowa rzucić się do gardła swojej ofiary. Jednak teraz, kiedy Thomas nie był już otoczony przez Bóldożerców, miał otwartą drogę ucieczki. Zerwał się na nogi i popędził przed siebie. Odgłosy pościgu, tym razem pochodzące od wszystkich czterech Bóldożerców, wskazywały, że są tuż za nim. Zmuszając swoje ciało do ponadludzkiego wysiłku, biegł dalej, starając się pozbyć uczucia beznadziei, że prędzej czy później go dopadną.

Wtem, trzy korytarze dalej, ktoś wciągnął go do przyległego tunelu. Serce podskoczyło mu do gardła, kiedy wyrywając się, próbował uwolnić się z uścisku. Przestał, kiedy zorientował się, że to był Minho.

– Co...

– Zamknij się i chodź za mną! – krzyknął Minho, odciągając Thomasa, zanim ten ponownie stanął na nogi.

Bez chwili namysłu, Thomas wziął się w garść. Razem przemierzali kolejne korytarze, skręcając co chwilę. Minho sprawiał wrażenie, że dokładnie wie, co robi i dokąd zmierza. Ani przez chwilę nie zatrzymywał się, aby się zastanowić, w którą stronę pobiec.

Gdy skręcili za najbliższym rogiem, Minho próbował coś powiedzieć. Z trudem łapiąc powietrze, wydyszał:

– Właśnie... widziałem... twój unik... który... zrobiłeś... i... nasunął mi... pewien pomysł... musimy tylko... wytrzymać... trochę... dłużej.

Thomas nie marnował resztek własnych sił na zadawanie pytań. Po prostu biegł za Minho. Nie oglądając się za siebie, wiedział, że Bóldożercy doganiali ich w zastraszającym tempie. Każdy centymetr jego ciała, wewnątrz i na zewnątrz, skamlał z bólu. Jego nogi błagały go rozpaczliwie, aby w końcu się zatrzymał. Jednak biegł dalej, w nadziei, że serce nie odmówi mu posłuszeństwa.

Kilka zakrętów później Thomas dostrzegł przed sobą coś, czego jego mózg nie pojmował. Wydawało się to po prostu...

niemożliwe. Blade światło rzucane przez ich prześladowców dodatkowo sprawiało, że dziwna rzecz przed nimi stawała się jeszcze bardziej widoczna.

Na końcu korytarza nie znajdowała się kolejna ściana.

Korytarz kończył się ciemnością.

Thomas zmrużył oczy, gdy zbliżali się do ściany ciemności, starając się zrozumieć zjawisko, do którego zmierzali. Dwie pokryte bluszczem ściany Labiryntu zdawały się przecinać wyłącznie niebo. Dostrzegł gwiazdy na nieboskłonie. Zbliżając się, w końcu zdał sobie sprawę z tego, że to było wyjście – Labirynt się skończył.

Jak to? – zastanawiał się. – Po tylu latach szukania, jakim cudem znaleźliśmy to tak łatwo?

Minho jakby czytał w jego myślach.

– Nie podniecaj się tak – powiedział, ledwo wykrztuszając z siebie słowa.

Na kilkanaście centymetrów przed końcem korytarza, Minho zatrzymał się, wyciągając rękę i przytrzymując Thomasa za koszulkę na piersi, upewniając się, że on również się zatrzyma. Thomas zwolnił, następnie podszedł do miejsca, w którym Labirynt otwierał się na gołe niebo. Odgłosy nadciągających Bóldożerców przybierały na sile, jednak musiał to zobaczyć.

Naprawdę dotarli do wyjścia z Labiryntu, jednak, tak jak powiedział Minho, nie było się czym ekscytować. Jedyne, co Thomas dostrzegł, spoglądając w każdym kierunku, w górę i w dół, z boku na bok, to pusta przestrzeń i gasnące gwiazdy. Był to dziwny i niepokojący widok, zupełnie jak gdyby stał na krańcu wszechświata, i przez krótką chwilę aż zakręciło mu się w głowie. Kolana ugięły się pod nim, nim zdołał odzyskać równowagę.

Słońce budziło się ze snu i niebo znacznie pojaśniało w przeciągu ostatniej minuty. Thomas wpatrywał się z niedowierzaniem, zastanawiając się, jak to wszystko było możliwe. Zupełnie jak gdyby ktoś skonstruował Labirynt, a następnie zawiesił go wysoko na niebie pomiędzy nicością. Na całą wieczność.

– Nie rozumiem – wyszeptał, nie wiedząc, czy Minho mógł go usłyszeć.

– Ostrożnie – odpowiedział Zwiadowca. – Nie byłbyś pierwszym sztamakiem, który zleciał z Urwiska. – Chwycił Thomasa za ramię. – Nie zapomniałeś czasem o czymś? – Skinął głową w kierunku wnętrza Labiryntu.

Thomas pamiętał, że już wcześniej słyszał słowo *Urwisko*, jednak nie potrafił sobie przypomnieć gdzie i kiedy. Widok bezkresnego, czystego nieba rozpościerającego się przed i pod jego stopami, wprawił go w pewnego rodzaju hipnotyczne otępienie. Otrząsnął się, wracając błyskawicznie do rzeczywistości i zwracając się w stronę nadciągających Bóldożerców. Byli teraz zaledwie kilkanaście metrów od niego, szarżując wściekle jeden za drugim. Poruszali się niezwykle szybko.

Zanim Minho zdążył wyjawić swój plan, rozległ się donośny dźwięk szczękania.

– Może i skubańcy wyglądają przerażająco – powiedział Minho – ale są za to głupi jak but. Stań obok mnie, twarzą do...

Thomas mu przerwał.

– Wiem, jestem gotów.

Powłóczyli nogami, dopóki nie stanęli tuż przed wyrwą, pośrodku korytarza, twarzą do Bóldożerców. Ich pięty dzieliło zaledwie kilka centymetrów od krawędzi Urwiska, za którym znajdował się już tylko bezkresny błękit.

Jedyne, co im pozostało, to odwaga.

– Chyba nas pojednało! – krzyknął Minho, niemal zagłuszony przez ogłuszające dźwięki kolców toczących się po kamiennej podłodze. – Na mój znak!

Dlaczego Bóldożercy ustawili się w jednym rzędzie – pozostawało tajemnicą. Być może Labirynt był na tyle wąski, że nie mogli przemieszczać się obok siebie. Jednak jeden za drugim toczyli się po kamiennym korytarzu, szczękając i jęcząc, gotowi, by zabić. Kilkanaście metrów zmieniło się w kilka i kreatury dzieliło zaledwie kilka sekund od zderzenia z oczekującymi na egzekucję ofiarami.

– Przygotuj się – powiedział spokojnie Minho. – Jeszcze nie... jeszcze nie...

Thomas nie mógł wytrzymać żadnej milisekundy oczekiwania. Chciał po prostu zamknąć oczy i już więcej nie oglądać żadnego Bóldożercy.

– Teraz! – wrzasnął Minho.

W chwili, gdy pierwszy z potworów wyciągnął przed siebie odnóże, aby zatopić w ciałach chłopców swoje kleszcze, Minho i Thomas odskoczyli na bok, każdy w kierunku zewnętrznej ściany korytarza. Taktyka ta sprawdziła się u Thomasa już wcześniej i sądząc po przeraźliwym, piskliwym odgłosie, który wydał z siebie pierwszy Bóldożerca, zadziałała ponownie. Monstrum spadło z krawędzi Urwiska. O dziwo, jego okrzyk wojenny gwałtownie ustał, miast powoli zniknąć w otchłani błękitu.

Thomas wylądował na ścianie i odwrócił się w samą porę, by ujrzeć, jak druga kreatura, nie mogąc się zatrzymać, wypada z krawędzi. Trzeci z nich wbił zakończone ostrym kolcem odnóże w kamienny chodnik, jednak siła rozpędu była zbyt wielka. Przeszywający, zgrzytliwy pisk rozdzierającego kamień kolca przyprawił Thomasa o dreszcze na plecach, choć chwilę później Bóldożerca runął w przepaść. Ponownie, ani jeden z nich nie wydał z siebie żadnego dźwięku, spadając – zupełnie jakby zamiast spaść, zniknęli w otchłani.

Czwarty i ostatni szarżujący potwór zdążył się w porę zatrzymać, chwiejąc się na krawędzi urwiska, utrzymując równowagę przy pomocy kolca i kleszczy.

Instynktownie Thomas wiedział, co powinien zrobić. Spoglądając na Minho, skinął głową, po czym odwrócił się. Obaj ruszyli na Bóldożercę, kopiąc kreaturę z wyskoku ze wszystkich, słabnących już sił. Razem wysłali ostatniego potwora na rychłą śmierć.

Thomas zerwał się prędko na nogi i stając na krawędzi przepaści, wystawił głowę, by dostrzec spadające w otchłań cielsko Bóldożercy. W jakiś sposób stwór jednak zniknął – w bezkresie błękitu nie było po nim najmniejszego śladu. Nic.

Umysł Thomasa nie mógł zrozumieć, dokąd prowadziło Urwisko czy też co się stało z krwiożerczymi kreaturami. Resztki sił opuściły go i upadł, zwijając się na ziemi.

Następnie, w końcu, pojawiły się łzy.

Upłynęło pół godziny.

Ani Thomas, ani Minho nie ruszyli się nawet na krok.

Thomas w końcu przestał płakać. Zastanawiał się, co też sądził na jego temat Minho albo czy powie o tym innym, nazywając go maminsynkiem. Nie miał w sobie jednak choć odrobiny samokontroli. Nie potrafił powstrzymać łez i nie chciał tego robić. Pomimo braku pamięci był pewien, że właśnie przeżył najbardziej traumatyczną noc w swoim życiu. A jego obolałe dłonie i całkowite wyczerpanie wcale mu w tym nie pomagały.

Jeszcze raz przeczołgał się nad krawędź Urwiska, ponownie wystawił głowę, aby obejrzeć brzask, teraz już w swojej pełnej krasie. Otwarte niebo mieniło się głęboką purpurą powoli przechodzącą w jasny błękit dnia, z odcieniem koloru pomarańczowego rzucanego przez słońce na odległym, bezkresnym horyzoncie.

Wpatrując się prosto w dół, dostrzegł, że kamienny mur Labiryntu przechodził przez ziemię Urwiska i znikał w otchłani, sięgając głęboko w przepaść. Jednak nawet przy najbardziej natężonym świetle nie mógłby stwierdzić, co znajdowało się na dole. Wyglądało na to, że Labirynt umieszczony był na jakieś konstrukcji kilka kilometrów nad ziemią.

To było jednak niemożliwe, pomyślał. To nie może być prawda. To musi być złudzenie.

Przewrócił się na plecy, jęcząc przy tym z bólu. Bolały go części ciała zarówno wewnątrz, jak i na zewnątrz, także i te, o których istnieniu nawet nie wiedział. Przynajmniej Wrota niedługo się otworzą i będą mogli wrócić do Strefy. Spojrzał na Minho, skulonego przy ścianie korytarza.

– Nie mogę uwierzyć, że wciąż żyjemy – powiedział Thomas.

Minho nie odpowiedział, tylko przytaknął, a jego twarz pozbawiona była jakiegokolwiek wyrazu.

– Jest ich więcej? Czy zabiliśmy już wszystkich?

Minho prychnął.

– Całe szczęście, że jakimś cudem udało nam się przetrwać do wschodu słońca, inaczej niedługo mielibyśmy kolejnych dziesięciu na ogonie. – Przesunął się, krzywiąc się i jęcząc z bólu. – Nie wierzę. Poważnie. Udało nam się przeżyć przez całą noc. Nikt jeszcze tego nie dokonał.

Thomas wiedział, że powinien być z siebie dumny, wiedział, że spisał się dzielnie. Jednak w tej chwili czuł jedynie potworne zmęczenie i ulgę.

– Co zrobiliśmy inaczej?

– Nie wiem. Ciężko jest wyciągnąć od nieboszczyka informację, co zrobił źle.

Thomas zastanawiał się, dlaczego rozjuszone wrzaski Bóldożerców skończyły się tak nagle, kiedy spadali z Urwiska, i dlaczego nie był w stanie zobaczyć spadających cielsk kreatur. Było w tym coś dziwnego i niepokojącego.

– Wygląda, jakby po upadku z Urwiska po prostu się rozpłynęli.

– Tak, to było dosyć dziwne. Kilku Streferów miało teorię, że inne rzeczy też poznikały, jednak pokazaliśmy im, że się mylili. Spójrz.

Thomas obserwował, jak Minho rzucił kamieniem z Urwiska, następnie przyglądał się, jak kamień spadał. Robił się coraz mniejszy i mniejszy, aż w końcu Thomas stracił go z oczu. Odwrócił się z powrotem w stronę Minho.

– I czego niby to dowodzi?

Minho wzruszył ramionami.

– Cóż, kamień nie zniknął.

– Więc jak myślisz, co się stało? – Było to coś znaczącego, Thomas czuł to.

Minho ponownie wzruszył ramionami.

– Może są zaczarowani. Zbyt mocno rwie mnie łeb, by o tym teraz rozmyślać.

Nagle Thomas porzucił wszelkie myśli odnośnie Urwiska. Przypomniał sobie o Albym.

– Musimy wracać. – Resztkami sił zmusił swoje ciało do powstania. – Musimy zdjąć Alby'ego ze ściany. – Widząc zmieszanie na twarzy Minho, wyjaśnił mu prędko, co zrobił z linami z pnącza.

Minho spuścił wzrok przygnębiony.

– Nie ma szans, by przeżył.

Thomas odrzucił taką możliwość.

– Skąd możesz to wiedzieć? Idziemy! – Odwrócił się i ruszył wzdłuż korytarza, kulejąc.

– Ponieważ nikomu wcześniej nie udało się...

Zamilkł i Thomas wiedział, co miał na myśli.

– Dlatego, że wcześniej zawsze dopadali ich Bóldożercy, nim zdążyliście ich odnaleźć. Alby został ukłuty tylko jedną z igieł, tak?

Minho powstał i dołączył do Thomasa, zmierzając wolnym krokiem w stronę Strefy.

– Nie wiem, nigdy wcześniej się to nie zdarzyło. Kilka osób zostało ukłutych w ciągu dnia, ale oni dostali Serum i przeszli Przemianę. Tych, którzy zostali ukłuci w nocy w Labiryncie, znajdowaliśmy dopiero wiele dni później, o ile w ogóle. I wszyscy zginęli w sposób, o którym raczej nie chcesz usłyszeć.

Thomas wzdrygnął się na samą myśl.

– Wydaje mi się, że po tym, przez co właśnie przeszliśmy, mogę to sobie wyobrazić.

Minho podniósł wzrok, zdziwienie zagościło na jego twarzy.

– Chyba to rozgryzłeś. Myliliśmy się. Miejmy nadzieję, że tak jest. Wcześniej każdy, kto został użądlony i nie wrócił przed zachodem słońca, był już trupem, więc założyliśmy, że nie ma sensu wracać, kiedy i tak jest już za późno na Serum.

– Wydawał się być podniecony swoim tokiem myślenia.

Skręcili za kolejny róg, Minho nagle wyprzedził Thomasa. Zwiadowca zwiększył tempo, jednak Thomas szedł swoim krokiem, zdziwiony tym, jak dobrze pamiętał trasę powrotną, skręcał nawet jako pierwszy.

– A to Serum? – zapytał Thomas. – Słyszałem już o nim kilkakrotnie. Co to właściwie jest? I skąd się wzięło?

– To, na co wskazuje nazwa, świeżuchu. To serum. Serum Bólu.

Thomas wydał z siebie żałosny śmiech.

– A ja myślałem, że dowiedziałem się już wszystkiego o tym durnym miejscu. Skąd ta nazwa? I dlaczego mówicie na te kreatury Bóldożercy?

Minho odpowiadał na pytania i idąc teraz obok siebie, kontynuowali wędrówkę, przemierzając niezliczoną ilość zakrętów Labiryntu.

– Nie wiem, skąd się wzięła ich nazwa, jednak Serum pochodzi od Stwórców – tak ich przynajmniej nazywamy. Dostajemy je od zawsze, co tydzień, wraz z zaopatrzeniem. To lek lub antidotum, czy coś podobnego, które znajduje się już w strzykawce, gotowe do użycia. – Wykonał gest wbijania igły w ramię. – Wbijasz to cholerstwo w kogoś, kto został użądlony, i to go odratowuje. Następnie delikwent przechodzi przez Przemianę – która jest do dupy – ale poza tym jest uleczony.

Przez minutę lub dwie Thomas w ciszy przyswajał informację. Skręcili jeszcze kilka razy. Zastanawiał się nad Przemianą i tym, co oznaczała. I z jakiegoś powodu wciąż rozmyślał o tamtej dziewczynie.

– Dziwne – przemówił w końcu Minho. – Nigdy wcześniej o tym nie rozmawialiśmy. Jeśli Alby wciąż żyje, to nie ma sensu zakładać, że Serum nie może go uratować. Jakimś cudem wbiliśmy sobie do naszych klumpowatych łbów, że kiedy Wrota się zamykają, to już przepadłeś – jesteś trup. Muszę zobaczyć tę twoją pajęczynę na własne oczy. Coś mi się wydaje, że robisz mnie w fuja.

Szli wciąż przed siebie, Minho wyglądał niemal na szczęśliwego, jednak Thomasa coś wyraźnie dręczyło. Unikał tego tematu, starał się o nim nie myśleć.

– A co, jeżeli inny Bóldożerca dorwał Alby'ego po tym, jak odwróciłem uwagę pierwszego?

Minho spojrzał na niego skonsternowany.

– Mówię tylko, żebyśmy się pośpieszyli – powiedział Thomas, mając nadzieję, że cały ten trud włożony w ocalenie Alby'ego nie poszedł na marne.

Starali się przyśpieszyć kroku, jednak ich obolałe ciała zbuntowały się i po chwili wrócili do poprzedniego, wolnego tempa. Gdy skręcili za następnym rogiem, Thomas zachwiał się i serce mu podskoczyło do gardła, gdy w oddali dostrzegł jakiś ruch. Chwilę później odczuł natychmiastową ulgę, kiedy zorientował się, że był to Newt wraz z grupą Streferów. Przed nimi wznosiły się otwarte Zachodnie Wrota. Udało im się powrócić.

Gdy tylko Newt ich dostrzegł, pokuśtykał w ich stronę.

– Co się stało? – zapytał. Wyglądał na niemal wściekłego. – Jakim, cholera, sposobem...

– Później ci opowiemy – przerwał mu Thomas. – Musimy uratować Alby'ego.

Newt pobladł.

– O czym ty bredzisz? To on żyje?

– Po prostu podejdź tu.

Thomas wskazał na prawo, wyciągając szyję, spojrzał na wysoki mur, przeszukując wzrokiem gęsty bluszcz, aż w końcu odnalazł miejsce, w którym wisiał Alby, przywiązany za ręce i nogi, wysoko nad nimi. Nie odzywając się, Thomas wskazał im ten punkt, bojąc się jeszcze odetchnąć. Wciąż tam był, w jednym kawałku, jednak nie wykazywał żadnych oznak życia.

Newt w końcu dostrzegł przyjaciela przywiązanego do pnącza, po czym spojrzał z powrotem na Thomasa. Jeżeli wcześniej był zdziwiony, to w tej chwili wyglądał na całkowicie oszołomionego.

– Czy on... żyje?

Błagam, żeby żył, pomyślał Thomas.

– Nie wiem. Żył, kiedy go tam zostawiałem.

– Kiedy go zostawiałeś...? – Newt potrząsnął głową. – Ładujcie tyłki do środka i niech Plaster rzuci na was okiem. Później opowiecie mi wszystko ze szczegółami.

Thomas chciał poczekać i upewnić się, że Alby'emu nic nie dolega. Już miał coś powiedzieć, kiedy Minho chwycił go za ramię i pchnął w stronę Strefy.

– Potrzebujemy snu i bandaży. I to teraz.

Thomas wiedział, że miał rację. Ustąpił, spoglądając ponownie na Alby'ego, a następnie podążył za Minho i wyszedł z Labiryntu.

Droga powrotna do Strefy, a następnie do Bazy, zdawała się nie mieć końca. Rząd Streferów stojących po obu stronach nie spuszczał z nich wzroku. Ich twarze wyrażały całkowity podziw, zupełnie jak gdyby spoglądali na duchy sunące przez kamienny dziedziniec. Thomas wiedział, że to dlatego, iż udało im się dokonać czegoś, czego nikt wcześniej nie zrobił. Czuł się jednak zakłopotany tą powszechną uwagą.

Omal się nie zatrzymał, kiedy dostrzegł przed sobą Gally'ego, który stał z założonymi rękoma i wpatrywał się w niego. Thomas szedł jednak dalej. Kosztowało go to sporo wysiłku, jednak spoglądał wprost w jego oczy, ani na chwilę nie odwracając wzroku. Gdy znalazł się półtora metra przed nim, Gally spuścił wzrok.

To przyjemne uczucie niemal go zaniepokoiło. Niemal.

Następne minuty pamiętał jak przez mgłę. Był eskortowany do Bazy przez kilku medyków, następnie wchodził po schodach. Potem rzucił okiem przez lekko uchylone drzwi, jak ktoś karmił dziewczynę w śpiączce. Nagle poczuł niesamowicie silną potrzebę, by do niej iść, by sprawdzić, co z nią. Został jednak zaprowadzony do własnego pokoju, do łóżka, nakarmiony, napojony i opatrzony. I wciąż czuł ten ból. W końcu został sam, z głową na najmiększej poduszce, jaką jego ograniczona pamięć rejestrowała.

Jednak gdy zasypiał, dwie sprawy nie dawały mu spokoju. Pierwsza to słowo nabazgrane na tułowiu obu żukolców, które wciąż kłębiło mu się w głowie. **DRESZCZ**.

Drugą była dziewczyna.

Kilka godzin – lub dni – później, zjawił się Chuck, potrząsając nim, aby się obudził. Dobrych kilka sekund zajęło, nim Thomas doszedł do siebie. Gdy skupił wzrok na przyjacielu, jęknął:

– Daj mi spać, smrodasie jeden.

– Myślałem, że chcesz wiedzieć.

Thomas przetarł oczy i ziewnął.

– O czym? – Spojrzał ponownie na Chucka, zdezorientowany jego wielkim uśmiechem.

– On żyje – powiedział. – Alby'emu nic nie jest. Serum zadziałało.

Senne otępienie natychmiast zniknęło i na jego miejscu pojawiło się uczucie ulgi. Thomas był zaskoczony, jak wielką radość sprawiła mu ta wiadomość. Wówczas kolejne słowa Chucka sprawiły, że zmienił zdanie.

– Właśnie rozpoczął Przemianę.

Zupełnie jakby wywołany tymi słowami, mrożący krew w żyłach wrzask rozbrzmiał echem z pokoju na końcu korytarza.

Thomas rozmyślał długo o Albym. Uratowanie i sprowadzenie go z powrotem z Labiryntu, w którym został zamknięty na noc, to niezwykły wyczyn. Ale czy było warto? Teraz Alby potwornie cierpiał, przechodził przez te same męczarnie co Ben. A co, jeżeli jemu również odbije? Mroczne myśli nie dawały mu spokoju.

Zmierzch rozpostarł swoją pelerynę nad Strefą, a krzyki użądlonego chłopca nawiedzały jej mieszkańców. Nie można było uciec od tego przeraźliwego dźwięku, nawet kiedy w końcu Plaster dał się przekonać, żeby wypuścić Thomasa – wpółżywego, obolałego, obandażowanego, jednak przede wszystkim serdecznie zmęczonego przenikliwym, agonalnym zawodzeniem swojego przywódcy. Newt kategorycznie sprzeciwił się, kiedy Thomas próbował zobaczyć się z osobą, dla której ryzykował życie.

– To tylko pogorszy sprawę – skwitował nieugięty.

Thomas był zbyt zmęczony, żeby się wykłócać. Nie przypuszczał, że można być tak wycieńczonym, pomimo tych kilku godzin snu, które mu dano. Nie miał siły kompletnie na nic i resztę dnia spędził na ławce na skraju Grzebarzyska, pogrążony w rozpaczy. Euforia wywołana ucieczką szybko wygasła, pozostawiając po sobie ból i udręczone myśli o nowym życiu. Rwał go każdy mięsień. Zadrapania i siniaki zdobiły całe jego ciało. Jednak było to niczym w porównaniu z ciężarem emocjonalnym, jaki przyszło mu udźwignąć minionej nocy. Miał wrażenie, że rzeczywistość tego miejsca w końcu do niego dotarła, niczym ostateczna diagnoza o zżerającym jego ciało raku.

Jak ktokolwiek może być tutaj szczęśliwy? – pomyślał. Jak ktoś może być tak nikczemny, żeby nam to zrobić?

Bardziej niż kiedykolwiek wcześniej rozumiał determinację Streferów, aby odnaleźć wyjście z Labiryntu. To nie była wyłącznie kwestia ucieczki. Po raz pierwszy poczuł głód zemsty wobec tych, którzy go tutaj zesłali.

Jednak myśli te wiodły go z powrotem nad jezioro rozpaczy, w którym już o mało nie utonął. Skoro Newt i cała reszta nie byli w stanie znaleźć stąd wyjścia przez dwa lata, wydawało się niemożliwe, aby w ogóle istniało stąd jakieś wyjście. Fakt, że Streferzy się jeszcze nie poddali, mówił o nich więcej niż cokolwiek innego.

A teraz Thomas był jednym z nich.

To jest teraz mój dom, pomyślał. Ogromny labirynt otoczony przez odrażające bestie. Smutek napełnił jego serce niczym śmiertelna trucizna. Krzyki Alby'ego, odległe, lecz wciąż słyszalne, jeszcze pogarszały ten stan. Za każdym razem, gdy je słyszał, musiał zasłaniać uszy dłońmi.

W końcu dzień dobiegał końca i gdy słońce chyliło się ku zachodowi, słychać było znajome zgrzytanie zamykanych na noc Wrót. Thomas nie miał żadnych wspomnień związanych ze swoją przeszłością, jednak cieszył się, że najgorsza doba w jego życiu właśnie dobiegła końca.

Tuż po zmroku Chuck przyniósł mu posiłek i dużą szklankę zimnej wody.

– Dzięki – powiedział Thomas, odczuwając przypływ sympatii do młodszego kolegi. Pochłaniał wołowinę i kluski z talerza tak szybko, jak tylko jego bolące dłonie mu na to pozwalały.

– Tego było mi trzeba – wymamrotał z pełną buzią. Wziął wielki łyk wody i wrócił do oczyszczania talerza. Dopóki nie zaczął jeść, nie zdawał sobie nawet sprawy, jak bardzo był głodny.

– Jesz jak świnia w korycie – powiedział Chuck, siadając na ławce obok. – Zupełnie jakbym oglądał zagłodzonego warchlaka, który pałaszuje własnego klumpa.

– Bardzo śmieszne – odpowiedział Thomas z sarkazmem.

– Powinieneś zabawiać Bóldożerców, marnujesz się.

Na twarzy Chucka pojawił się chwilowy wyraz bólu, który sprawił, że Thomas poczuł się głupio, jednak zniknął tak szybko, jak się pojawił.

– A to przypomniało mi, że wszyscy o tobie gadają.

Thomas wyprostował się, niepewny, jak zareaguje na wiadomość.

– Co to ma niby oznaczać?

– Rany! Pomyślmy. Najpierw opuściłeś Strefę na noc, wchodząc do Labiryntu bez pozwolenia. Potem zabawiłeś się w spider-tarzana, wspinając się po bluszczu, skacząc na lianach i przypinając ludzi do ścian. Co więcej, zostałeś pierwszą osobą, która przetrwała noc w Labiryncie, a na koniec ukatrupiłeś czterech Bóldożerców. Nie stary, nie mam pojęcia, o czym sztamaki gadają na mieście.

Wezbrane uczucie dumy napełniło pierś Thomasa, po czym uleciało. Uczucie szczęścia, które na chwilę zagościło w jego sercu, napawało go odrazą. Alby wciąż leżał w łóżku, wijąc się z bólu, i najprawdopodobniej błagając o śmierć.

– To Minho wpadł na pomysł, żeby ich zepchnąć z Urwiska, nie ja.

– On mówi co innego. Widział twojego nura przed Bóldożercą i wpadł na pomysł, aby to samo powtórzyć przy Urwisku.

– Jakiego znowu nura – zapytał Thomas, przewracając oczyma. – Każdy kretyn by na to wpadł.

– Nie bądź taki skromniacha. To, czego dokonałeś, jest absolutnie niesamowite. Ty i Minho, oczywiście.

Thomas rzucił nagle pusty talerz na ziemię, wyraźnie rozzłoszczony.

– To dlaczego tak fujowo się czuję? Może znasz i na to odpowiedź?

Szukał odpowiedzi w twarzy Chucka, jednak nie znalazł jej. Chłopak po prostu siedział, obejmując kolana ramionami ze spuszczoną głową. W końcu wymamrotał pod nosem:

– Z tego samego powodu, co my wszyscy.

Siedzieli w milczeniu, dopóki kilka minut później nie podszedł do niech Newt, który wyglądał jak chodzący trup. Usiadł na ziemi naprzeciw nich, z najbardziej smutną i zatroskaną miną, jaką widzieli. Pomimo to Thomas ucieszył się na jego widok.

– Najgorsze już chyba za nim – powiedział Newt. – Przez kilka dni skubaniec powinien spać, a gdy się obudzi, powinno być lepiej. Może jeszcze trochę powydzierać paszczękę.

Thomas nie potrafił sobie wyobrazić, jak paskudna musiała być to męka – jednak cały proces Przemiany wciąż pozostawał dla niego tajemnicą. Zwrócił się do starszego z chłopców, starając się brzmieć naturalnie.

– Newt, przez co on w ogóle teraz przechodzi? Poważnie, nie mam pojęcia, na czym ta cała Przemiana polega.

Odpowiedź przestraszyła go.

– Wydaje ci się, że my wiemy? – prychnął Newt, wyrzucając ręce w górę i opuszczając je z powrotem na kolana. – Wiemy jedynie tyle, że kiedy Bóldożerca użądli cię tymi paskudnymi igłami, musisz dostać Serum, w przeciwnym razie zdychasz. Jeżeli dostaniesz Serum na czas, wtedy twoje ciało szaleje, dostajesz torsji, na skórze wyskakują ci pęcherze, robisz się zielony jak ogór i miotasz pawiem na wszystkie strony. Wystarczająco ci to zobrazowałem, Tommy?

Thomas zmarszczył brwi. Nie miał zamiaru kogokolwiek jeszcze bardziej denerwować, jednak potrzebował odpowiedzi.

– Posłuchaj, wiem, że nie jest łatwo przyglądać się, jak twój przyjaciel cierpi, jednak ja chcę się tylko dowiedzieć, co się z nim dzieje. Dlaczego nazywacie to Przemianą?

Newt się rozluźnił, wydawało się nawet, że ustąpił, i westchnął.

– Przywodzi wspomnienia. Niewielkie strzępy, jednak wyraźne wspomnienia pochodzące z czasów, zanim się tutaj znaleźliśmy. Każdy, kto przez nią przechodzi, zachowuje się po wszystkim jak walnięty szajbus – choć zazwyczaj nie aż tak, jak biedaczysko Ben. Tak czy siak, to jakbyś dostał swoje dawne życie i po chwili znowu ci je wydarli.

Umysł Thomasa szalał.

– Jesteś pewien? – zapytał.

Newt wyglądał na zdezorientowanego.

– O co ci chodzi. Czego mam być pewien?

– Czy przeszli Przemianę, ponieważ chcą wrócić do dawnego życia, czy też dlatego, że są tak przygnębieni uświadomieniem sobie, że ich stare życie nie było wcale lepsze od tego tutaj?

Newt wpatrywał się w niego przez chwilę, po czym odwrócił wzrok, najwyraźniej pogrążony w głębokim zamyśleniu.

– Sztamaki, które przez to przeszły, nigdy o tym nie gadają. Stają się... inni. Niesympatyczni, bym powiedział. Jest ich paru w Strefie, jednak nie wytrzymasz w ich pobliżu.

Jego głos był odległy, a jego oczy powędrowały ku czarnemu punktowi w lesie.

– Mnie to mówisz – wtrącił Chuck. – Gally jest z nich wszystkich najgorszy.

– Coś nowego o tej dziewczynie? – zapytał Thomas, zmieniając temat. Nie miał ochoty rozmawiać o Gallym. W dodatku wciąż powracał do niej myślami. – Widziałem, jak Plaster karmił ją na górze.

– Nie – odpowiedział Newt. – Wciąż w tej cholernej śpiączce, czy czymkolwiek to jest. Raz na jakiś czas mamrocze jakieś bzdury pod nosem, jakby we śnie. Przyjmuje pokarm, wydaje się być zdrowa. To dość dziwne.

Zapadła długa cisza, jak gdyby cała ich trójka rozmyślała nad jakimś wytłumaczeniem. Thomas po raz kolejny zastanawiał się nad tym, że z jakichś niewytłumaczalnych powodów czuł się z nią związany, choć to uczucie nieco przygasło. Zapewne dlatego, że inne sprawy zaprzątały mu teraz głowę.

W końcu Newt przerwał ciszę.

– Tak czy inaczej, musimy teraz zdecydować, co począć z Tommym.

Thomas ożywił się, zmieszany jego wypowiedzią.

– Począć ze mną? O czym ty mówisz?

Newt powstał, wyciągając ręce.

– Wywaliłeś to miejsce do góry nogami, cholerny szczylniaku. Połowa Streferów uważa cię za Boga, a druga chce spuścić twoje dupsko do szybu Puchy. Jest o czym gadać.

– Niby o czym? – Thomas nie wiedział, co było gorsze – to, że ludzie uważali go za bohatera, czy też to, że niektórzy woleliby, aby się nie urodził.

– Cierpliwości – powiedział Newt. – Dowiesz się po przebudzeniu.

– Dlaczego dopiero jutro? – Thomasowi wcale się to nie podobało.

– Zwołałem Zgromadzenie i weźmiesz w nim udział. Jesteś, cholera, jedynym gwoździem programu.

Powiedziawszy to, odwrócił się i odszedł, pozostawiając Thomasa w zadumie. Zastanawiał się, dlaczego zwołano Zgromadzenie, aby mówić wyłącznie o nim.

Rankiem Thomas siedział na krześle, zaniepokojony i oblany potem, twarzą zwrócony w stronę jedenastu chłopaków, którzy siedzieli na krzesłach ustawionych w półokręgu wokół niego. Gdy tylko spoczął na siedzisku, uświadomił sobie, że byli to Opiekunowie, i ku jego rozczarowaniu, wśród nich znajdował się również Gally. Jedno z krzeseł, dokładnie naprzeciw niego, stało puste – nikt nie musiał mu wyjaśniać, że należało do Alby'ego.

Siedzieli w Bazie, w wielkim pokoju, w którym Thomas wcześniej nie był. Oprócz krzeseł i niewielkiego stolika w rogu, nie było tam żadnych innych mebli. Ściany zrobiono z drewna, tak samo jak podłogę, a całość daleka była od okładek magazynu wnętrzarskiego. Nie było żadnych okien. Wewnątrz unosił się zapach stęchlizny i starych książek. Pomimo że Thomas nie odczuwał chłodu, to jednak drżał.

Ogarnęła go ulga, gdy zobaczył, że jest z nimi Newt. Siedział z prawej strony, obok pustego krzesła Alby'ego.

– W imieniu naszego przywódcy, który zmaga się w łóżku z chorobą, ogłaszam Zgromadzenie za rozpoczęte – powiedział, delikatnie przewracając oczyma, jak gdyby nie znosił tej formalnej otoczki spotkania. – Jak wszyscy wiecie, przez ostatnich kilka dni nieźle się pokiełbasiło i wychodzi na to, że głównie przez tego tu szczylniaka.

Thomas oblał się rumieńcem zażenowania.

– Nie jest już świeżuchem – wycedził Gally szorstkim głosem, tak cicho i okrutnie, że aż niemal komicznie. – Teraz to zwykły szczyl, który złamał prawo.

Jego wypowiedź wywołała pomruki, szmery i szepty, które Newt natychmiast uciszył. Nagle Thomas zapragnął znaleźć się na drugim krańcu Ziemi.

– Gally, uspokój się – wtrącił Newt. – Jeżeli masz zamiar mielić jęzorem za każdym razem, gdy mówię, to lepiej się stąd zwijaj, bo nie jestem dziś, twojamać, w humorze.

Thomas żałował, że nie mógł wznieść okrzyku radości.

Gally skrzyżował ramiona i osunął się na krzesło z grymasem niezadowolenia tak teatralnym, że Thomas o mało nie wybuchnął śmiechem. Nie mógł uwierzyć, że jeszcze wczoraj przeraźliwie bał się tego chłopaka, który teraz wydawał mu się śmieszny, a wręcz żałosny.

Newt rzucił Gally'emu surowe spojrzenie, po czym kontynuował:

– Cieszę się, że sobie to wyjaśniliśmy. – Kolejne przewrócenie oczami. – Powód, dla którego się dzisiaj tu zebraliśmy, jest taki, że przez ostatnie dwa dni niemal każdy dzieciak w Strefie przyłaził do mnie, jęcząc, że chce go albo zadręczyć, albo się z nim zaręczyć. Musimy w końcu postanowić, co z nim robimy.

Gally pochylił się do przodu, jednak Newt powstrzymał go, nim zdołał cokolwiek powiedzieć.

– Będziesz miał okazję, Gally. Każdy po kolei. A tobie, Tommy, nie wolno się choćby słowem odezwać, dopóki cię nie zapytamy. Ogay? Czekał, aż Thomas przytaknie – co uczynił niechętnie – następnie wskazał na chłopaka siedzącego z tyłu pokoju, po prawej stronie. – No to start, tłusty Zart.

Rozległ się chichot, gdy Zart, wielgachny jegomość trzymający pieczę nad Zieliną, powiercił się na krześle. Pasował do tego miejsca tak samo, jak piernik do wiatraka.

– No cóż – rozpoczął Zart, błądząc oczami po pokoju, jakby szukając podpowiedzi, co ma właściwie powiedzieć. – Sam nie wiem. Złamał jedną z naszych najważniejszych zasad. Nie możemy pozwolić, aby inni pomyśleli sobie, że tak można. – Przerwał i spojrzał na swoje dłonie, rozcierając je. – Ale z drugiej strony, on... wszystko zmienił. Teraz już wiemy, że możemy tam przeżyć i że możemy pokonać Bóldożerców.

Thomas poczuł ulgę. Był ktoś, kto jeszcze stał po jego stronie. Obiecał sobie, że będzie wyjątkowo miły dla Zarta.

– Dajże spokój – wyrzucił Gally. – Założę się, że to tak naprawdę Minho pozbył się tych brzydali.

– Zawrzyj twarzostan, Gally! – wrzasnął Newt, tym razem wstając z krzesła. Po raz kolejny Thomas miał ochotę wznieść okrzyk radości. – W tej chwili to ja pełnię rolę Przewodniczącego i jeżeli usłyszę, jak jeszcze jedno słowo opuszcza twoją twarz nieproszone, to twój tyłek będzie miał ekstra Wygnanie.

– Ależ proszę – wyszeptał sarkastycznie Gally, a gdy osunął się na krzesło, głupkowaty wyraz niezadowolenia ponownie zagościł na jego twarzy.

Newt usiadł i skinął na Zarta.

– To wszystko? Wnosisz jakieś oficjalne rekomendacje?

Zart pokręcił głową.

– Dobrze. Teraz Patelniak.

Kucharz uśmiechnął się pod brodą i wyprostował się na krześle.

– Szczylniak ma większe jaja niż wszystkie warchlaki razem wzięte, które przyszło mi obrabiać. – Przerwał, jakby czekając na wybuch śmiechu, jednak nikt nie zareagował. – To jakaś głupota. Ocalił przecież Alby'ego, wykończył paru Bóldożerców, a my biadolimy bez sensu odnośnie tego, co z nim począć. To jakaś kupa klumpu, jakby to powiedział Chuck.

Thomas chciał do niego podejść i uścisnąć mu dłoń – Patelniak powiedział dokładnie to, o czym Thomas sam myślał.

– Więc jaka jest twoja rekomendacja? – zapytał Newt.

Patelniak skrzyżował ramiona.

– Włączmy go do cholernej Rady i niech nas nauczy wszystkiego, czego tam dokonał.

Ze wszystkich stron rozległy się głosy i Newtowi zajęło pół minuty, zanim udało mu się wszystkich ponownie uspokoić. Thomas wzdrygnął się. Patelniak posunął się za daleko, niemal knocąc swoją poprzednią wypowiedź.

– Dobra, zapisuję to – powiedział Newt, gryzmoląc kilka słów na papierze. – A teraz zawrzeć paszczęki! Znacie zasady. Nie ma pomysłów nie do przyjęcia i każdy z was będzie miał szansę wypowiedzieć swoje zdanie, głosując. – Skończył zapisywać i wskazał na trzeciego członka Rady, chłopaka z czarnymi włosami i piegowatą twarzą, którego Thomas jeszcze nie poznał.

– Nie mam żadnego zdania w tej sprawie – powiedział.

– Że co? – zapytał gniewnie Newt. – Widzę, żeśmy podjęli świetną decyzję, wybierając cię do Rady.

– Przepraszam, ale naprawdę nie mam zdania – odpowiedział, wzruszając ramionami. – Jeżeli już, to raczej zgadzam się z Patelniakiem. Dlaczego mamy karać chłopaka za to, że kogoś uratował?

– Więc nie masz zdania, czy tak? – naciskał Newt, ściskając ołówek w dłoni.

Chłopak skinął głową, a Newt nabazgrał coś w notesie. Thomas odczuwał coraz większą ulgę – wyglądało na to, że większość Opiekunów trzymała jego stronę. Pomimo tego, wciąż nie potrafił tam wysiedzieć. Rozpaczliwie pragnął przemówić we własnym imieniu, ale postanowił stosować się do poleceń Newta i siedział cicho.

Następnie przyszła kolej na pryszczatego Winstona, Opiekuna Mordowni.

– Uważam, że należy go ukarać. Nie zrozum mnie źle, świeżuchu, ale, Newt, to ty zawsze powtarzasz, jak ważny jest *porządek*. Jeżeli tego nie zrobimy, to damy zły przykład innym. On złamał Pierwszą Zasadę.

– Ogay – powiedział Newt, zapisując uwagę. – Więc wnosisz o karę, ale jaką?

– Powinniśmy go wsadzić na tydzień do Ciapy o chlebie i wodzie. Musimy też dopilnować, żeby każdy się o tym dowiedział, tak aby pozostałym nic nie strzeliło do łba.

Gally zaklaskał, a Newt rzucił w jego stronę gniewne spojrzenie. Thomas poczuł szybsze uderzenia serca.

Dwóch kolejnych Opiekunów przemówiło, jeden opowiadał się za pomysłem Patelniaka, drugi za Winstona. Następnie przyszła kolej na Newta.

– Zgadzam się w większości z wami. Thomas powinien zostać ukarany, jednak musimy postanowić, do czego wykorzystamy jego talent. Wstrzymuję się z głosem, dopóki wszyscy nie przemówią. Następny.

Jeszcze bardziej niż siedzenia cicho, Thomas nie mógł znieść całego tego ględzenia o karze. Jednak gdzieś w głębi trudno było mu się z nimi nie zgodzić. Wykazał się, ale przy okazji złamał jednak najważniejszą z zasad.

Opiekunowie kontynuowali. Niektórzy z nich uważali, że powinien zostać nagrodzony, inni, że ukarany. Lub jedno i drugie. Thomas nie mógł już tego słuchać, wyczekując na wypowiedź dwóch ostatnich Opiekunów – Gally'ego i Minho. Drugi z nich nie odezwał się słowem, odkąd Thomas wszedł do pokoju; po prostu siedział niedbale na krześle, wyglądając, jakby nie spał od tygodnia.

Gally zaczął jako pierwszy.

– Myślę, że wyraziłem swoje zdanie dosyć jasno już wcześniej. Super, pomyślał Thomas. W takim razie gęba na kłódkę.

– Ogay – powiedział Newt, przewracając po raz kolejny oczami. – W takim razie kolej na Minho.

– Nie! – ryknął Gally, sprawiając, że kilku Opiekunów aż podskoczyło z krzeseł. – Chcę coś jednak powiedzieć.

– No to mów, twojamać – odpowiedział mu Newt. Thomas poczuł się nieco lepiej, wiedząc, że tymczasowy Przewodniczący Rady gardził Gallym niemal tak samo jak on. Chociaż Thomas tak bardzo się go już nie bał, to nadal szczerze go nienawidził.

– Zastanówcie się tylko – rozpoczął Gally. – Ten krótas zjawia się pewnego dnia w Pudle, udając zdezorientowanego i przestraszonego. Kilka dni później ugania się w Labiryncie za Bóldożercami, zachowując się jak pan na włościach.

Thomas wzdrygnął się, licząc, że reszta nie podzielała myśli Gally'ego.

Chłopak kontynuował wywód.

– Sądzę, że to wszystko jego gra. Bo niby jakim cudem mógł tego wszystkiego dokonać po zaledwie paru dniach tutaj? Nie kupuję tego.

– Co ty właściwie insynuujesz, Gally? – zapytał Newt. – Może byś tak przeszedł do cholernego sedna.

– Myślę, że to szpieg wysłany przez tych, którzy nas tu wpakowali.

To zdanie wywołało kolejną wrzawę pośród zgromadzonych; Thomas mógł jedynie potrząsnąć głową – nie pojmował, jak Gally'emu mogło przyjść to wszystko do głowy. W końcu Newtowi udało się ponownie zapanować nad wywołaną burzą, jednak Gally jeszcze nie skończył.

– Nie możemy ufać temu szczylniakowi – kontynuował. – Następnego dnia po nim zjawia się ta świrnięta laska z dziwaczną wiadomością i bredzi coś o tym, że nic nie będzie już takie jak wcześniej. Znajdujemy martwego Bóldożercę. Thomas niby przypadkiem przedostaje się na noc do Labiryntu, a następnie stara się wszystkich przekonać, jaki to z niego bohater. Cóż, ani Minho, ani nikt inny nie widział go, jak cokolwiek robił przy linach. Skąd pewność, że to właśnie świeżuch przywiązał tam Alby'ego?

Gally przerwał. Przez kilka sekund nikt nie odezwał się ani słowem, w piersi Thomasa narastała panika. Chyba nie uwierzyli w to, co opowiadał? Chciał się bronić i o mało co się nie odezwał. Jednak nim zdołał wypowiedzieć choćby słowo, Gally przemówił ponownie.

– Zbyt wiele dziwnych rzeczy wydarzyło się ostatnio, a wszystko zaczęło się, kiedy pojawił się ten świeżuch. Dziwnym zbiegiem okoliczności został pierwszą osobą, której udało się przetrwać noc w Labiryncie. Coś tu nie gra i dopóki tego nie wyjaśnimy, oficjalnie rekomenduję wsadzić jego smrodliwy zad do Ciapy. Na miesiąc, a potem zwołamy kolejne Zgromadzenie i zastanowimy się, co dalej.

Kolejne pomruki wypełniły salę, a Newt zapisał coś w notatniku, potrząsając głową, co napawało Thomasa iskierką nadziei.

– Skończyłeś, Kapitanie Gally? – zapytał Newt.

– Nie bądź taki dowcipny – rzucił Gally, cały czerwony ze złości. – Mówię poważnie. Jak możemy ufać temu szczylniakowi, skoro nie jest z nami nawet od tygodnia? Najpierw pomyśl, zanim skreślisz mój głos.

Po raz pierwszy Thomas wczuł się w jego sytuację – Gally miał rację co do tego, jak traktował go Newt. W końcu był przecież Opiekunem.

Wciąż go jednak nie trawię, pomyślał Thomas.

– Dobrze, Gally – odpowiedział Newt. – Przepraszam. Wysłuchaliśmy tego, co miałeś do powiedzenia, i weźmiemy pod uwagę twoją cholerną opinię. Czy już skończyłeś?

– Tak, skończyłem. I mam rację.

Nie odzywając się więcej do Gally'ego, Newt wskazał na Minho.

– Śmiało, a jakie jest twoje zdanie?

Thomas cieszył się, że w końcu nadeszła kolej Minho. Na pewno będzie go bronił do upadłego.

Minho wstał szybko, zaskakując wszystkich.

– Byłem tam. Widziałem, co zrobił. Nie wymiękł, kiedy ja robiłem w gacie. Nie biadolił w kółko, jak Gally. Chcę wydać moją rekomendację i zamknąć temat.

Thomas wstrzymał wdech, zastanawiając się, co powie.

– Ogay – powiedział Newt. – Zatem mów.

Minho spojrzał na Thomasa.

– Wnioskuję, aby ten sztamak zastąpił mnie na stanowisku Opiekuna Zwiadowców.

Pokój wypełniła całkowita cisza, jak gdyby świat nagle zamarł, i każdy członek Rady wpatrywał się w Minho. Thomas siedział zszokowany, czekając, aż Zwiadowca powie, że to był tylko żart.

W końcu Gally sprowadził zebranych na ziemię, wstając.

– To jakaś bzdura! – Spojrzał na Newta i wskazał na Minho, który ponownie zajął swoje miejsce. – Za ględzenie takich głupot powinien wylecieć z Rady.

Jakiekolwiek współczucie do Gally'ego, choć niewielkie, po tych słowach całkowicie ulotniło się z ciała Thomasa.

Niektórzy Opiekunowie wydawali się zgadzać z rekomendacją Minho – tak jak Patelniak, który bił brawo, zagłuszając Gally'ego i domagając się głośno głosowania. Część była innego zdania. Winston stanowczo kręcił głową, mówiąc coś o tym, że Thomas się nie nadaje. Gdy wszyscy zaczęli mówić naraz, Thomas zasłonił uszy dłońmi, przerażony i podniecony zarazem. Dlaczego Minho to powiedział?

To musi być żart, pomyślał. Newt wspominał, że upłyną wieki, zanim zostanę Zwiadowcą, a co dopiero Opiekunem.

W tej chwili pragnął być wszędzie, tylko nie tam.

W końcu Newt odłożył notes i wyszedł z półokręgu, wydzierając się na wszystkich, aby się zamknęli. Thomas przyglądał się, jak z początku nikt nie zwracał na niego uwagi. Stopniowo jednak zapanował porządek i wszyscy wrócili na swoje miejsca.

– Purwa – powiedział Newt. – W życiu nie widziałem, żeby tylu sztamaków naraz zachowywało się jak banda jęczących bachorów. Może i nie wyglądacie, ale zacznijcie się wreszcie zachowywać jak dorośli albo rozwiążemy tę cholerną Radę i zaczniemy od zera. – Chodził wzdłuż rzędu siedzących Opiekunów, patrząc każdemu prosto w oczy, gdy do nich mówił. – Rozumiemy się?

Zapanowała kompletna cisza. Thomas spodziewał się kolejnej wrzawy, jednak zaskoczyło go, że wszyscy przytaknęli, nawet Gally.

– Ogay. – Newt usiadł z powrotem na swoim krześle, kładąc notatnik na kolanach. Nabazgrał kilka zdań, po czym spojrzał na Minho. – To dosyć poważny klump, stary. Wybacz, ale musisz powiedzieć coś więcej, zanim zamkniemy temat.

Thomas nie mógł się doczekać odpowiedzi.

Minho wyglądał na wyczerpanego, jednak zaczął uzasadniać swoją propozycję.

– Łatwo wam, sztamaki, tu tak siedzieć i gadać o czymś, o czym nie macie bladego pojęcia. Jestem tu jedynym zwiadowcą w Radzie i z tych tu zebranych tylko Newt był jeszcze w Labiryncie.

Gally przerwał mu.

– Nie, jeżeli liczyć czas, kiedy ja...

– Nie! – wrzasnął Minho. – Możesz mi wierzyć. Ani ty, ani ktokolwiek inny, nie ma bladego pojęcia, jak tam jest. Zostałeś użądlony, ponieważ złamałeś tę samą zasadę, o którą teraz obwiniasz Thomasa. To się nazywa hipokryzja, ty krótasie pie...

– Dosyć! – przemówił Newt. – Uzasadnij swoją propozycję i kończymy już to zebranie.

Napięcie było gęste niczym londyńska mgła. Thomas poczuł się, jakby powietrze w pokoju zeszkliło się i w każdej chwili mogło się roztrzaskać. Zarówno Gally, jak i Minho wyglądali, jakby ich napięta, czerwona skóra twarzy miała zaraz pęknąć. W końcu jednak obaj spuścili wzrok.

– W każdym razie, posłuchajcie – kontynuował Minho, siadając na krześle. – Nigdy czegoś takiego nie widziałem. On nie panikował. Nie jęczał, nie beczał ani nie wyglądał na przestraszonego, a jest tu zaledwie od paru dni. Pomyślcie, jak my się zachowywaliśmy na początku. Schowani w kącie, zdezorientowani, moczyliśmy bezustannie portki i nikomu nie ufaliśmy. Każdy z nas taki był przez całe tygodnie, a nawet miesiące, dopóki się z tym, purwa, nie pogodziliśmy.

Minho ponownie powstał, wskazując na Thomasa.

– Kilka dni po tym, jak ten gość się tu zjawił, wszedł do Labiryntu, by ratować dwóch sztamaków, których ledwo zna. Całe to gadanie na temat tego, że złamał zasadę, jest po prostu śmieszne. On jeszcze nie zna zasad. Ale mnóstwo osób za to zdążyło mu już naopowiadać, jak to jest znaleźć się w Labiryncie, zwłaszcza w nocy. Mimo to wszedł tam, gdy zamykały się Wrota, tylko dlatego, że ktoś potrzebował pomocy. – Wziął głęboki oddech, jak gdyby zbierając siły, by mówić dalej.

– Ale to dopiero początek. Później widział, jak skreśliłem Alby'ego, jak zostawiłem go na pewną śmierć. A to ja byłem weteranem. Tym, który posiadał doświadczenie i wiedzę. Więc kiedy Thomas zobaczył, że się poddałem, to nie powinien tego zakwestionować. Jednak to zrobił. Pomyślcie, ile silnej woli i wysiłku kosztowało go, aby centymetr po centymetrze wciągać Alby'ego na tę ścianę. To szalone. To czysty obłęd.

– To jednak nie wszystko. Następnie pojawili się Bóldożercy. Powiedziałem Thomasowi, że musimy się rozdzielić, i zastosowałem przećwiczony manewr wymijający, uciekając zygzakiem. Thomas, zamiast robić w gacie, przejął kontrolę, przeciwstawił się wszelkim prawom fizyki i grawitacji, aby wciągnąć Alby'ego na ścianę, potem odciągnął od niego Ból-dożerców, odparł ich atak i znalazł...

– Ok, łapiemy, o co ci chodzi – warknął Gally. – Tommy to urodzony szczęściarz.

Minho natarł na niego

– Nie, ty bezwartościowy smrodasie, nic nie rozumiesz. Jestem tu od dwóch lat i jeszcze nie widziałem czegoś takiego. Łatwo ci mówić...

Minho przerwał, przecierając oczy, jęknął zirytowany. Thomas uświadomił sobie, że siedział z szeroko otwartymi ustami. Zalewała go fala najróżniejszych emocji: wdzięczności do Minho za to, że stanął w jego obronie, niedowierzania w nieustanną agresywność Gally'ego, strach przed poznaniem ostatecznej decyzji.

– Gally – powiedział Minho spokojniejszym głosem. – Jesteś cykorem, który nigdy nie chciał zostać Zwiadowcą ani się o to nie starał. Nie masz prawa mówić o rzeczach, na których się nie znasz, więc stul pysk.

Gally powstał, gotując się ze złości.

– Jeszcze raz się tak do mnie odezwiesz, a przetrącę ci kark przy wszystkich. – Gdy przemawiał, ślina wylatywała z jego ust.

Minho zaśmiał się, następnie uniósł dłoń i zdzielił go w twarz. Thomas podniósł się, obserwując, jak Gally uderza o własne krzesło, przewraca się i rozwala je na dwa kawałki. Upadł na podłogę, rozłożył się jak długi, następnie próbował się podnieść, drepcząc na czworakach. Minho podszedł do niego i nastąpił butem na jego plecy, przygniatając jego ciało do ziemi.

Thomas opadł na krzesło, oszołomiony.

– Przysięgam ci – powiedział Minho z szyderczym uśmiechem. – Nie waż się mi więcej grozić. Nie waż się więcej do mnie mówić. Nigdy. Jeżeli spróbujesz, to ja przetrącę twój kark zaraz po tym, jak połamię ci ręce i nogi.

Newt i Winston powstali, przytrzymując Minho, zanim Thomas zdołał się zorientować, co się właściwie stało. Odciągnęli go od Gally'ego, który zerwał się na równe nogi, na jego twarzy malowała się wściekłość. Nie wykonał jednak żadnego ruchu w stronę Minho. Po prostu stał w miejscu, dysząc z furią.

W końcu Gally się cofnął i potykając się nieco, ruszył w kierunku drzwi, które znajdowały się za nim. Obrzucił wszystkich płonącym spojrzeniem, przepełnionym nienawiścią. Thomasa naszła przeraźliwa myśl, że Gally wyglądał jak morderca na chwilę przed zbrodnią. Dotarł do drzwi, sięgnął dłonią do klamki.

– Nic już nie będzie takie jak kiedyś – powiedział, plując na podłogę. – Nie powinieneś był tego robić, Minho. Nie powinieneś był tego robić. – Przerzucił maniakalne spojrzenie na Newta.

– Wiem, że mnie nienawidzisz i że zawsze tak było. Powinieneś zostać Wygnany za swoje żenujące umiejętności kierowania grupą. Jesteś żałosny i każdy, kto tu zostanie, nie jest wcale lepszy. Nic już nie będzie takie jak kiedyś. To wam mogę obiecać.

Thomas poczuł, jak nogi się pod nim ugięły. Zupełnie jak gdyby jego życie było jeszcze zbyt mało zagmatwane.

Gally otworzył drzwi na oścież i wyszedł na korytarz, jednak zanim ktokolwiek zdążył zareagować, wstawił głowę z powrotem do pokoju.

– A co do ciebie – powiedział, wlepiając oczy w Thomasa – szczylniaku, któremu wydaje się, że jest cholernym Bogiem. Nie zapominaj, że już cię widziałem. Przeszedłem przez Przemianę. To, co oni postanowią, nie ma żadnego znaczenia.

Przerwał, spoglądając na każdą osobę w pokoju. Kiedy jego złośliwe spojrzenie spoczęło ponownie na Thomasie, przemówił po raz ostatni.

– Nie wiem, po co przybyłeś, ale klnę się na swoje życie, że cię powstrzymam. Zabiję, jeśli będę musiał.

Następnie odwrócił się i wyszedł, zatrzaskując za sobą drzwi.

Thomas siedział nieruchomo, walcząc z mdłościami, które nawiedziły jego ciało niczym infekcja. Odkąd się tu pojawił, w przeciągu tak krótkiego czasu, zdążył już doświadczyć całej gamy emocji. Strachu, samotności, rozpaczy, smutku, a nawet niewielkiej krztyny radości. Jednak to było coś zupełnie nowego – usłyszeć od kogoś, że nienawidzi cię tak bardzo, że aż chce zabić.

Gally oszalał, pomyślał. Jest całkowicie obłąkany. Myśl ta jedynie wzmocniła jego niepokój. Obłąkani ludzie są zdolni do wszystkiego.

Członkowie Rady stali lub siedzieli w ciszy, najwyraźniej tak samo jak Thomas zszokowani sytuacją, której właśnie doświadczyli. Newt i Winston w końcu wypuścili Minho z uścisku. Cała trójka podeszła z ponurą miną do swoich krzeseł i usiadła.

– Kompletnie go porąbało – powiedział Minho, niemal szeptem. Thomas nie był w stanie stwierdzić, czy chciał, aby inni go usłyszeli.

– Odezwał się świętoszek – odparł Newt. – Coś ty sobie myślał? Nie wydaje ci się, żeś trochę przesadził?

Minho zmrużył oczy i odchylił głowę w tył, jakby zdumiony pytaniem Newta.

– Zachowaj tę gadkę dla siebie. Każdy z was cieszył się, że ten krótas dostał to, na co zasłużył, i dobrze o tym wiesz. Najwyższy czas, że ktoś postawił się temu klumpowi.

– Znalazł się w Radzie nie bez powodu – powiedział Newt.

– Stary, on groził, że przetrąci mi kark i zabije Thomasa! Ten koleś ma nierówno pod sufitem, więc lepiej wyślij go czym prędzej do Ciapy. Facet jest niebezpieczny.

Thomas nie mógł się bardziej zgodzić i po raz kolejny o mało nie złamał zakazu mówienia, jednak w porę się opamiętał. Nie chciał wpędzić się w jeszcze większe kłopoty. Nie wiedział jednak, jak długo jeszcze wytrzyma.

– Może miał rację – powiedział Winston, niemal zbyt cicho.

– Co? – zapytał Minho, odgadując myśli Thomasa.

Winston wyglądał na zaskoczonego, że słowa te padły w ogóle z jego ust. Błądził oczami po pokoju, zanim zdobył się na wyjaśnienia.

– Cóż... on przeszedł przez Przemianę. Bóldożerca użądlił go w środku dnia tuż za Zachodnimi Wrotami. To znaczy, że ma *wspomnienia*, a powiedział przecież, że świeżuch wygląda znajomo. Po co miałby zmyślać?

Thomas zastanawiał się nad Przemianą i nad przywoływanymi przez nią wspomnieniami. Nie myślał o tym wcześniej, jednak może warto byłoby dać się użądlić Bóldożercy i przejść przez cały ten koszmarny proces, aby sobie coś przypomnieć? W tej samej chwili wyobraził sobie Bena wijącego się w łóżku oraz przypomniał wrzaski Alby'ego. Nie ma mowy, pomyślał.

– Winston, czy ty w ogóle widziałeś, co się tu przed chwilą wydarzyło? – zapytał Patelniak z niedowierzaniem. – Gally to szajbus. Nie możesz wierzyć w te brednie. Bo niby co, wydaje ci się, że Thomas to Bóldożerca w przebraniu?

Reguły czy nie, Thomas miał już serdecznie dość. Nie mógł wytrzymać choćby chwili dłużej w milczeniu.

– Czy mogę w końcu coś powiedzieć? – zapytał z frustracją w głosie. – Mam już dosyć waszego gadania o mnie i zachowywania się, jakby mnie tu nie było.

Newt spojrzał na niego i skinął głową.

– Śmiało. Już chyba bardziej nie można spieprzyć tego cholernego zebrania.

Thomas zebrał myśli w pośpiechu, szukając odpowiednich słów kłębiących się w obłokach frustracji, starając się opanować zmieszanie i złość.

– Nie wiem, dlaczego Gally mnie nienawidzi. Mam to gdzieś. To jakiś psychol. A co do tego, kim *naprawdę* jestem, to wiecie dokładnie tyle samo co ja. Jednak, jeżeli dobrze pamiętam, to zebraliśmy się tutaj w związku z tym, co zrobiłem w Labiryncie, a nie dlatego, że jakiś kretyn uważa mnie za zło wcielone.

Ktoś zachichotał i Thomas przerwał, licząc, że wszyscy zrozumieli, o co mu chodzi.

Newt skinął, wyglądając na zadowolonego.

– Ogay. Kończmy już to spotkanie, a Gallym zajmiemy się później.

– Nie możemy głosować, jeżeli nie ma wszystkich członków – upierał się Winston. – O ile nie są poważnie chorzy, tak jak Alby.

– Winston, na litość boską – odpowiedział Newt. – Powiedziałbym, że dzisiaj Gally również ździebko niedomaga, więc kontynuujmy bez niego. Thomas, powiedz, co masz na swoją obronę, a następnie zagłosujemy, co z tobą począć.

Thomas zorientował się, że jego dłonie były zaciśnięte w pieści. Rozluźnił je i wytarł przepocone dłonie w spodnie. Następnie zaczął, niepewny tego, co ma powiedzieć.

– Nie zrobiłem nic złego. Zobaczyłem, jak dwie osoby próbują zdążyć przejść przez Wrota, i wiedziałem, że im się to nie uda. Zignorowanie tego z powodu jakiejś durnej zasady wydawało się egoistyczne, tchórzliwe, no i... po prostu głupie. Jeżeli chcecie mnie zamknąć w więzieniu za to, że próbowałem uratować czyjeś życie, to proszę bardzo. Ale obiecuję, że następnym razem wskażę ich palcem i wyśmieję, a potem pójdę coś zjeść u Patelniaka.

Thomas nie starał się być zabawny. Po prostu w głowie mu się nie mieściło, że zrobiono z tego wielką sprawę.

– Oto moja rekomendacja – powiedział Newt. – Złamałeś naszą cholerną Pierwszą Zasadę, więc spędzisz jeden dzień w Ciapie. To twoja kara. Rekomenduję również mianować cię Zwiadowcą, co wejdzie w życie z chwilą zakończenia spotkania. W ciągu jednej nocy dowiodłeś więcej niż większość sztamaków w ciągu wielu tygodni. A co do twojej kandydatury na cholernego Opiekuna, to zapomnij. – Spojrzał na Minho. – W tym Gally miał rację, to głupota.

Ta uwaga zraniła Thomasa, choć nie mógł się z nią nie zgodzić. Spojrzał na Minho, aby zobaczyć jego reakcję.

Opiekun nie wydawał się zbytnio zaskoczony, jednak wciąż się wykłócał.

– Dlaczego? On jest najlepszy z nas wszystkich. Słowo daję. W końcu najlepszy powinien zostać Opiekunem.

– Dobrze – odpowiedział Newt. – Jeżeli to prawda, to później to zmienimy. Dajmy chłopakowi miesiąc i zobaczymy, czy się sprawdzi.

Minho wzruszył ramionami.

– Ogay.

Thomas odetchnął po cichu z ulgą. Nadal pragnął zostać Zwiadowcą – co go dziwiło, zważywszy na to, przez co niedawno musiał przejść w Labiryncie – jednak nadanie mu od razu stanowiska Opiekuna brzmiało zbyt absurdalnie.

Newt rozejrzał się po pokoju.

– Mamy kilka rekomendacji, więc omówmy je jeszcze...

– Daj już spokój – powiedział Patelniak. – Po prostu zagłosujmy i już. Opowiadam się za twoim pomysłem.

– Ja też – powiedział Minho.

Cała reszta przytaknęła z aprobatą, sprawiając, że Thomas poczuł przepełniającą go ulgę i dumę. Winston jako jedyny zgłosił sprzeciw.

Newt spojrzał na niego.

– Nie potrzeba nam twojego głosu, jednak proszę, podziel się z nami swoją mądrością i powiedz, co ci się kłębi w mózgownicy?

Winston spojrzał uważnie na Thomasa, a następnie z powrotem na Newta.

– Mnie to pasuje, jednak nie powinniśmy całkowicie ignorować tego, co mówił Gally. Coś w tym jest, nie wydaje mi się, żeby to wszystko zmyślił. Prawdą jest, że od kiedy zjawił się Thomas, wszystko zaczęło się piertolić.

– W porządku – odpowiedział Newt. – Niech każdy się z tym prześpi, wtedy zwołamy kolejne Zgromadzenie i do tego wrócimy. Ogay?

Winston przytaknął.

Thomas wydał jęk niezadowolenia, znowu czuł się niewidzialny.

– Po prostu uwielbiam, kiedy o mnie mówicie, jakby mnie tu nie było.

– Posłuchaj, Tommy – odparł Newt. – Właśnie wybraliśmy cię na cholernego Zwiadowcę, więc skończ biadolić i zabieraj się stąd. Czeka cię szkolenie pod okiem Minho.

Thomas nie uświadomił sobie tego wcześniej. Został *Zwiadowcą*, miał odkrywać Labirynt. Mimo wszystko poczuł dreszcz podniecenia. Był pewien, że więcej nie dadzą się tam zamknąć na noc. Może limit pecha został już wyczerpany.

– A co z moją karą?

– Jutro – odpowiedział Newt. – Aż do zmierzchu.

Jeden dzień, pomyślał Thomas. Nie będzie tak źle.

Spotkanie zostało zakończone i wszyscy, za wyjątkiem Newta i Minho, opuścili pokój w pośpiechu. Newt nie ruszył się z krzesła, sporządzając notatki.

– Fajnie było – powiedział pod nosem.

Minho podszedł do Thomasa i uderzył go żartobliwie pięścią w ramię.

– Wszystko przez tego sztamaka.

Thomas oddał mu.

– Opiekun? Chcesz, żebym został Opiekunem? Jesteś o wiele bardziej walnięty niż Gally.

Minho udał, że robi nachmurzoną minę.

– Podziałało, nie? Mierz wysoko, wal nisko. Później mi podziękujesz.

Thomas nie mógł przestać się uśmiechać, podziwiając spryt Opiekuna. Pukanie do drzwi skupiło jego uwagę. Odwrócił się. W drzwiach stanął Chuck. Wyglądał, jakby właśnie uciekał przed Bóldożercą. Thomas poczuł, jak uśmiech znika mu z twarzy.

– Co jest? – zapytał Newt, wstając. Ton jego głosu jedynie wzmógł niepokój u Thomasa.

Chuck załamywał ręce.

– Plaster mnie przysłał.

– Po co?

– Alby szaleje, demoluje wszystko wokół i mówi, że musi porozmawiać.

Newt ruszył w stronę drzwi, jednak Chuck zatrzymał go ruchem ręki.

– Um... nie z tobą.

– Co ty mówisz?

Chuck wskazał na Thomasa.

– Ciągle pyta o niego.

Po raz drugi tego dnia, z powodu szoku, Thomasowi odjęło mowę.

– Chodźmy więc – powiedział Newt, chwytając Thomasa za rękę. – Sam nie pójdziesz.

Thomas podążył za Newtem, Chuck tuż za nim, i opuścili pokój Rady, idąc korytarzem w kierunku wąskich, spiralnych schodów, których wcześniej nie zauważył. Newt zrobił pierwszy krok, następnie wlepił w Chucka zimne oczy.

– Ty zostajesz.

Choć raz Chuck po prostu przytaknął i nie odezwał się słowem. Thomas domyślał się, że coś w zachowaniu Alby'ego musiało go nieźle wystraszyć.

– Rozchmurz się – powiedział Thomas do Chucka, gdy Newt wchodził już po schodach. – Właśnie wybrali mnie na Zwiadowcę, więc kumplujesz się teraz z szychą. – Starał się go rozweselić, próbując jednocześnie ukryć przed samym sobą, że tak naprawdę bał się zobaczyć z Albym. Co, jeżeli będzie w niego rzucał oskarżeniami, tak samo jak Ben? Albo jeszcze gorzej?

– Taa, akurat – wyszeptał Chuck kompletnie ogłuszony.

Thomas wzruszył ramionami, po czym zaczął wspinać się po schodach. Dłonie miał śliskie od potu i poczuł, jak kropla spływa mu po skroni. Nie chciał tam iść.

Newt, ponury i poważny, czekał na niego na górze. Stali po przeciwnej stronie długiego, ciemnego korytarza wiodącego od schodów, którymi Thomas wszedł pierwszego dnia, aby zobaczyć Bena. Zrobiło mu się niedobrze na samą myśl o tym. Chciał wierzyć, że Alby miał już za sobą mękę, przez jaką przechodził, i że nie będzie musiał oglądać ponownie czegoś podobnego – blada skóra, żyły i bełkot. Spodziewał się jednak najgorszego i na to się szykował.

Podążył za Newtem do drugich drzwi po prawej i przyglądał się, jak chłopak lekko w nie zastukał. W odpowiedzi usłyszeli jęk. Newt pchnął drzwi, ciche skrzypnięcie ponownie przywiodło mgliste wspomnienie z dzieciństwa związane z filmami o nawiedzonych domach. Oto znowu było – krótka migawka z przeszłości. Pamiętał filmy, jednak nie potrafił sobie przypomnieć twarzy aktorów lub tego, z kim je oglądał. Pamiętał kina, jednak nie potrafił przywołać wspomnień odnośnie tego, jak wyglądały. Frustracja, którą z tego powodu odczuwał, była wręcz niemożliwa do opisania.

Newt wszedł do pokoju i wskazał ręką, by Thomas zrobił to samo. Wchodząc, był przygotowany na oczekujący go koszmar. Jednak gdy podniósł wzrok, ujrzał jedynie mizernie wyglądającego nastolatka, który leżał na łóżku z zamkniętymi oczyma.

– Czy on śpi? – zapytał szeptem Thomas, starając się uniknąć pytania, które kołatało mu się w głowie: „Czy on żyje?".

– Nie wiem – odpowiedział cicho Newt. Podszedł do łóżka i usiadł na drewnianym krześle obok. Thomas zajął miejsce po drugiej stronie.

– Alby – wyszeptał Newt. Po chwili powtórzył głośniej: – Alby. Chuck powiedział, że chciałeś porozmawiać z Tommym.

Powieki chorego zatrzepotały – przekrwione oczy połyskiwały w świetle lamp. Spojrzał na Newta, następnie na Thomasa siedzącego po przeciwnej stronie. Jęcząc, obrócił się i usiadł, opierając się plecami o wezgłowie.

– Tak – wymamrotał chrapliwym głosem.

– Chuck mówił, że gadałeś od rzeczy, zachowując się jak wariat. – Newt pochylił się do przodu. – Co ci jest? Nadal jesteś chory?

Kolejne słowa Alby wypowiedział, oddychając chrapliwie, tak jakby każde z nich kosztowało go tydzień życia.

– Nic... już... nie będzie... takie... jak kiedyś... Dziewczyna... Thomas... Widziałem ich... – Jego powieki zamknęły się, po czym ponownie otworzyły. Opadł z powrotem na plecy, wpatrując się w sufit. – Kiepsko się czuję.

– Co masz na myśli, mówiąc, że widziałeś... – zaczął Newt.

– Posłałem po Thomasa! – wrzasnął Alby z tak nagłym przypływem energii, że jeszcze kilka sekund wcześniej Thomas uznałby to za niemożliwe. – Nie prosiłem cię tu, Newt! Thomas! Posłałem, cholera, po Thomasa!

Newt podniósł wzrok, wpatrując się w Thomasa spod uniesionych brwi. Thomas wzdrygnął się, czując, jak nagle robi mu się słabo. Po co Alby chciał się z nim widzieć?

– W porządku, zrzędliwy smrodasie – odpowiedział Newt. – Jest tu, więc możesz z nim pogadać.

– Wyjdź – powiedział Alby z zamkniętymi oczyma, ciężko oddychając.

– Nie ma mowy. Chcę usłyszeć, co masz do powiedzenia.

– Newt. Wyjdź. Natychmiast.

Thomas poczuł się niezręcznie, martwiąc się o to, co pomyślał Newt, i bojąc się tego, co miał mu do powiedzenia Alby.

– Ale... – Newt zaprotestował.

– Wynocha! – Alby usiadł, krzyczał, jego głos aż załamał się od wrzasku. Osunął się z powrotem plecami na wezgłowie. – Wynoś się stąd!

Na twarzy Newta rysowało się wyraźne cierpienie. Thomas zdziwił się, że nie było na niej gniewu. Następnie, po długiej, pełnej napięcia chwili, Newt podniósł się z krzesła, podszedł do drzwi i otworzył je.

On naprawdę ma zamiar wyjść? – zastanawiał się Thomas.

– Nie licz na buzi, gdy przyjdziesz mnie przepraszać – powiedział, a następnie wyszedł na korytarz.

– Zamknij drzwi! – ryknął Alby, posyłając w jego kierunku ostatnią zniewagę. Newt usłuchał, zatrzaskując za sobą drzwi.

Thomas poczuł, jak serce zaczyna mu walić. Został sam z chłopakiem, który już wcześniej, zanim został użądlony przez Bóldożercę, miał paskudny charakter. Miał nadzieję, że Alby powie mu, o co chodzi, i będzie miał to za sobą. Chwila ciszy przeciągnęła się do kilku minut i Thomas zaczął trząść się ze strachu.

– Wiem, kim jesteś – powiedział w końcu Alby, przełamując ciszę.

Thomas nie potrafił zebrać słów, by mu odpowiedzieć. Próbował, jednak nic prócz niezrozumiałego mamrotania nie wyszło z jego ust. Był całkowicie zdezorientowany. I przestraszony.

– Wiem, kim jesteś – powtórzył powoli Alby. – Widziałem to. Wszystko widziałem. Skąd przybyliśmy, kim jesteś. Kim jest ta dziewczyna. Pamiętam Pożogę.

– „Pożogę"? – Thomas zmusił się, aby przemówić. – Nie wiem, o czym mówisz. Co widziałeś? Chciałbym się dowiedzieć, kim jestem.

– To nic dobrego – odpowiedział Alby i po raz pierwszy, odkąd wyszedł Newt, podniósł wzrok, spoglądając wprost na Thomasa. Oczy miał zapadnięte, przepełnione głębokim smutkiem i mrokiem. – To jest straszne. Dlaczego te smrodasy chcą, żebyśmy to pamiętali? Dlaczego nie możemy tu żyć i być szczęśliwi?

– Alby... – Thomas żałował, że nie może zajrzeć w głąb jego umysłu, zobaczyć tego, co on. – Przemiana – naciskał – co się właściwie stało? Co widziałeś? Mówisz bez sensu.

– Ciebie – powiedział nagle Alby, następnie chwycił znienacka za własne gardło, wydając z siebie zdławione odgłosy. Wierzgnął nogami i przewrócił się na bok, rzucając się na wszystkie strony, zupełnie jak gdyby ktoś inny próbował go udusić. Z ust wystawał mu język, przygryzał go nieustannie.

Thomas zerwał się prędko i odskoczył do tyłu, przerażony. Alby szamotał się, jakby dostał ataku, wierzgając nogami we wszystkie strony. Ciemna skóra jego twarzy, która jeszcze chwilę temu był dziwnie blada, zaszła purpurą, a oczy zapadły mu się tak głęboko w oczodołach, że wyglądały niczym zaczerwienione, białe kulki.

– Alby! – wrzasnął Thomas, bojąc się go przytrzymać. – Newt! – krzyknął, przykładając dłonie do ust. – Newt, prędko!

Drzwi otworzyły się gwałtownie, zanim zdążył wypowiedzieć ostatnie zdanie.

Newt podbiegł do Alby'ego i chwycił go za ramiona, przytrzymując ze wszystkich sił w łóżku.

– Chwyć go za nogi!

Thomas ruszył do przodu, jednak Alby kopał i wymachiwał kończynami na wszystkie strony, tak że zbliżenie się do niego było niemożliwe. Jego stopa wylądowała na szczęce Thomasa. Tępy ból przeszył jego czaszkę. Cofnął się, rozcierając obolałe miejsce.

– Zrób to, do cholery! – krzyknął Newt.

Thomas napiął się, a następnie wskoczył na Alby'ego, chwytając obie jego nogi i przyszpilając je do łóżka. Owinął ręce wokół jego ud i ścisnął, podczas gdy Newt przytrzymał jedno z ramion Alby'ego kolanem, a następnie chwycił jego ręce, które wciąż trzymały kurczowo własną szyję w morderczym uścisku.

– Puszczaj! – krzyknął Newt, szarpiąc. – Zabijesz się, cholera!

Thomas widział, jak mięśnie w ramionach Newta napinają się, a żyły pulsują, odciągając dłonie Alby'ego, aż w końcu, centymetr po centymetrze, udało mu się je oderwać od szyi. Przytrzymał je mocno na wierzgającej piersi chłopaka. Całe ciało Alby'ego zadrgało kilkakrotnie, gdy chłopak rzucał się na boki, następnie powoli uspokajał się i kilka sekund później leżał już spokojnie. Jego oddech stał się równomierny, a oczy nabrały życia.

Thomas trzymał się kurczowo jego nóg, bojąc się, że gdy się poruszy, Alby dostanie kolejnego ataku. Newt odczekał pełną minutę, zanim powoli wypuścił jego dłonie z uścisku. Następnie kolejną minutę, zanim cofnął kolano i wstał. Thomas poszedł za jego przykładem i zrobił to samo, licząc, że ich męka dobiegła już końca.

Alby spojrzał na nich zapadniętymi oczami, jak gdyby miał lada chwila pogrążyć się w głębokim śnie.

– Przepraszam cię, Newt – wyszeptał. – Nie wiem, co się stało. Zupełnie jakby coś przejęło kontrolę nad moim ciałem. Przepraszam...

Thomas wziął głęboki oddech, przekonany, że nigdy już nie doświadczy czegoś tak zatrważającego i nieprzyjemnego. Przynajmniej taką miał nadzieję.

– Przeprosiny na nic się tu zdadzą – odpowiedział mu Newt. – Próbowałeś się zabić, do cholery.

– To nie ja, przysięgam – wymamrotał Alby.

Newt uniósł ręce w górę.

– Co to ma znaczyć, że to nie ty? – zapytał.

– Nie wiem.... To... to nie ja. – Alby wyglądał na tak samo zmieszanego, jak Thomas się czuł.

Newt jednak zdawał się myśleć, że nie należało sobie tym zawracać głowy. Przynajmniej nie teraz. Chwycił za koce, które pospadały z łóżka podczas ataku Alby'ego, i przykrył go.

– Ładuj tyłek pod koc, a pogadamy o tym później. – Klepnął go po głowie i dodał. – Pomieszało ci się we łbie, sztamaku.

Jednak Alby zapadł już w sen, i przytaknął tylko, gdy zamykał oczy.

Newt złapał spojrzenie Thomasa, po czym skinął w stronę drzwi. Thomas nie miał żadnych obiekcji przed opuszczeniem tego wariatkowa. Podążył za nim na korytarz. Gdy wychodzili właśnie przez drzwi, Alby wymamrotał coś z łóżka.

Obaj chłopcy zatrzymali się.

– Co? – zapytał Newt.

Alby otworzył oczy na krótką chwilę, następnie powtórzył swoje słowa nieco głośniej:

– Uważajcie na tę dziewczynę. – Po czym zamknął oczy.

Znowu ona – ta dziewczyna. Dziwnym trafem wszystko zawsze sprowadza się do niej. Newt spojrzał na Thomasa pytająco, jednak Thomas mógł mu jedynie odpowiedzieć wzruszeniem ramion. Nie miał pojęcia, o co chodziło.

– Chodźmy – wyszeptał.

– I Newt? – zawołał Alby z łóżka ponownie, nie otwierając nawet oczu.

– Tak?

– Pilnuj Map. – Alby odwrócił się do nich plecami, dając im wyraźnie do zrozumienia, że już skończył.

To nie brzmiało za dobrze. Prawdę mówiąc, to zupełnie nie brzmiało dobrze. Thomas opuścił wraz z Newtem pokój i delikatnie zamknął za sobą drzwi.

28

Thomas podążał za Newtem, który zszedł pośpiesznie po schodach i wyszedł z budynku wprost na jasne popołudniowe słońce. Żaden z chłopców przez dłuższą chwilę się nie odzywał. Dla Thomasa sprawy zdawały się przybierać coraz to gorszy obrót.

– Głodny? – zapytał go Newt, gdy wyszli na zewnątrz.

Thomas nie mógł uwierzyć w to pytanie.

– Że co? Mam ochotę się wyrzygać po tym, co właśnie zobaczyłem, więc nie, nie jestem głodny.

Newt tylko się uśmiechnął.

– Cóż, a ja tak. Chodźmy po jakieś resztki z obiadu. Musimy pogadać.

– Wiedziałem, że powiesz coś w tym stylu. – Bez względu na to, co zrobił, stawał się coraz bardziej częścią społeczności Strefy i zaczął zdawać sobie z tego sprawę.

Udali się prosto do kuchni, w której, pomimo zrzędzenia Patelniaka, udało im się dostać kanapki z serem i trochę surowych warzyw. Thomas nie mógł nie zauważyć sposobu, w jaki Opiekun kucharzy na nich spoglądał, odwracając oczy za każdym razem, gdy Thomas odwzajemniał jego spojrzenie.

Coś mu mówiło, że takie zachowanie będzie tu teraz na porządku dziennym. Z jakiegoś powodu był inny od wszystkich w Strefie. Czuł się, jakby całe wieki minęły, odkąd obudził się z wymazaną pamięcią, chociaż był tu zaledwie od tygodnia.

Chłopcy zdecydowali się zjeść posiłek na zewnątrz, po kilku minutach byli już przy zachodnim murze i, opierając się plecami o gęsty bluszcz, przyglądali się codziennym zajęciom mieszkańców Strefy. Thomas zmusił się do jedzenia. Musiał mieć pewność, że cokolwiek szalonego się wydarzy, będzie miał na to siłę.

– Widziałeś już kiedyś coś takiego? – zapytał Thomas po jakiejś minucie.

Newt spojrzał na niego, jego twarz nagle zrobiła się posępna.

– Mówisz o tym, co właśnie zrobił Alby? Nie. Nigdy. Ale nikt wcześniej nie próbował powiedzieć nam o tym, co sobie przypomniał w czasie Przemiany. Zawsze odmawiają. Alby próbował. Pewnie dlatego na chwilę mu odwaliło.

Thomas zamyślił się, przeżuwając. Czy ludzie spoza Labiryntu mogli ich w jakiś sposób *kontrolować*? Ta myśl go przerażała.

– Musimy odszukać Gally'ego – powiedział Newt, przeżuwając marchewkę i zmieniając temat. – Skubaniec gdzieś się zaszył. Jak tylko zjemy, musimy go odnaleźć i wsadzić jego wredny zad do paki.

– Poważnie? – Thomas nie mógł powstrzymać się od uczucia czystej radości na samą myśl o tym. Byłby więcej niż szczęśliwy, gdyby osobiście mógł zamknąć za nim drzwi i wyrzucić klucz.

– Ten sztamak groził ci śmiercią, więc musimy się upewnić, że to się więcej nie powtórzy. Słono zapłaci za swoje zachowanie. Niech się cieszy, że go nie Wygnamy. Nie zapominaj, co ci mówiłem odnośnie porządku.

– Pamiętam. – Jedynym zmartwieniem Thomasa było to, że za posłanie do więzienia, Gally znienawidzi go jeszcze bardziej.

Mam to gdzieś, pomyślał. Już się go nie boję.

– Powiem ci, jak będzie, Tommy – odezwał się Newt. – Przez resztę dnia trzymasz się przy mnie. Musimy wyjaśnić parę rzeczy. A jutro zajmiemy się Gallym. Później oddaję cię pod opiekę Minho i chcę, abyś trzymał się przez jakiś czas z dala od innych sztamaków. Jasne?

Thomas był bardziej niż szczęśliwy, mogąc się zgodzić. Bycie samym przez większość czasu wydawało się świetnym pomysłem.

– Brzmi cudownie. Więc Minho będzie mnie szkolił?

– Zgadza się. Jesteś teraz Zwiadowcą. Minho wszystko ci pokaże. Labirynt, Mapy. Czeka cię mnóstwo nauki. Liczę, że weźmiesz się do roboty.

Thomas był zszokowany, że myśl o tym, aby ponownie wejść do Labiryntu, nie przerażała go aż tak bardzo. Postanowił zrobić to, o co prosił go Newt, licząc, że w ten sposób uwolni swój umysł od myślenia. Gdzieś w głębi duszy miał nadzieję wydostać się czym prędzej ze Strefy. Unikanie pozostałych mieszkańców stało się jego nowym życiowym celem.

Chłopcy siedzieli w milczeniu, kończąc posiłek, dopóki Newt w końcu nie zdradził, o czym naprawdę chciał porozmawiać. Zgniatając w kulkę opakowanie po kanapce, odwrócił się i spojrzał wprost na Thomasa.

– Posłuchaj – zaczął – musisz się z czymś pogodzić. Zbyt wiele razy o tym słyszeliśmy, by temu zaprzeczyć, i pora o tym porozmawiać.

Thomas wiedział, do czego Newt zmierzał, jednak był przestraszony. Bał się tych słów.

– Gally o tym mówił. Alby o tym mówił. Ben też – kontynuował Newt – i dziewczyna, po tym jak wyciągnęliśmy ją z Pudła.

Zawahał się, być może oczekując, że Thomas zapyta, o co mu chodziło. Jednak Thomas już wiedział.

– Wszyscy mówili, że nic już nie będzie takie jak kiedyś.

Newt odwrócił na chwilę wzrok, po czym ponownie na niego spojrzał.

– Tak jest. Gally, Alby i Ben twierdzili, że cię widzieli we wspomnieniach po Przemianie. I z tego, co ogarniam, to raczej nie pieliłeś kalafiora ani nie pomagałeś staruszkom przechodzić przez ulicę. Z tego, co mówił Gally, wynika, że jest w tobie coś tak paskudnego, że aż chce cię ukatrupić.

– Ja nic nie wiem – zaczął Thomas, jednak Newt nie pozwolił mu dokończyć.

– Wiem, że nic nie pamiętasz! Przestań to powtarzać, nigdy więcej o tym nie mów. Nikt z nas nic nie pamięta i mamy już cholernie dosyć twojego biadolenia. Chodzi o to, że jest w tobie coś dziwnego i pora dowiedzieć się, co to takiego.

W Thomasie wezbrała gwałtowna złość.

– Dobrze, więc jak chcesz to zrobić? Chcę wiedzieć, kim jestem, tak samo jak wszyscy inni. To przecież oczywiste.

– Otwórz swój umysł. Powiedz szczerze, jeżeli cokolwiek, *cokolwiek* wydaje ci się znajome.

– Nic... – zaczął Thomas, jednak przestał. Tak wiele wydarzyło się od dnia, w którym się pojawił, że niemal zapomniał o tym, że pierwszej nocy, gdy spał obok Chucka, Strefa wydała mu się znajoma. Że czuł się wtedy dobrze, *jak w domu*, a przynajmniej nie odczuwał przerażenia, które wydawało się, że powinien był czuć.

– Widzę, że twoje trybiki pracują – powiedział cicho Newt.

– Mów.

Thomas zawahał się, obawiając się konsekwencji tego, co miał zamiar powiedzieć. Miał jednak dosyć ukrywania sekretów.

– Cóż... to nie jest nic konkretnego – mówił powoli, ostrożnie. – Jednak kiedy znalazłem się tu po raz pierwszy, to miałem takie uczucie, jakbym już tu wcześniej był. – Spojrzał na

Newta, licząc, że znajdzie w jego oczach pewnego rodzaju uznanie. – Ktoś jeszcze tak miał?

Jednak wyraz twarzy jego kompana się nie zmienił. Wywrócił po prostu oczami.

– Raczej nie, Tommy. Większość z nas przez pierwszy tydzień waliła klumpa w portki i mazgaiła się po kątach.

– No cóż – zawahał się Thomas, zasmucony i nagle zawstydzony. Co to wszystko oznaczało? Czy w jakiś sposób różnił się od innych? Czy coś było z nim nie tak? – Wszystko wydawało mi się znajome i wiedziałem, że chcę zostać Zwiadowcą.

– To jest cholernie ciekawe. – Newt przyglądał mu się przez chwilę, nie ukrywając oczywistej podejrzliwości wypisanej na twarzy. – Postaraj się coś jeszcze sobie przypomnieć. Poszperaj w mózgownicy, pogrzeb w bajorze i pomyśl jeszcze o tym miejscu. Zanurkuj w tej mętnej otchłani i wydobądź coś więcej. Postaraj się dla dobra nas wszystkich.

– Tak zrobię. – Thomas zamknął oczy i zaczął przeszukiwać pogrążony w ciemnościach umysł.

– Nie teraz, tępy smrodasie. – Newt się zaśmiał. – Chodziło mi o to, żebyś robił to od teraz. W wolnym czasie, w trakcie posiłków, przed paciorkiem, w czasie spacerów, treningu czy pracy. Mów mi o wszystkim, co wyda ci się choć trochę znajome. Jasne?

– Tak, rozumiem. – Thomas martwił się, że tylko rozzłościł Newta i ten nie daje tego po sobie poznać.

– Ogay – powiedział Newt, wydając się przy tym aż nazbyt miły. – A teraz chodźmy się z kimś zobaczyć.

– Z kim? – zapytał Thomas, jednak poznał odpowiedź, gdy tylko zapytał. Ponownie przeszył go lęk.

– Z dziewczyną. Chcę, abyś przyglądał się jej tak długo, aż oczy zajdą ci krwią. Zobaczymy, czy coś w tej twojej mózgownicy zaskoczy. – Newt zabrał opakowanie po lunchu i wstał. – Później masz mi powtórzyć co do słowa to, o czym mówiliście z Albym.

Thomas westchnął, po czym podniósł się.

– Tak jest. – Nie wiedział, czy będzie w stanie opowiedzieć mu o oskarżeniach Alby'ego, nie wspominając już o tym, co czuł na widok dziewczyny. Wyglądało na to, że nie skończył jeszcze z sekretami.

Chłopcy ruszyli z powrotem w stronę Bazy, gdzie wciąż leżała dziewczyna w śpiączce. Thomas martwił się, co tak naprawdę myślał o tym wszystkim Newt. Otworzył się przed nim i naprawdę go lubił. Jeżeli Newt będzie teraz na niego naciskał, to nie wie, czy będzie w stanie to znieść.

– Jeżeli wszystko inne nie podziała – powiedział Newt, wyrywając Thomasa z zadumy – to poślemy cię do Bóldożerców. Użądlą cię i przejdziesz przez Przemianę. Musimy poznać twoje wspomnienia.

Thomas parsknął sarkastycznie, jednak twarz Newta pozbawiona była uśmiechu.

Dziewczyna spała spokojnie, jakby miała się obudzić w każdej chwili. Thomas spodziewał się niemal szkieletowej pozostałości człowieka, kogoś na skraju śmierci. Jednak jej pierś unosiła się i opadała równomiernie, jej skóra była pełna życia.

Towarzyszył jej jeden z medyków, ten niższy – Thomas nie potrafił sobie przypomnieć jego imienia. Wlewał powoli kilka kropel wody w usta śpiącej dziewczyny. Na stoliku nocnym stał talerz i miska z pozostałością po lunchu – ubijane ziemniaki i zupa. Robili wszystko, co było w ich mocy, aby utrzymać ją przy zdrowiu i życiu.

– Hej, Clint – odezwał się swobodnie Newt, jak gdyby wpadał już wielokrotnie wcześniej z wizytą. – Trzyma się jeszcze?

– Tak – odpowiedział Clint. – Nic jej nie jest, choć ciągle mówi przez sen. Wydaje nam się, że niedługo z tego wyjdzie.

Thomas się naprężył. Z jakiegoś powodu nigdy wcześniej nie brał pod uwagę tej możliwości, że dziewczyna może się obudzić i że nic jej nie będzie. Że uda się z nią porozmawiać. Nie miał pojęcia, dlaczego ta myśl sprawiła nagle, że poczuł się nieswojo.

– Zapisaliście każde słowo, które wypowiedziała? – zapytał Newt.

Clint skinął głową.

– Większości nie szło zrozumieć, ale kiedy tylko mogliśmy, to tak.

Newt wskazał na notes na stoliku nocnym.

– Pokaż, co masz.

– Cóż, mówiła to samo co wtedy, gdy wyciągaliśmy ją z Pudła. Mówiła też coś o Stwórcach o tym, że „wszystko musi się skończyć". I jeszcze... – Clint spojrzał na Thomasa, jak gdyby nie chciał kontynuować w jego obecności.

– W porządku, możesz mówić przy nim – zapewnił go Newt.

– Cóż... nie usłyszałem wszystkiego, ale... – Clint ponownie spojrzał na Thomasa. – Ona wciąż powtarza jego imię.

Thomas omal nie upadł, gdy to usłyszał. Czy on musi być we wszystko zamieszany? Skąd znał tę dziewczynę? To było jak nieznośne uczucie swędzenia wewnątrz czaszki, którego nie potrafił się pozbyć.

– Dzięki, Clint – powiedział Newt tonem, który dla Thomasa zabrzmiał jak oczywisty rozkaz odejścia. – Zdasz nam później z tego raport, ogay?

– Ma się rozumieć. – Plaster skinął w stronę obu chłopców i opuścił pokój.

– Przystaw krzesło – powiedział Newt, siadając na krawędzi łóżka. Thomas, odczuwając ulgę, że Newt nie wybuchnął, ciskając w niego oskarżeniami, wziął krzesło stojące obok stolika i postawił je przy łóżku, tuż obok głowy dziewczyny. Usiadł, nachylając się do przodu, by spojrzeć na jej twarz.

– Czy coś ci się przypomina? – zapytał Newt. – Cokolwiek?

Thomas nie odpowiedział, wciąż starając się przełamać blokadę pamięci i odszukać dziewczynę w otchłani przeszłości. Wrócił myślą do ulotnej chwili, gdy otworzyła oczy, tuż po tym, kiedy wyciągnięto ją z Pudła.

Były błękitne i to o wiele bardziej niż oczy jakiejkolwiek osoby, którą wcześniej widział. Próbował wyobrazić sobie je teraz, spoglądając na jej pogrążoną we śnie twarz. Jej czarne włosy, jej idealnie biała skóra, jej pełne usta... Gdy tak się jej przyglądał, uświadomił sobie po raz kolejny, jak bardzo była piękna.

Wyraźniejsze wspomnienie nieśmiało zaświtało mu w głowie – trzepot skrzydeł w ciemnym rogu świadomości, niewidoczny, jednak wciąż ten sam. Trwało to zaledwie chwilę, nim zniknęło w otchłani pozostałych, nieuchwytnych wspomnień. Jednak coś poczuł.

– Znam ją – wyszeptał, opierając się z powrotem na krześle. Przyjemnie było móc w końcu przyznać się do tego na głos.

Newt aż powstał.

– Co? Kim ona jest?

– Nie mam pojęcia. Jednak skądś ją znam. – Thomas przetarł oczy, sfrustrowany, że nie potrafił ustalić powiązania.

– Dobrze, to myśl, chłopie. Skoncentruj się.

– Próbuję, więc się przymknij z łaski swojej. – Thomas zamknął oczy, przeszukując ciemny gąszcz myśli, szukając jej twarzy. Kim ona jest? Uderzyła go ironia tego pytania. Przecież nie wiedział nawet, kim był on sam.

Pochylił się do przodu i wziął głęboki oddech, następnie spojrzał na Newta, kręcąc głową w geście poddania.

– Nie mam zie...

– *Teresa.*

Thomas zerwał się z krzesła, przewracając je na podłogę. Zaczął kręcić się w kółko, jakby czegoś szukał. Usłyszał...

– Co jest? – zapytał Newt. – Przypomniałeś sobie coś?

Thomas nie zwracał na niego uwagi, rozglądając się zdezorientowany po pokoju, wiedząc, że usłyszał głos, po czym ponownie spojrzał na dziewczynę.

– Ja... – Usiadł z powrotem na krześle, pochylił się nad nią, wpatrując się w jej twarz. – Newt, mówiłeś coś, zanim wstałem?

– Nie.

Oczywiście, że nie.

– Wydawało mi się, że coś słyszałem... Sam nie wiem. Może to było w mojej głowie. Czy... *ona* coś mówiła?

– Ona? – zapytał Newt, a jego oczy rozbłysły. – Nie. Dlaczego? Co słyszałeś?

Thomas bał się przyznać.

– Ja... mógłbym przysiąc, że słyszałem imię. Teresa.

– Teresa? Nie, nic takiego nie słyszałem. Musiało ci to wyskoczyć z czeluści pamięci! To jej imię, Tommy. Teresa, tak ma na imię.

Thomas poczuł się dziwnie niezręcznie, zupełnie jak gdyby właśnie wydarzyło się coś nadprzyrodzonego.

– *Thomas.*

Tym razem poderwał się z krzesła i odskoczył od łóżka tak daleko, jak tylko mógł, przewracając po drodze lampę ze stolika, która roztrzaskała się z hukiem na podłodze. Głos. Dziewczęcy głos. Szepczący, słodki, wyraźny. Słyszał go. Wiedział, że go usłyszał.

– Co jest z tobą, do cholery? – zapytał Newt.

Serce zadudniło mu jak oszalałe, a w głowie aż mu łupało. Żołądek wywracał się do góry nogami.

– Ona... ona coś do mnie *mówi*. W mojej głowie. Właśnie wypowiedziała moje imię!

– Że co?

– Przysięgam! – Świat wokół niego zawirował, napierając i zgniatając jego umysł. – Słyszę jej głos w swojej głowie... choć to nie jest prawdziwy głos...

– Posadź tyłek na ziemi. Co ty, do cholery, wygadujesz?

– Mówię poważnie. To... nie jest prawdziwy głos... ale *słyszę* go.

– *Tom, jesteśmy ostatnimi. Wkrótce to się zakończy. Musi.*

Słowa rozbrzmiewały echem w jego głowie, muskały jego uszy – *słyszał* je. Pomimo tego, nie pochodziły z pokoju, spoza jego ciała. Znajdowały się dosłownie *wewnątrz* jego umysłu.

– *Nie obawiaj się mnie.*

Zasłonił uszy dłońmi, zamykając mocno oczy. To było zbyt dziwne. Jego racjonalny umysł nie mógł pogodzić się z tym, co się właśnie działo.

– *Moja pamięć zanika, Tom. Nie będę wiele pamiętać, kiedy się obudzę. Musimy przejść przez Próby. To się musi skończyć. Przysłali mnie, aby to zapoczątkować.*

Thomas nie mógł już dłużej tego znieść. Ignorując pytania Newta, potykając się, podszedł do drzwi i otworzył je mocnym szarpnięciem. Wyszedł na korytarz i ruszył przed siebie. Schodami w dół i dalej przez drzwi wejściowe. Jednak nie udało mu się uciszyć głosu.

– *Nic już nie będzie takie jak kiedyś* – powiedziała.

Chciał krzyknąć, uciec jak najdalej od tego miejsca. Pobiegł w kierunku Wschodnich Wrót i przebiegł przez nie, wydostając się ze Strefy. Biegł nadal, korytarz za korytarzem, w głąb serca Labiryntu, nie bacząc na zakazy. Nadal jednak nie mógł uciec od głosów.

– *Ty i ja, Tom. My im to zrobiliśmy. Zrobiliśmy to sobie.*

29

Thomas nie zatrzymał się, dopóki głos nie ucichł na dobre.

Był zszokowany, gdy uświadomił sobie, że uciekał już niemal przez godzinę – na murach rozpościerały się cienie i wkrótce słońce miało schować się za horyzontem, a Wrota zamknąć się na noc. Musiał wracać. Zaskoczony, zdał sobie również sprawę, że bez zastanawiania rozpoznawał kierunki oraz porę dnia. Że zmysły go nie zawodziły.

Musiał wracać.

Nie wiedział jednak, czy byłby w stanie ją ponownie zobaczyć. Ten głos w jego głowie. Te dziwne rzeczy, o których mówiła.

Nie miał wyboru. Zaprzeczanie prawdzie niczego nie rozwiąże. I chociaż ingerencja w jego umysł była zarówno dziwna, jak i przerażająca, to i tak było to o niebo lepsze od kolejnego spotkania z Bóldożercami.

Biegnąc w kierunku Strefy, dowiedział się wiele o sobie samym. Gdy uciekał przed głosem, nie zdając sobie nawet z tego sprawy, ułożył sobie w głowie dokładną trasę, która wiodła go przez Labirynt. Wracając, ani razu się nie zawahał, skręcając w lewo, następnie w prawo i biegnąc wzdłuż długich korytarzy, przemierzając odwrotną do pokonanej wcześniej drogę. Wiedział, co to oznaczało.

Minho miał rację. Wkrótce Thomas zostanie najlepszym ze Zwiadowców.

Drugą rzeczą, której się o sobie dowiedział, tak jakby noc spędzona w Labiryncie nie dowiodła tego wcześniej, było to, że jego ciało znajdowało się w doskonałej formie. Jeszcze nie tak dawno słaniał się na nogach, był cały obolały. Szybko doszedł jednak do siebie i teraz biegł, niemal bez żadnego wysiłku, już prawie drugą godzinę. Nie trzeba być geniuszem matematyki, aby obliczyć, że biorąc pod uwagę jego prędkość i czas, zanim wróci do Strefy, pokona dystans niemal połowy maratonu.

Nigdy wcześniej nie zdawał sobie sprawy z ogromu Labiryntu. Kilometry za kilometrami, a po nich kolejne kilometry. Biorąc pod uwagę przesuwające się co noc mury, dopiero teraz zrozumiał, dlaczego tak ciężko było znaleźć z niego wyjście. Wcześniej powątpiewał w to, aż do tej pory zastanawiając się, dlaczego Zwiadowcy byli tak nieporadni.

Nie zatrzymywał się, skręcając to w lewo, to w prawo, biegnąc prosto, wciąż przed siebie. Od zamknięcia Wrót dzieliło go zaledwie kilka minut, gdy przestąpił próg Strefy. Wyczerpany, udał się wprost na Grzebarzysko, wszedł w głąb lasu, aż dotarł do skupiających się w południowo-zachodnim narożniku drzew. Bardziej niż czegokolwiek innego, pragnął pozostać teraz sam.

W chwili, gdy do jego uszu dochodziły ledwo słyszalne odgłosy rozmów mieszkańców Strefy oraz słabe echo beczących kóz i chrząkających świń, jego życzenie stało się faktem. Znalazł złączenie dwóch olbrzymich ścian i opadł w rogu na ziemię, aby odpocząć. Nikt tam nie chodził, nikt mu nie przeszkadzał. Południowa ściana w końcu się poruszyła, zamykając Wrota Strefy na noc. Pochylił się do przodu, póki nie przestała. Kilka minut później ponownie oparł wygodnie plecy o gęstą warstwę bluszczu i zasnął.

Rano ktoś delikatnie go obudził.

– Thomas, wstawaj.

To Chuck. Ten dzieciak wytropiłby go nawet na krańcu świata.

Wydając pomruki niezadowolenia, Thomas pochylił się do przodu, rozciągając plecy i ręce. W nocy przykryto go kilkoma kocami – ktoś zabawił się w opiekunkę.

– Która jest godzina? – zapytał.

– Jeszcze chwila i spóźnisz się na śniadanie. – Chuck pociągnął go za rękę. – No dalej, wstawaj. Musisz zacząć się zachowywać normalnie, inaczej będzie jeszcze gorzej.

Przypomniał sobie wydarzenia z poprzedniego dnia i nagle przekręciło mu się w żołądku.

Co oni ze mną zrobią? – zastanawiał się. Rzeczy, o których ona mówiła. Że ona i ja coś im zrobiliśmy. Zrobiliśmy sobie. Co to miało oznaczać?

Wtedy dotarło do niego, że być może postradał zmysły. Być może stres wywołany przez wydarzenia w Labiryncie doprowadził go do obłędu. Tak czy inaczej, tylko *on* słyszał głos w swojej głowie. Nikt poza nim nie wiedział o dziwnych rzeczach, o których mówiła i które zarzucała mu Teresa. Nikt też nie wie, że zdradziła mu swoje imię. Przynajmniej nikt poza Newtem.

I tak też pozostanie. Sprawy były i tak już wystarczająco skomplikowane. Nie ma mowy, aby jeszcze bardziej je pogorszył, opowiadając o głosie w swojej głowie. Jedynym problemem był Newt. Thomas będzie musiał go jakoś przekonać, że to wszystko było wynikiem stresu, i że odpoczynek wszystko załatwił.

– Nie jestem wariatem – powiedział do siebie Thomas. Z całą pewnością nie był.

Chuck spoglądał na niego, unosząc brwi.

– Wybacz – powiedział Thomas i wstał. Starał się zachowywać tak naturalnie, jak tylko mógł. – Zamyśliłem się. Chodźmy coś zjeść. Umieram z głodu.

– Ogay – odpowiedział Chuck, klepiąc Thomasa po plecach.

Udali się w kierunku Bazy i przez całą drogę Chuckowi buzia się nie zamykała. Thomas nie uskarżał się. To było najbardziej naturalne zachowanie w jego życiu.

– Newt znalazł cię w nocy i zdecydował, żeby zostawić cię w spokoju. I powiedział, że Rada wydała postanowienie w twojej sprawie – jeden dzień w celi, potem rozpoczniesz szkolenie na Zwiadowcę. Niektórzy narzekali, inni się cieszyli, większość zachowywała się tak, jakby ich to nie obchodziło. Jeżeli o mnie chodzi, to myślę, że to niesamowite. – Chuck zrobił pauzę na oddech, po czym kontynuował. – Pierwszej nocy, kiedy przechwalałeś się, że zostaniesz Zwiadowcą, purwa, myślałem, że nie wytrzymam ze śmiechu. Wciąż sobie powtarzałem, ten frajer będzie miał przykrą niespodziankę. A tu proszę, dowiodłeś, że się myliłem.

Thomas jednak nie miał ochoty o tym rozmawiać.

– Zrobiłem to, co każdy by zrobił na moim miejscu. To nie moja wina, że Minho i Newt chcą, żebym został Zwiadowcą.

– Tak, jasne. Nie bądź takim skromniachą.

Zostanie Zwiadowcą było ostatnią rzeczą, o której teraz myślał. Wszystkie jego myśli skupiały się obecnie na Teresie, na głosie w jego głowie, na tym, co *powiedziała*.

– Cóż, jestem nieco podekscytowany. – Thomas zmusił się do uśmiechu, chociaż wzdrygnął się na myśl o spędzeniu całego dnia w Ciapie.

– Zobaczymy, co powiesz, kiedy wyprujesz z siebie flaki, biegając. Tak czy inaczej, stary Chucky jest z ciebie dumny.

Thomas uśmiechnął się do przyjaciela z entuzjazmem.

– Gdybyś był moją matką – wyszeptał Thomas – życie byłoby cudowne.

Moja mama – pomyślał. Na chwilę jego świat ponownie okrył się ciemnością – nie pamiętał nawet własnej matki. Przegonił tę myśl, nim zdołała namieszać mu w głowie.

Udali się do kuchni i zjedli pośpiesznie śniadanie, zajmując wewnątrz dwa wolne miejsca przy stole. Każda osoba wchodząca i wychodząca przez drzwi obrzucała Thomasa spojrzeniem. Kilku Streferów podeszło i mu pogratulowało. Inni krzywo na niego patrzyli, jednak większość zdawała się być po jego stronie. Wtedy przypomniał sobie o Gallym.

– Hej, Chuck – zawołał, biorąc kęs jajka. Starał się brzmieć naturalnie. – Wiadomo już, co z Gallym?

– Nie. Miałem ci powiedzieć. Ktoś ponoć widział go, jak wybiega z Labiryntu zaraz po tym, jak opuścił Zgromadzenie. Od tamtej pory cisza.

Thomas upuścił widelec, nie wiedząc, na co liczył lub czego właściwie się spodziewał. Ta wiadomość poraziła go.

– Co? Mówisz poważnie? Pobiegł do Labiryntu?

– Ano tak. Wszyscy wiedzą, że oszalał. Jakiś szczylniak oskarżył cię nawet o to, że go zabiłeś, kiedy wczoraj tam wybiegłeś.

– Nie wierzę... – Thomas wpatrywał się w talerz, próbując zrozumieć, dlaczego Gally to zrobił.

– Nie zawracaj sobie tym głowy, stary. Nikt poza jego kolesiami go nie lubił. To właśnie oni oskarżają cię o te brednie.

Thomas nie mógł uwierzyć, jak naturalnie Chuck o tym mówił.

– Wiesz, gościu prawdopodobnie leży już martwy, a ty mówisz o nim tak, jakby wyjechał na wakacje.

Chuck przybrał znudzony wyraz twarzy.

– Nie sądzę, aby był martwy.

– Że co? To gdzie niby jest? Przecież tylko mnie i Minho udało się przetrwać tam noc.

– To właśnie mówię. Myślę, że jego kumple ukrywają go gdzieś na terenie Strefy. Gally to kretyn, jednak nie na tyle głupi, aby zostać w Labiryncie na noc. Jak ty.

Thomas pokręcił głową.

– Może właśnie dlatego tam został. Chciał udowodnić, że może zrobić to samo co ja. Facet mnie nienawidzi. – Zawahał się na moment. – Nienawidził mnie.

– Nieważne. – Chuck wzruszył ramionami, jak gdyby sprzeczali się o to, co mają zjeść na śniadanie. – Jeżeli nie żyje, to w końcu go znajdziecie. A jeśli żyje, to głód go przyciśnie i zajrzy do kuchni. Nie obchodzi mnie to.

Thomas podniósł talerz i odniósł go na ladę.

– Proszę tylko o jeden, normalny dzień. Aby w końcu odpocząć.

– Więc twoje cholerne życzenie jest dla mnie rozkazem – przemówił głos dochodzący zza kuchennych drzwi, tuż za jego plecami.

Thomas odwrócił się i ujrzał uśmiechającego się Newta. Jego radosna twarz dodała mu otuchy, zupełnie jakby mówiła, że wszystko już będzie w porządku.

– Chodź, cholerny kryminalisto – powiedział Newt. – Odpoczniesz sobie w Ciapie. Idziemy. W południe Chuck przyniesie ci coś do żarcia.

Thomas przytaknął i wyszedł przez drzwi za Newtem. Nagle wizja spędzenia dnia w więzieniu wydała mu się czymś idealnym. Dzień odpoczynku i relaksu.

Choć coś mu podpowiadało, że prędzej Gally wręczy mu bukiet róż, niż dożyje dnia, kiedy w Strefie nic dziwnego mu się nie przydarzy.

Ciapa mieściła się w obskurnym miejscu pomiędzy Bazą a północnym murem Strefy, ukryta za ciernistymi, postrzępionymi krzewami, które wyglądały tak, jakby nikt ich nie przycinał od lat. Był to duży blok niestarannie obrobionego betonu z jedynym, maleńkim okratowanym oknem oraz drewnianymi drzwiami, zamkniętymi groźną, pordzewiałą metalową zasuwą, wyrwaną chyba wprost ze średniowiecznego zamczyska.

Newt wyciągnął klucz i otworzył drzwi, po czym skinął na Thomasa, aby wszedł do środka.

– Oprócz krzesła, nic nie będzie zakłócać twojego spokoju. Miłego pobytu.

Thomas jęknął w duchu, kiedy wszedł do środka i ujrzał jedyny mebel na stanie – paskudne, chybotliwe krzesło z jedną nogą wyraźnie krótszą od pozostałych, najprawdopodobniej celowo. Nie było nawet poduszki.

– Baw się dobrze – rzucił Newt, zanim zamknął drzwi. Thomas odwrócił się i usłyszał dźwięk zasuwy i zamykanego zamka. W niewielkim, pozbawionym szyby oknie pojawiła się głowa Newta, który wyglądał przez kraty z uśmieszkiem na twarzy. – Oto nagroda za łamanie zasad. Uratowałeś czyjeś życie, Tommy, ale wciąż musisz się nauczyć przestrzegania...

– Tak, wiem. *Porządku*.

Newt uśmiechnął się.

– Nie jesteś taki zły, świeżuchu. Ale przyjaciel czy nie, muszę robić, co do mnie należy, abyśmy przeżyli. Pomyśl o tym, kiedy będziesz się tu wędził i gapił na ściany.

Powiedziawszy to, odszedł.

* * *

Upłynęła pierwsza godzina i Thomas poczuł zakradającą się niczym szczur pod drzwiami nudę. Po drugiej godzinie miał ochotę walić głową w ścianę. Dwie godziny później doszedł do wniosku, że kolacja z Gallym i Bóldożercami byłaby lepsza od siedzenia w cholernej Ciapie. Usiadł, starając się przywołać wspomnienia, jednak każdy jego wysiłek ulatniał się w mgłę nieświadomości, zanim cokolwiek w jego myślach zdołało się uformować w jakąś całość.

Na szczęście, w południe przyszedł z lunchem Chuck, dając ukojenie jego myślom. Gdy podał Thomasowi przez okno kawałki kurczaka i szklankę wody, zaczął jak zwykle mielić jęzorem.

– Wszystko wraca do normy – ogłosił. – Zwiadowcy są w Labiryncie, wszyscy inni pracują. Może mimo wszystko jakoś przetrwamy. Wciąż nie ma śladu po Gallym. Newt powiedział Zwiadowcom, aby natychmiast wracali, jeżeli tylko znajdą jego ciało. A, jeszcze Alby się obudził i doszedł już chyba do siebie. Wygląda dobrze, a Newt cieszy się, że nie musi już robić za szefa.

Wzmianka o Albym odwróciła uwagę Thomasa od jedzenia. Przywołał obraz rzucającej się i duszącej własnymi rękoma postaci z wczorajszego dnia. Następnie przypomniał sobie, że nikt tak naprawdę nie wie, co przed atakiem powiedział mu Alby. Jednak skoro Alby doszedł już do siebie, to wcale nie oznaczało, że nikomu o tym teraz nie powie.

Chuck kontynuował słowotok, zmieniając nieoczekiwanie temat.

– Jestem kompletnym popaprańcem. Z jednej strony mam doła i tęsknię za domem, ale z drugiej strony to tak naprawdę nie wiem, za czym tęsknię. Wiem tylko, że nie chcę tu być. Chcę wrócić do mojej rodziny. Kimkolwiek i jakakolwiek ona by nie była. Chcę *pamiętać*.

Thomasa nieco zaskoczyło to wyznanie. Nigdy wcześniej nie słyszał z ust Chucka czegoś tak głębokiego i szczerego.

– Rozumiem cię – mruknął.

Chuck był zbyt niski, aby sięgnąć twarzą do okna, więc Thomas nie widział jego oczu, jednak gdy usłyszał jego kolejne słowa, wyobraził sobie, jak oczy jego przyjaciela wypełniają się posępnym smutkiem, być może nawet łzami.

– Wcześniej płakałem. Co noc.

To wyznanie sprawiło, że Thomas porzucił myśli o Albym.

– Tak?

– Jak jakiś zafajdany siusiumajtek. Niemal do dnia, kiedy się pojawiłeś. Później chyba się po prostu przyzwyczaiłem. To miejsce stało się dla mnie domem, choć nie ma dnia, żebyśmy nie myśleli o tym, aby się stąd jakoś wydostać.

– Tylko raz płakałem, odkąd się tu znalazłem, ale wtedy o mało nie pożarto mnie żywcem. Pewnie jestem po prostu płytkim smrodasem. – Thomas zapewne by się do tego nie przyznał, gdyby Chuck się przed nim nie otworzył.

– Płakałeś? – usłyszał Chucka przez okno. – Wtedy?

– Tak. Kiedy ostatni z nich spadł w końcu z Urwiska, nie wytrzymałem i beczałem, dopóki nie rozbolało mnie gardło. – Thomas pamiętał to aż nazbyt dokładnie. – Wszystko zawaliło się we mnie naraz. Lepiej się po tym poczułem. I ty nie powinieneś się tego wstydzić. Nigdy.

– No i jakoś człowiek dziwnie lepiej się po tym czuje.

Kilka chwil upłynęło im w kompletnej ciszy. Thomas uświadomił sobie, że nie chce, aby Chuck odchodził.

– Hej, Thomas? – zapytał Chuck.

– Nigdzie się nie ruszyłem.

– Myślisz, że mam rodziców? Prawdziwych rodziców?

Thomas roześmiał się, głównie po to, aby przegonić nagły przypływ smutku, który wywołało to nagłe pytanie.

– Oczywiście, że masz, ślamajdo. Mam ci to wyjaśnić na przykładzie motylków i pszczółek? – Thomas poczuł ukłucie w sercu. Pamiętał, jak ktoś mu o tym opowiadał, jednak nie potrafił sobie przypomnieć kto.

– Nie o to mi chodziło – powiedział Chuck głosem całkowicie pozbawionym radości, niskim i ponurym, niemal mamrocząc. – Większość z tych, którzy przeszli przez Przemianę, pamięta okropne rzeczy, o których nie chcą nawet rozmawiać, dlatego wątpię, czy w domu czeka na mnie cokolwiek miłego. Chodziło mi więc o to, czy wydaje ci się, że gdzieś tam są moi prawdziwi rodzice, którzy za mną tęsknią? Myślisz, że oni płaczą za mną w nocy?

Thomas był całkowicie zszokowany, gdy zdał sobie sprawę, że w jego oczach pojawiły się łzy. Odkąd tu przybył, jego życie przybrało tak szalony obrót, że wcześniej nie myślał o mieszkańcach Strefy jako o normalnych ludziach z normalnymi rodzinami, które za nimi tęsknią. To było dziwne, jednak on sam wcześniej w ten sposób o sobie nie myślał. Jedynie o tym, co to wszystko oznaczało, kto ich tam przysłał i jak się stamtąd wydostaną.

Po raz pierwszy, z powodu sytuacji przedstawionej przez Chucka, ogarnęła go taka złość, że miał ochotę kogoś zabić. Chłopak powinien być teraz w szkole, w domu, bawić się z dzieciakami z sąsiedztwa. Zasługiwał na to, aby noce spędzać w domu z rodziną, która go kochała i się o niego martwiła. Z mamą, która każdego dnia każe mu się myć, i z tatą, który pomoże mu uporać się z pracą domową.

Thomas poczuł nienawiść do ludzi, którzy odebrali tego biednego, niewinnego chłopca jego rodzinie. Nienawidził ich tak bardzo, że aż przeraził się, że człowiek może być do tego zdolny. Pragnął ich śmierci, nawet cierpienia. Chciał, aby Chuck był szczęśliwy.

Jednak szczęście wyrwano im z serc. Miłość wyrwano z ich życia.

– Posłuchaj, Chuck. – Thomas zrobił pauzę, starając się ochłonąć, upewniając się, że głos mu się nie załamie. – Jestem pewien, że masz rodziców. Ja to wiem. To brzmi strasznie, ale założę się, że właśnie teraz twoja mama siedzi w twoim pokoju, trzyma poduszkę, wyglądając przez okno na świat, który jej ciebie skradł. I tak, pewnie teraz płacze. Prawdziwie, zalana łzami, z zasmarkanym nosem.

Chuck nic nie odpowiedział, jednak Thomasowi wydawało się, że usłyszał cichutkie pociąganie nosem.

– Nie łam się, Chuck. Znajdziemy stąd wyjście. Jestem teraz Zwiadowcą, obiecuję, że zabiorę cię z powrotem do domu. Twoja mama nie będzie już więcej za tobą płakała. – Thomas mówił szczerze. Poczuł, jak to zobowiązanie płonęło w jego sercu.

– Mam nadzieję, że się nie mylisz – odpowiedział Chuck roztrzęsionym głosem. Wystawił przez okno kciuk w górę, po czym odszedł.

Thomas wstał i zaczął chodzić po niewielkim pokoju tam i z powrotem, płonąc żądzą dotrzymania tej obietnicy.

– Obiecuję ci, Chuck – wyszeptał pod nosem. – Obiecuję, że zabiorę cię do domu.

31

Tuż po tym, jak Thomas usłyszał zgrzytanie i dudnienie kamienia o kamień, dźwięki, które obwieszczały zamykanie Wrót na noc, niespodziewanie zjawił się Alby, aby go wypuścić. Zabrzęczał dźwięk metalowego klucza oraz otwieranego zamka. Drzwi do celi stanęły otworem.

– Żyjesz jeszcze, sztamaku? – zapytał Alby. Wyglądał o wiele lepiej niż dzień wcześniej i Thomas nie mógł oderwać od niego wzroku. Jego skóra odzyskała kolor, jego oczu nie spowijała już sieć czerwonych żył i wyglądał, jakby przytył z siedem kilo w ciągu jednej doby.

Alby zauważył, że Thomas wciąż się w niego wpatruje.

– Purwa, stary, na co się tak gapisz?

Thomas potrząsnął lekko głową, czując się, jakby był w transie. Jego umysł wirował, zastanawiał się nad tym, co pamiętał Alby, co wiedział i co może o nim powiedzieć.

– Co? Na nic. Po prostu to niemożliwe, abyś tak szybko doszedł do siebie. Nic ci już nie dolega?

Alby napiął prawy biceps.

– Nigdy nie czułem się lepiej. Wychodź.

Thomas posłuchał, mając nadzieję, że nie mrużył oczu i nie zdradził swoich obaw.

Alby zamknął drzwi i przekręcił klucz, po czym odwrócił się twarzą do Thomasa.

– W sumie to brednie. Czuję się jak kupa klumpu dwukrotnie wydalona przez Bóldożercę.

– Dokładnie tak wczoraj wyglądałeś. – Gdy Alby spiorunował go wzrokiem, Thomas miał nadzieję, że był to tylko żart i szybko sprostował: – Ale dzisiaj wyglądasz jak nowiusieńki. Słowo daję.

Alby schował klucze do kieszeni i oparł się plecami o drzwi celi.

– Ucięliśmy sobie wczoraj małą pogawędkę, co?

Serce Thomasa zabiło mocniej. Nie miał pojęcia, czego się w tej chwili spodziewać po Albym.

– Uhm... tak. Pamiętam.

– Wiem, co widziałem, świeżuchu. To wspomnienie trochę się już zatarło, ale nigdy tego nie zapomnę. To było straszne. Próbowałem ci o tym powiedzieć, ale coś zaczęło mnie dusić. Teraz obrazy pojawiają się na chwilę i znikają, zupełnie jakby ktoś nie chciał, abym o tym pamiętał.

Wydarzenia z wczorajszego dnia ponownie ukazały się w głowie Thomasa. Alby miotający się w łóżku i próbujący udusić samego siebie. Thomas nie uwierzyłby, gdyby nie zobaczył tego na własne oczy. Pomimo strachu przed odpowiedzią, wiedział, że musi zadać mu to pytanie.

– Dlaczego tam byłem? Powtarzałeś nieustannie, że mnie widziałeś. Co tam robiłem?

Alby przez jakiś czas wpatrywał się w pustą przestrzeń w oddali, nim odpowiedział.

– Byłeś ze... Stwórcami. Pomagałeś im. Ale nie to mną wstrząsnęło.

Thomas poczuł się, jak gdyby ktoś właśnie walnął go pięścią w brzuch. *Pomagałem im?* Nie potrafił sformułować słów, aby zapytać, co to oznaczało.

Alby kontynuował:

– Mam nadzieję, że Przemiana nie przedstawia nam prawdziwych wspomnień, tylko podstawia fałszywe. Niektórzy tak podejrzewają. Ja mam jedynie nadzieję. Jeżeli świat rzeczywiście wygląda tak, jak go widziałem... – Zamilkł, pozwalając, by zapanowała złowieszcza cisza.

Thomas był zdezorientowany, jednak chciał usłyszeć odpowiedzi na dręczące go pytania.

– Możesz mi powiedzieć, co widziałeś w związku ze mną?

Alby pokręcił głową.

– Nie ma mowy, sztamaku. Nie będę ponownie ryzykował samouduszenia. Możliwe, że zrobili coś z naszymi mózgami, aby nas w ten sposób kontrolować. Tak samo jak z usuwaniem pamięci.

– Cóż, jeżeli jestem zły, to może nie powinieneś był mnie wypuszczać – powiedział Thomas z lekkim sarkazmem.

– Nie jesteś zły, świeżuchu. Może i jesteś zrytym krótasem, ale nie jesteś zły. – Alby wydał z siebie coś na kształt uśmiechu, ujawniając wyrwę na swej zazwyczaj kamiennej twarzy. – Ktoś, kto zrobił to, co ty, kto zaryzykował własny tyłek, aby uratować mnie i Minho, nie może być zły. Nie, raczej myślę, że to Serum Bólu i Przemiana miały na to wpływ. Oby tak było, dla twojego i mojego dobra.

Thomas poczuł tak olbrzymią ulgę, że usłyszał zaledwie połowę z tego, co Alby do niego mówił.

– Jak bardzo były złe? Te wspomnienia, które wróciły.

– Przypomniałem sobie obrazy z dzieciństwa, miejsce, w którym mieszkałem, i tym podobne. Ale jeżeli w tej chwili sam Bóg zstąpiłby z nieba i powiedziałby mi, że mogę wracać do domu... – Alby spuścił wzrok, wpatrując się w ziemię, i ponownie pokręcił głową. – Jeżeli to była prawda, świeżuchu, to przysięgam, że prędzej zamieszkam z Bóldożercami, niż tam wrócę.

Thomas był zaskoczony, że było aż tak źle, i żałował, że Alby nie podał więcej szczegółów, nie opisał czegoś, czegokolwiek. Wiedział jednak, że wczorajsze wspomnienia były zbyt świeże i że Alby nie zmieni zdania w tej kwestii.

– Cóż, może one nie są prawdziwe. Może Serum Bólu to jakiś psychodelik, po którym dostajesz halucynacji. – Thomas wiedział, że chwyta się wszelkich sposobów.

Alby zastanawiał się przez chwilę.

– Narkotyk... halucynacje... – Następnie pokręcił głową. – Wątpię.

Warto było spróbować.

– Nadal musimy stąd uciec.

– Tak, dzięki za info, świeżuchu – odpowiedział sarkastycznie Alby. – Nie wiem, co byśmy zrobili bez twojej przemowy. – Ponownie niemal się uśmiechnął.

Zmiana humoru u Alby'ego wyrwała Thomasa z przygnębienia.

– Skończ już nazywać mnie świeżuchem. Teraz to ta dziewczyna nim jest.

– W porządku, świeżuchu. – Alby westchnął, wyraźnie kończąc rozmowę. – Śmigaj na kolację. Odsiedziałeś swój parszywy wyrok. Cały jeden dzień.

– Jeden zdecydowanie wystarczy.

Pomimo odpowiedzi, których potrzebował, Thomas chciał już opuścić Ciapę. W dodatku konał z głodu. Uśmiechnął się do Alby'ego, po czym udał się w stronę kuchni.

Kolacja była wspaniała.

Patelniak wiedział, że Thomas przyjdzie później, więc zostawił dla niego pełny talerz pieczeni wołowej i ziemniaków. Karteczka z napisem informowała o ciasteczkach w szafce kuchennej. Kucharz naprawdę przekazywał mu swoje wsparcie, które okazał podczas Zgromadzenia. W trakcie posiłku do Thomasa przyłączył się Minho, przygotowując go nieco przed jego pierwszym wielkim dniem szkolenia, podając mu kilka statystyk i interesujących faktów. Rzeczy, o których miał pomyśleć, nim położy się spać.

Gdy skończyli, Thomas udał się z powrotem w ustronne miejsce, w którym spał ubiegłej nocy. Rozmyślał o rozmowie przeprowadzonej z Chuckiem, zastanawiając się, jakie to uczucie usłyszeć, jak rodzice życzą ci dobrej nocy.

Tej nocy kilka osób przemieszczało się po Strefie, jednak przez większość czasu panowała cisza, zupełnie jak gdyby wszystkim zależało na tym, aby dzień się wreszcie skończył i każdy mógł położyć się spać. Thomas nie uskarżał się. To było coś, czego właśnie potrzebował.

Koce, które ktoś dla niego zostawił ubiegłej nocy, wciąż były na swoim miejscu. Podniósł je i ułożył się, przytulając do przyjemnego narożnika kamiennych ścian, tworzących wyścieloną masę miękkiego bluszczu. Gdy nabrał do płuc pierwszy głęboki oddech, starając się odprężyć, powitały go różnorodne zapachy lasu. Powietrze było idealne i sprawiło, że ponownie zaczął się zastanawiać nad pogodą w Strefie. Tu nigdy nie padało, nigdy nie było też śniegu, nigdy nie było zbyt gorąco albo zbyt zimno. Gdyby nie maleńki szczegół, że oderwano ich od przyjaciół i rodzin oraz uwięziono w Labiryncie wypełnionym rozwścieczoną hordą potworów, to naprawdę żyliby w tym miejscu jak w raju.

Niektóre rzeczy tutaj były nawet aż nazbyt idealne. Wiedział o tym, jednak nie potrafił tego wyjaśnić.

Jego myśli powędrowały do jego wieczornej rozmowy z Minho o rozmiarze i skali Labiryntu. Gdy był nad Urwiskiem, zdał sobie sprawę z jego ogromu i wielkości. Jednak nie potrafił pojąć, jak można było zbudować taką konstrukcję. Labirynt rozciągał się na wiele kilometrów wzdłuż i wszerz. Zwiadowcy musieli być niemal w nadludzkiej kondycji, aby wykonać swoją codzienną pracę.

I mimo to *nigdy* nie odnaleźli wyjścia. I pomimo tego, pomimo kompletnej beznadziejności sytuacji, wciąż się nie poddali.

W trakcie kolacji Minho opowiedział mu starą historię, jedną z tych dziwacznych i kompletnie przypadkowych rzeczy, które pamiętał, zanim tu trafił – o kobiecie uwięzionej w labiryncie. Udało jej się uciec dzięki temu, że nigdy nie zdejmowała prawej ręki ze ścian labiryntu, przesuwając po nich dłonią, gdy szła. W ten sposób zawsze skręcała w prawo i proste zasady fizyki oraz geometrii gwarantowały, że w końcu znajdzie wyjście. To miało sens.

Jednak nie w tym przypadku. Tutaj wszystkie ścieżki wiodły z powrotem do Strefy. Musieli *coś* przeoczyć.

Jutro rozpoczynało się jego szkolenie. Jutro pomoże im znaleźć to coś. Właśnie wtedy Thomas podjął decyzję. Zapomni o wszystkim, co dziwne. Zapomni o wszystkim, co złe. Zapomni o tym i nie spocznie, dopóki nie rozwiąże tej zagadki i nie znajdzie stąd wyjścia.

Jutro. Słowo wirowało w jego głowie, dopóki w końcu nie zasnął.

Minho obudził Thomasa przed świtem, dając mu znać latarką, aby poszedł za nim do Bazy. Thomas szybko doszedł do siebie, podekscytowany myślą o rozpoczęciu szkolenia. Wygrzebał się spod koców i z zapałem podążył za swoim nauczycielem, przedzierając się przez tłum śpiących na trawniku Streferów, których, gdyby nie odgłosy chrapania, Thomas uznałby za pogrążonych w wiecznym śnie. Lekki blask budzącego się ze snu słońca oświetlał dziedziniec, spowijając wszystko granatem oraz niemrawym cieniem. Thomas nie widział wcześniej, aby to miejsce było tak spokojne. Z Mordowni rozległo się pianie koguta.

W końcu, przy krętym zakamarku z tyłu Bazy, Minho wyciągnął klucz i otworzył odrapane drzwi, które prowadziły do niewielkiej szopy. Thomas poczuł, jak ogarnia go niecierpliwość. Zastanawiał się, co było w środku. Kątem oka, gdy latarka Minho rozświetlała schowek, dostrzegł liny, łańcuchy i wiele innego sprzętu. W końcu światło latarki spoczęło na otwartej skrzyni wypełnionej butami do biegania. Thomas o mało się nie zaśmiał, bo wyglądała tak bardzo zwyczajnie.

– To najważniejsze rzeczy z zaopatrzenia, jakie dostajemy – ogłosił Minho. – Przynajmniej dla nas. Za każdym razem przysyłali w Pudle nowe. Gdybyśmy biegali w kiepskich butach, nasze stopy przypominałyby teraz cholerną powierzchnię Marsa. – Pochylił się i zaczął szperać w skrzyni. – Jaki masz rozmiar?

– Rozmiar? – Thomas zastanawiał się przez chwilę. – Nie wiem. – Czasami nie rozumiał tego, że niektóre rzecz pamięta, a innych z kolei nie. Schylił się, ściągnął but, który miał na sobie, odkąd pojawił się w Strefie, i zajrzał do środka. – Czterdzieści cztery.

– Ja pierniczę. Ale masz wielgaśne szwaje. – Minho wstał, trzymając parę lśniących, srebrnych butów. – Wygląda na to, że mamy tu jakieś. Stary, w tym można udać się na spływ górski.

– Są wspaniałe. – Thomas wziął buty i odszedł na bok, po czym usiadł na ziemi, aby czym prędzej je przymierzyć. Minho wyjął z szopy jeszcze kilka rzeczy i dołączył do niego.

– Przysługują wyłącznie Zwiadowcom i Opiekunom – powiedział Minho. Zanim Thomas, który właśnie wiązał buty, zdołał podnieść wzrok, na jego kolana spadł zegarek. Był czarny i bardzo prosty, na tarczy wyświetlała się cyfrowo jedynie godzina. – Załóż i nigdy nie zdejmuj. Od tego może zależeć twoje życie.

Thomas cieszył się, że go dostał. Choć do tej pory, na podstawie obserwacji słońca oraz rzucanych cieni, potrafił z grubsza określić daną godzinę, to jednak obowiązki wynikające z bycia Zwiadowcą wymagały od niego większej dokładności. Założył zegarek na rękę i wrócił do przymierzania butów.

Minho kontynuował.

– Tu masz plecak, butelki na wodę, pudełko na lunch, spodenki, koszulki oraz parę innych drobiazgów. – Szturchnął Thomasa, który spojrzał na niego. Minho trzymał w ręku kilka par obcisłej bielizny, wykonanej z białego, błyszczącego materiału. – Nazywamy te paskudy Bie-gacie. Będzie ci w nich... uhm... miło i wygodnie.

– Miło i wygodnie?

– No tak, wiesz, o czym mówię. Twój...

– Jasne, załapałem. – Thomas zabrał bieliznę i pozostałe rzeczy. – Wy naprawdę dobrze to wszystko przemyśleliście.

– Po dwóch latach biegania po Labiryncie, sam wiesz najlepiej, czego ci trzeba, i o to prosisz – podsumował Minho, pakując rzeczy do swojego plecaka.

Thomas był całkowicie zaskoczony.

– To znaczy, że można o coś prosić? O rzeczy, których potrzebujesz? – Dlaczego ci, którzy ich tam zesłali, tak bardzo im pomagali?

– Pewnie, że można. Po prostu zostawiasz wiadomość w Pudle i już. Ale to wcale nie oznacza, że zawsze dostajemy to, o co poprosimy. Czasami tak, a czasami nie.

– Prosiliście kiedyś o mapę?

Minho wybuchnął śmiechem.

– Tak, próbowaliśmy tego. O telewizor też, ale bez odzewu. Pewnie te smrodasy nie chcą, abyśmy oglądali, jak piękne może być życie poza Labiryntem.

Thomas zaczynał powątpiewać w to, czy rzeczywiście życie w domu było takie cudowne. Bo co to za świat, w którym pozwalają, aby dzieci żyły w ten sposób? Ta myśl zaskoczyła go, zupełnie jak gdyby jej źródło znajdowało się w jego pamięci świeżej, dotarła do niego niczym promyk światła przedzierający się przez ciemność jego umysłu. Jednak zdążyła już zniknąć. Kręcąc głową, skończył sznurować buty, po czym wstał i potruchtał w kółko, podskakując w górę, by przetestować buty.

– Są bardzo wygodne. Myślę, że jestem gotów.

Minho wciąż klęczał przy swoim plecaku. Spojrzał na Thomasa z wyrazem obrzydzenia.

– Wyglądasz jak kretyn, kiedy podskakujesz niczym cholerna balerina. Powodzenia, stary, bez śniadania, żarcia na drogę i broni.

Thomas zatrzymał się, czując jak lodowaty dreszcz przebiega mu po plecach.

– Broni?

– No, broni. – Minho wstał i poszedł z powrotem do schowka. – Podejdź, to ci pokażę.

Thomas wszedł za nim do niewielkiego pomieszczenia i przyglądał się, jak Minho odsuwa kilka skrzyń od tylnej ściany, pod którymi znajdowała się mała klapa. Gdy Minho ją podniósł, jego oczom ukazały się drewniane schody, które prowadziły w otchłań ciemności. – Trzymamy je w piwnicy na dole, aby nie wpadły w łapy takiego smrodasa jak Gally. Chodź.

Minho szedł pierwszy. Schody skrzypiały przy każdym kroku, a zrobili ich co najmniej dwanaście. Chłodne powietrze przynosiło orzeźwienie, pomimo kurzu i silnego zapachu pleśni. Dotarli do podłogi z ubitej ziemi i Thomas nie widział kompletnie nic, dopóki Minho nie pociągnął za sznurek i nie włączył żarówki.

Pomieszczenie było większe, niż Thomas się tego spodziewał, miało jakieś dziesięć metrów kwadratowych. Na ścianach znajdowały się półki, a na podłodze kilka ciężkich, drewnianych stołów. Wszystko w zasięgu wzroku pokryte było różnorakimi rupieciami, co przyprawiało go o gęsią skórkę. Drewniane drągi, metalowe szpikulce, olbrzymie siatki – takie, jakich używa się do klatek dla drobiu, rolki drutu kolczastego, piły, noże, miecze. Jedna ściana była całkowicie poświęcona łucznictwu: drewniane łuki, strzały, zapasowe cięciwy. Ich widok natychmiast przywiódł u Thomasa wspomnienie o Benie ugodzonym strzałą na Grzebarzysku.

– Wow – wyszemrał Thomas, a jej głos zadudnił w zamkniętym pomieszczeniu. Z początku ogarnęło go przerażenie, że potrzebowali aż tyle broni, jednak chwilę później poczuł ulgę, gdy dostrzegł, że przytłaczającą większość pokrywała gruba warstwa kurzu.

– Z większości nie korzystamy – powiedział Minho. – Ale nigdy nic nie wiadomo. Zazwyczaj bierzemy ze sobą tylko kilka ostrych noży.

Skinął w kierunku wielkiego, drewnianego kufra w rogu, którego otwarte wieko spoczywało oparte o ścianę. Z wnętrza wystawały noże różnych rozmiarów i kształtów.

Thomas miał nadzieję, że większość Streferów nie wiedziała o istnieniu tego pomieszczenia.

– To dosyć niebezpieczne, trzymać tu tyle broni – powiedział. – Co, jeżeli Ben zszedłby tu, zanim dostał świra, i mnie zaatakował?

Minho wyciągnął pęk kluczy z kieszeni i zabrzęczał nimi.

– Tylko paru szczęśliwców ma do nich dostęp.

– Ale...

– Przestań biadolić i weź kilka. Upewnij się, że będą ostre. Potem pójdziemy na śniadanie i spakujemy nasz lunch. Chcę jeszcze spędzić trochę czasu w Pokoju Map, zanim wejdziemy do Labiryntu.

Thomas podekscytował się, gdy to usłyszał. Był bardzo ciekawy, co kryło się w zniszczonym budynku, odkąd zobaczył wchodzącego do środka przez metalowe drzwi Zwiadowcę. Wybrał krótki, srebrny nóż z gumową rękojeścią oraz drugi z długim, czarnym ostrzem. Podekscytowanie nieco opadło. Chociaż wiedział doskonale, jakie kreatury zamieszkiwały Labirynt, wciąż nie chciał myśleć o tym, w jakim celu potrzebna im była broń.

Pół godziny później, najedzeni i spakowani, stali przed pancernymi drzwiami Pokoju Map. Thomas nie mógł się doczekać, kiedy wejdzie do środka. Świt rozbłysnął w pełnej krasie i Streferzy przemieszczali się bezładnie, szykując się do kolejnego dnia pracy. Zapach smażonego bekonu unosił się w powietrzu – Patelniak i jego świta uwijali się jak w ukropie, aby nakarmić dziesiątki padających z głodu żołądków. Minho otworzył zamek i przekręcał okrągły uchwyt, dopóki nie usłyszeli charakterystycznego szczęku wewnątrz, następnie pociągnął za drzwi. Przy dźwięku przeraźliwego pisku, ciężka metalowa płyta stanęła otworem.

– Panie przodem – powiedział Minho, kłaniając się prześmiewczo.

Thomas wszedł do środka, nie odzywając się choćby słowem. Lekki strach wymieszany z olbrzymią ciekawością złapał go w mocnym uścisku i Thomas musiał sobie przypomnieć, że powinien oddychać. W ciemnym pokoju czuć było stęchliznę oraz głęboki zapach miedzi, tak silny, że niemal czuł w ustach jego smak. Odległe, zatarte wspomnienie lizania miedzianych monet pojawiło się w jego głowie.

Minho włączył światło i kilka rzędów lamp fluorescencyjnych zamigotało, aż w końcu rozbłysło w pełnej krasie, ujawniając całą zawartość pomieszczenia.

Thomas był zaskoczony jego prostotą. Po drugiej stronie, jakieś sześć metrów dalej, znajdowały się betonowe ściany, pozbawione jakichkolwiek dekoracji. Pośrodku stał drewniany stół, a wokół niego osiem krzeseł. Na stole, przy każdym z krzeseł, znajdowały się starannie ułożone stosy papierów oraz ołówki. Oprócz tego, jedynymi przedmiotami w pokoju było osiem kufrów, dokładnie takich samych, jak ten, który zawierał noże w pomieszczeniu z bronią. Wszystkie były zamknięte, ustawione równomiernie, po dwa pod każdą ścianą.

– Witaj w Pokoju Map – powiedział Minho. – Najbardziej radosnym miejscu, do jakiego tylko mogłeś trafić.

Thomas był lekko zawiedziony. Oczekiwał czegoś poważniejszego. Wziął głęboki oddech.

– Szkoda, że śmierdzi tu jak w opuszczonej kopalni miedzi.

– W sumie, to lubię ten zapach. – Minho przysunął dwa krzesła i spoczął na jednym z nich. – Siadaj, chcę, abyś coś zobaczył, zanim wyruszymy.

Gdy Thomas usiadł, Minho wziął do ręki kartkę papieru oraz ołówek i zaczął coś rysować. Thomas nachylił się bliżej i zobaczył, że Minho namalował wielki kwadrat, zajmujący niemal całą powierzchnię kartki. Następnie zaczął rysować wewnątrz niego mniejsze kwadraty, dopóki rysunek nie wglądał jak otoczone pola do gry w kółko i krzyżyk, trzy rzędy po trzy kwadraty w każdym, wszystkie tej samej wielkości. W samym środku wpisał słowo STREFA, po czym ponumerował zewnętrzne kwadraty, od jednego do ośmiu, zaczynając od tego w lewym górnym rogu i idąc zgodnie ze wskazówkami zegara. Na koniec narysował tu i ówdzie niewielkie kreski.

– To Wrota – powiedział. – Znasz te w Strefie, jednak na terenie Labiryntu są jeszcze cztery inne, które prowadzą do Pierwszego, Trzeciego, Piątego i Siódmego Sektora. Są nieruchome, jednak droga do nich zmienia się co noc wraz z ruchem ścian. – Skończył, po czym przesunął kartkę w stronę Thomasa, aby ten mógł się dokładnie przyjrzeć. Thomas podniósł rysunek, zafascynowany, że Labirynt był tak rozlegle skonstruowany, i przyglądał się mu uważnie, podczas gdy Minho kontynuował wykład.

– Jak widzisz, Strefa otoczona jest ośmioma Sektorami, z których każdy to całkowicie oddzielny kwadrat, i już dwa lata męczymy się nad rozwikłaniem tej cholernej łamigłówki. Jedyne, co choćby nieco przypomina wyście, to Urwisko, ale ta droga raczej odpada. No, chyba że lubisz sobie poskakać. – Minho stuknął ręką w Mapę. – Ściany przemieszają się co noc po całym cholernym Labiryncie, w tym samym czasie, kiedy zamykają się Wrota Strefy. Przynajmniej tak nam się wydaje, bo nigdy nie słyszeliśmy, aby przesuwały się o innej porze.

Thomas podniósł wzrok, zadowolony, że może przysłużyć się informacją.

– Tej nocy, kiedy tam utknęliśmy, nie widziałem, aby cokolwiek się przemieszczało.

– Główne korytarze tuż za Wrotami nigdy nie zmieniają położenia. Tylko te położone w głębi Labiryntu.

– Ach! – Thomas ponownie skupił się na prowizorycznej mapie, próbując sobie wyobrazić Labirynt i dostrzec kamienne mury w miejscach, które Minho oznaczył kreskami.

– Zawsze mamy co najmniej ośmiu Zwiadowców, włączając w to Opiekuna. Po jednym na każdy Sektor. Opracowanie mapy terenu zajmuje nam cały dzień – mimo wszystko mamy nadzieję, że istnieje stąd jakieś wyjście – następnie wracamy i sporządzamy mapę ogólną. Każdy dzień na osobnym arkuszu. – Minho spojrzał na jeden z kufrów. – To dlatego te skrzynie wypchane są stosem Map.

Thomasa naszła przygnębiająca i przerażająca myśl.

– Czy ja... mam kogoś zastąpić? Czy ktoś zginął?

Minho pokręcił głową.

– Nie, po prostu cię szkolimy. Komuś na pewno przyda się odpoczynek. Nie martw się, od dawna już nie zginął żaden Zwiadowca.

Z jakiegoś powodu ostatnie zdanie tylko zaniepokoiło Thomasa, choć miał nadzieję, że nie było tego po nim widać. Wskazał na Trzeci Sektor.

– Chcesz mi powiedzieć, że... cały dzień zajmuje wam przeszukanie tych małych kwadratów?

– Bardzo śmieszne. – Minho wstał i podszedł do kufra znajdującego się tuż za nimi. Uklęknął przy nim, następnie podniósł wieko i oparł je o ścianę. – Podejdź tu.

Thomas zdołał już wstać. Nachylił się nad ramieniem Minho i spojrzał do środka. Kufer był wystarczająco duży, aby pomieścić wewnątrz cztery sterty Map i wszystkie cztery sięgały już górnej krawędzi. Wszystkie Mapy, które widział, były bardzo do siebie podobne: ogólny zarys kwadratowego labiryntu, pokrywający niemal całą kartkę. W prawych górnych rogach widniał nagryzmolony napis *Sektor 8*, a pod nim imię *Hank*, następnie słowo *Dzień* oraz liczba. Na ostatnim widniała informacja o 749 dniu.

Minho mówił dalej.

– Już na samym początku zorientowaliśmy się, że ściany się przesuwają. Wtedy postanowiliśmy śledzić to na bieżąco. Zawsze sądziliśmy, że porównując Mapy z każdego dnia, z każdego tygodnia, w końcu odkryjemy jakiś schemat. I tak się stało – układ labiryntu powtarza się w zasadzie co miesiąc. Jednak nigdy nie widzieliśmy wyjścia prowadzącego poza kwadrat. Nigdy go nie znaleźliśmy.

– Minęły dwa lata – powiedział Thomas. – Nie czuliście się na tyle zdesperowani, żeby zostać tam na noc, zobaczyć, czy wyjście nie pojawia się gdzieś, kiedy ściany się przesuwają?

Minho spojrzał na niego oczami płonącymi od złości.

– Ty naprawdę chcesz mnie obrazić?

– Ale dlaczego? – Thomas był zaskoczony. Nie chciał, aby tak to zabrzmiało.

– Przez dwa lata, codziennie wypruwaliśmy sobie flaki i narażaliśmy nasze tyłki, a jedyne, o co pytasz, to dlaczego byliśmy takimi cykorami, że nie zostaliśmy tam na noc? Paru próbowało na samym początku – wszyscy dawno gryzą piach. Chcesz tam spędzić kolejną noc? Wydaje ci się, że przetrwasz?

Thomas poczerwieniał ze wstydu.

– Nie. Przepraszam. – Nagle poczuł się jak kupa klumpu. I z całą pewnością się z nim zgadzał. Wolał wracać co wieczór do Strefy cały i zdrowy, niż prosić się o kolejne spotkanie z Bóldożercami. Wzdrygnął się na samą myśl o tym.

– No cóż. – Minho, ku uldze Thomasa, skierował z powrotem wzrok na Mapy w kufrze. – Może i życie w Strefie nie jest usłane różami, ale przynajmniej jest tu bezpiecznie. Masz mnóstwo jedzenia i ochronę przed Bóldożercami. Nie ma mowy, abyśmy prosili Zwiadowców, żeby zostali w Labiryncie na noc. To wykluczone. Przynajmniej jeszcze nie teraz. Dopóki nie odkryjemy na podstawie schematów, czy choćby na chwilę nie pojawia się tam jakieś wyjście.

– I jak wam idzie? Udało się wam coś ustalić?

Minho wzruszył ramionami.

– Nie wiem. To trochę dołujące, ale nie wiemy, co innego moglibyśmy robić. Nie możemy ryzykować, że któregoś dnia, gdzieś w konkretnym miejscu, może pojawić się wyjście. Nie wolno nam się poddawać. Nigdy.

Thomas przytaknął, odczuwając ulgę z powodu jego nastawienia. Pomimo że sprawy nie wyglądały najlepiej, poddanie się tylko by wszystko pogorszyło.

Minho wyciągnął z kufra kilka arkuszy.

– To Mapy z ostatnich kilku dni. – Przerzucając je, wyjaśnił: – Porównujemy każdy dzień, każdy tydzień i każdy miesiąc, tak jak mówiłem. Każdy Zwiadowca odpowiada za Mapę w swoim Sektorze. Jeżeli mam być szczery, to nic jeszcze nie udało nam się ustalić. A będąc ekstra szczerym, to nawet nie wiemy, czego szukamy. Marnie to wygląda, stary. Naprawdę marnie.

– Nie możemy się jednak poddawać – powiedział Thomas rzeczowym tonem, skazany na powtórzenie wypowiedzianych chwilę wcześniej słów Minho. Powiedział „my", nawet się nad tym nie zastanawiając, i zdał sobie sprawę, że naprawdę był już częścią społeczności Strefy.

– Racja, bracie. Nie możemy się poddawać. – Minho odłożył ostrożnie arkusze na miejsce i zamknął kufer, po czym wstał. – Musimy zagęszczać ruchy, skoro tyle nam tu zeszło. Przez pierwszych parę dni będziesz się mnie trzymał. Gotowy?

Thomas poczuł, jak lęk, niczym drut kolczasty, zaciska się wokół jego wnętrzności. To się naprawdę działo, mieli zamiar to za chwilę zrobić. Koniec z gadaniem i myśleniem o tym.

– Chyba...tak.

– Żadnych „chyba". Gotowy czy nie?

Thomas spojrzał na Minho, odwzajemniając jego niespodziewanie groźne spojrzenie.

– Jestem gotowy.

– Chodźmy więc pobiegać.

Udali się przez Zachodnie Wrota do Sektora Ósmego. Pokonawszy kilka korytarzy, Thomas znajdował się tuż obok Minho, który skręcał to w lewo, to w prawo, wydawał się nawet nad tym nie zastanawiać, wciąż biegnąc. Światło wczesnego poranka rzucało ostry blask, sprawiając, że wszystko wyglądało jasno i wyraźnie – bluszcz, popękane mury, kamienne bloki na ziemi. Choć do południa brakowało jeszcze kilku godzin, wokół było bardzo jasno. Thomas ze wszystkich sił starał się nadążyć za Minho, co jakiś czas przyśpieszał kroku, aby go dogonić.

W końcu dotarli do prostokątnej szczeliny w wysokim murze na północy, która wyglądała jak otwór drzwiowy, tyle że pozbawiony drzwi. Minho przebiegł przez nią, nie zatrzymując się.

– To przejście pomiędzy Sektorem Ósmym – pierwszym kwadratem z lewej po środku – a Sekcją Pierwszą – pierwszym z lewej na górze. Tak jak mówiłem, to przejście zawsze znajduje się w tym miejscu, jednak trasa do niego może się nieco różnić z uwagi na przemieszczające się ściany.

Thomas ruszył za nim, zdumiony tym, jak mocno był już zdyszany. Miał nadzieję, że to jedynie z powodu nerwów i że jego oddech się wkrótce uspokoi.

Pobiegli wzdłuż długiego korytarza po prawej stronie, mijając kilka zakrętów w lewo. Gdy dobiegli do jego końca, Minho zwolnił i wyciągnął notes oraz ołówek z bocznej kieszeni plecaka. Zapisał coś, po czym schował je z powrotem, ani przez chwilę się nie zatrzymując. Thomas zastanawiał się nad tym, co takiego zapisał, jednak Minho odpowiedział mu, nim zdołał zadać pytanie.

– Polegam... głównie... na pamięci – wydyszał, w końcu lekko zmęczonym głosem. – Jednak po około pięciu zakrętach, zapisuję coś, co może mi się później przydać. Obserwacje powiązane z tymi z poprzedniego dnia, czyli to, co dzisiaj uległo zmianie. Wtedy mogę wykorzystać Mapę z wczoraj do tworzenia tej dzisiejszej. Łatwizna.

Zaciekawiło go to. Minho sprawiał, że wydawało się to łatwe.

Biegli przez krótką chwilę, aż dotarli do skrzyżowania. Mieli trzy możliwości wyboru, jednak Minho od razu skręcił w prawo. Następnie, w tej samej chwili, wyjął z kieszeni jeden ze swoich noży i, nie zatrzymując się, odciął długi kawałek pnącza od ściany. Rzucił go na ziemię za plecami i biegł dalej.

– Okruszki chleba? – zapytał Thomas, przypominając sobie o starej bajce. Tego rodzaju dziwne migawki z przeszłości niemal przestały go już zaskakiwać.

– Okruszki chleba – odpowiedział Minho. – Ja jestem Jaś, a ty to Małgosia.

Nie zatrzymywali się, przemierzając Labirynt, czasami skręcając w prawo, a czasami w lewo. Po każdym zakręcie Minho odcinał i upuszczał metrowy kawałek rośliny. Thomas nie mógł się nadziwić – Minho nie musiał nawet zwalniać, aby tego dokonać.

– W porządku – powiedział Opiekun, oddychając już znacznie ciężej. – Twoja kolej.

– Co? – Thomas spodziewał się, że pierwszego dnia będzie jedynie biegał i przyglądał się.

– Odetnij pnącze. Musisz nauczyć się robić to w biegu. Zbieramy je, gdy wracamy, albo kopiemy je na bok.

Thomas był wniebowzięty, że wolno mu było coś zrobić, choć zajęło mu chwilę, nim nabrał wprawy. Podczas kilku pierwszych prób musiał przyśpieszać po odcięciu pnącza, aby dogonić Minho, i raz przeciął sobie nawet palec. Jednak przy dziesiątym podejściu był już niemal tak dobry, jak jego Opiekun.

Nie zatrzymywali się. Po dłuższym czasie – Thomas nie wiedział, ile czasu upłynęło ani jaki dystans przebiegli, jednak zgadywał, że musiało to być około pięciu kilometrów – Minho zwolnił tempo, przechodząc w chód, a w końcu całkiem się zatrzymując.

– Czas na przerwę. – Zdjął plecak i wyjął wodę oraz jabłko.

Thomas bez zastanowienia zrobił to samo. Wyżłopał wodę, delektując się jej przyjemnym, orzeźwiającym smakiem, kiedy spływała po jego wysuszonym gardle.

– Zwolnij, żłopie jeden! – krzyknął Minho. – Zostaw coś na później.

Thomas oderwał się od butelki, biorąc wielki wdech, po czym beknął. Ugryzł jabłko, czując się zaskakująco orzeźwiony. Z jakiegoś powodu powrócił ponownie myślami do dnia, w którym Minho i Alby poszli przyjrzeć się martwemu Bóldożercy i wszystko się sklumpało.

– Nigdy mi nie powiedziałeś, co się wtedy przytrafiło Alby'emu. Dlaczego wyglądał tak paskudnie? Wiem, że Bóldożerca się nagle przebudził, ale co się stało?

Minho zdołał już założyć z powrotem plecak. Wyglądało na to, że jest gotowy, aby ruszyć dalej.

– Cóż, paskuda nie była martwa. Alby trącił go jak jakiś kretyn nogą i Frankenstein nagle ożył, najeżył się kolcami i przetoczył się swoim tłustym cielskiem po nim. Coś było z nim jednak nie tak. Nie zaatakował jak zwykle. Wyglądało na to, że próbował po prostu uciec, a Alby, biedaczysko, stanął mu po prostu na drodze.

– Uciekł przed wami? – Thomas nie mógł w to uwierzyć, mając wciąż w pamięci wydarzenia sprzed kilku dni.

Minho wzruszył ramionami.

– Tak sądzę. Może musiał się ponownie naładować czy coś. Nie mam pojęcia.

– Co mogło być z nim nie tak? Zauważyłeś u niego jakieś rany? – Thomas nie wiedział, jakiej szukał odpowiedzi, jednak był pewien, że z tych wydarzeń powinien wyciągnąć jakąś wskazówkę lub ważną informację.

Minho zastanawiał się przez dłużą chwilę.

– Nie. Ścierwo wyglądało po prostu na martwe. Zupełnie jak woskowa figura. Potem bum! I nagle ożyło z powrotem.

Umysł Thomasa pracował jak oszalały, próbując znaleźć jakiś punkt zaczepienia, jednak nie wiedział, od czego zacząć.

– Zastanawia mnie, gdzie polazł. Dokąd zawsze wracają? – Zamyślił się przez chwilę, po czym dodał: – Nie przyszło wam nigdy na myśl, aby ich śledzić?

– Stary, tobie naprawdę życie niemiłe. Chodź, musimy się zbierać – skwitował Minho, następnie odwrócił się i odbiegł.

Ruszając, Thomas głowił się nad rzeczami, które nie dawały mu spokoju. Nad martwym Bóldożercą, który nagle ożył, i nad tym, dokąd się udał, kiedy już zmartwychwstał...

Sfrustrowany, porzucił myśli i przyśpieszył, aby dogonić kompana.

Przez kolejne dwie godziny, z małymi przerwami na postój, Thomas biegł tuż za Minho. Bez względu na to, czy był w formie, czy też nie, całe jego ciało skomlało z bólu.

W końcu Minho się zatrzymał i ponownie zdjął plecak. Usiedli na ziemi, opierając się o miękki bluszcz. Spożywali lunch. Niemal się do siebie nie odzywali. Thomas rozkoszował się każdym kęsem kanapki i warzyw, przeżuwając tak powoli, jak tylko to było możliwe. Wiedział, że jak tylko skończą, Minho wyda komendę do dalszej drogi, więc się nie śpieszył.

– Zauważyłeś dziś jakieś zmiany? – zapytał zaciekawiony Thomas.

Minho sięgnął dłonią i poklepał plecak, w którym spoczywał jego notes.

– Zwyczajne przemieszczanie się ścian. Nic, czym twój kościsty tyłek mógłby się podniecać.

Thomas pociągnął duży łyk wody, spoglądając na pokrytą bluszczem ścianę naprzeciwko. Dostrzegł błysk czegoś srebrnego i czerwonego, coś, co widział już tego dnia kilka razy.

– O co chodzi z tymi chrabąszczami? – zapytał. Zdawały się być wszędzie. Wtedy Thomas przypomniał sobie, co widział tamtej nocy w Labiryncie. Tak wiele się zdarzyło, że nie miał okazji o tym wspomnieć. – I dlaczego mają wypisane słowo DRESZCZ na odwłoku?

– Nigdy żadnego nie udało nam się złapać. – Minho skończył posiłek i odstawił pudełko na prowiant na bok. – Nie wiemy też, co oznacza to słowo, prawdopodobnie ma nas wystraszyć. Ale te robale na pewno szpiegują. Dla *nich*. To jedyne, co przychodzi nam do głowy.

– Kim tak właściwie są ci *oni*? – zapytał Thomas, gotowy, by usłyszeć więcej odpowiedzi. Nienawidził ludzi, którzy za tym stali. – Macie jakiś pomysł?

– Klump wiemy o cholernych Stwórcach. – Twarz Minho poczerwieniała, gdy ścisnął obie dłonie, jakby kogoś dusił. – Nie mogę się doczekać, kiedy wyrwę im...

Jednak zanim skończył, Thomas był już na nogach i biegł przez korytarz.

– Co to jest? – przerwał mu, zmierzając w kierunku przyćmionego szarego światła, które właśnie dostrzegł na wysokości głowy za bluszczem na ścianie.

– Ach to – powiedział Minho całkowicie obojętnym głosem.

Thomas sięgnął dłonią i rozdzielił zasłony bluszczu, następnie wpatrywał się w osłupieniu w kwadratowy kawałek metalu przytwierdzony do muru, na którym widniały wykute wielkie litery. Wyciągnął dłoń, aby przyłożyć do nich palce, jakby nie wierzył własnym oczom.

DEPARTAMENT ROZWOJU EKSPERYMENTÓW STREFA ZAMKNIĘTA: CZAS ZAGŁADY

Przeczytał słowa na głos, po czym spojrzał ponownie na Minho.

– Co to jest? – Ciarki przeszły mu po plecach. To musiało mieć coś wspólnego ze Stwórcami.

– Nie wiem, ślamajdo. Są wszędzie, niczym cholerne przywieszki w ich ślicznym Labiryncie, który sobie stworzyli. Już dawno przestałem na nie zwracać uwagę.

Thomas odwrócił się, aby ponownie spojrzeć na znak, starając się opanować ogarniające go przeczucie zbliżającego się nieszczęścia.

– To nie brzmi za dobrze. Zagłada. Strefa Zamknięta. Eksperyment. Po prostu pięknie.

– Tak, świeżuchu, a teraz już chodź.

Thomas niechętnie wypuścił z dłoni bluszcz, który ponownie zasłonił tablicę. Założył plecak. Gdy biegli przed siebie, te siedem słów wręcz wypalało mu dziurę w czaszce.

Jakąś godzinę po tym, jak zjedli lunch, Minho zatrzymał się na końcu długiego korytarza. W tym miejscu korytarz był prosty, ściany stałe i nie odchodziły od niego inne odgałęzienia.

– Ostatni ślepy zaułek – powiedział do Thomasa. – Pora wracać.

Thomas wziął głęboki oddech, starając się nie myśleć o tym, że mieli za sobą dopiero połowę przebytej trasy.

– Nic nowego?

– Zwyczajne zmiany. Pół dnia za nami – powtórzył Minho, spoglądając obojętnie na zegarek. – Musimy wracać. – Nie czekając na odpowiedź, Opiekun odwrócił się i ruszył w kierunku, z którego właśnie przybiegli.

Thomas podążył za nim, sfrustrowany, że nie mieli czasu, aby przyjrzeć się ścianom. W końcu dogonił Minho.

– Ale...

– Ani słowa, stary. Pamiętaj, co ci wcześniej mówiłem. Nie możemy ryzykować. Zresztą sam pomyśl. Naprawdę wydaje ci się, że jest tu gdzieś jakieś wyjście? Jakaś ukryta klapa czy coś podobnego?

– Nie wiem... może. Czemu pytasz?

Minho pokręcił głową, splunął wielkim ohydnym glutem.

– Nie ma żadnego wyjścia. Nic. Ściana za ścianą i kolejna ściana. Nieruchoma bryła.

Thomas odczuł tę bolesną prawdę, jednak starał się jej nie dopuszczać do świadomości.

– Skąd to wiesz?

– Ponieważ ci, którzy nasłali na nas Bóldożerców, nie pozwolą nam tak łatwo stąd wyjść.

Ta wypowiedź sprawiła, że Thomas zaczął wątpić w sens pracy, którą właśnie wykonywali.

– Więc po co w ogóle zawracać sobie głowę wychodzeniem do Labiryntu?

Minho spojrzał na niego.

– Po co *zawracać sobie głowę*? Ponieważ to jest gdzieś tutaj. I musi być jakiś powód. Ale jeżeli wydaje ci się, że znajdziemy ładną małą bramę, która zaprowadzi nas do Szczęśliwic, to jesteś parującym krowim klumpem.

Thomas patrzył przed siebie, czując tak wielki ogrom przytłaczającej go bezradności, że o mało się nie zatrzymał.

– Do dupy z tym wszystkim.

– To najmądrzejsza rzecz, jaką powiedziałeś, świeżuchu.

Minho wziął wielki wdech i pobiegł dalej. Thomas natomiast zrobił jedyną rzecz, jaką mógł. Ruszył za nim.

Pozostała część dnia była jedną wielką plamą w jego skrajnie wyczerpanej pamięci. Wrócili wraz z Minho do Strefy, poszli do Pokoju Map, opisali dzisiejszą trasę i porównali ją z tymi z poprzednich dni. Następnie Wrota się zamknęły i zjedli kolację. Chuck próbował do niego kilkakrotnie zagadać, jednak Thomas jedynie przytakiwał lub kręcił głową, słuchając go jednym uchem, ponieważ był zbyt zmęczony.

Nim zmierzch przemienił się w ciemność, był już w swoim nowym ulubionym miejscu w leśnym narożniku, wtulony w bluszcz. Zastanawiał się, czy jeszcze kiedykolwiek będzie w stanie pobiec. Zastanawiał się, w jaki sposób uda mu się powtórzyć swój wyczyn. Zwłaszcza kiedy wydawało się to bezcelowe. Bycie Zwiadowcą straciło swój prestiż. I to po jednym dniu.

Każda krztyna szlachetnej odwagi, którą czuł – pragnienie odmienienia losu, obietnica, którą złożył przed samym sobą, że Chuck wróci do swojej rodziny – wszystko to zniknęło w spowijającej jego wyczerpane ciało i umysł mgle beznadziei i rozpaczy.

Niemal pogrążył się we śnie, gdy usłyszał w głowie głos. Słodki kobiecy głos, który wydawał się pochodzić od dobrej wróżki uwięzionej w jego czaszce. Rano, gdy wszystko wokół jakby oszalało, zastanawiał się, czy to nie był tylko sen. Jednak słyszał wciąż to samo i pamiętał każde słowo:

Tom, właśnie zapoczątkowałam Koniec.

Thomas obudził się i ujrzał słabe, blade światło. Z początku pomyślał, że musiał obudzić się wcześniej niż zwykle, że do świtu pozostała jeszcze godzina. Jednak potem usłyszał wrzaski. Następnie spojrzał przez sklepienie z gałęzi.

Niebo było pochmurną płytą szarości. Nie było naturalnego, bladego światła poranka.

Zerwał się na nogi, oparł dłońmi o mur dla równowagi i wyciągnął szyję, spoglądając w niebo. Nie było błękitu, nie było czerni, nie było gwiazd, nie było również fioletowego wachlarza budzącego się do życia porannego słońca. Niebo, w całej swej rozciągłości, było ciemnopopielate. Bezbarwne i martwe.

Spojrzał na zegarek – minęła już godzina od obowiązkowej pobudki. Blask słońca powinien był go obudzić, tak jak to zawsze miało miejsce, odkąd się tu pojawił. Ale nie dzisiaj.

Ponownie wlepił wzrok w nieboskłon, licząc, że może wszystko powróciło już do normy. Jednak niebo wciąż pozostawało szare. Nie było zachmurzone, nie zmierzchało. Było po prostu szare.

Słońce zniknęło.

Thomas zauważył, że większość Streferów zgromadziła się wokół szybu, wskazując na martwe niebo i głośno rozmawiając. Sądząc po godzinie, wszyscy już dawno powinni być po śniadaniu i pracować. Jednak zniknięcie największego obiektu w układzie słonecznym zachwiało codziennym grafikiem mieszkańców Strefy.

Prawdę powiedziawszy, gdy Thomas w milczeniu przyglądał się całemu zamieszaniu, nie odczuwał wcale paniki i strachu, które podpowiadały mu jego zmysły Był zaskoczony, że tak wielu Streferów wyglądało jak zdezorientowane kurczaki biegające bez celu po klatce. Tak naprawdę, to było zabawne. Słońce przecież nie zniknęło, to było niemożliwe.

Choć wszystko na to wskazywało. Nigdzie nie było widać śladów kuli ognistego ognia oraz ukośnych cieni poranka. Jednak zarówno on, jak i pozostali Streferzy byli zbyt racjonalni oraz zbyt inteligentni, aby wyciągać takie wnioski. Nie, musiał być jakiś naukowo wytłumaczalny powód tego, czego właśnie doświadczali. I cokolwiek by to nie było, dla Thomasa oznaczało to tylko jedno: fakt, że nie mogli zobaczyć już słońca, najprawdopodobniej oznaczał, że wcześniej również go nie oglądali. Słońce nie mogło tak po prostu zniknąć. Ich niebo musiało zostać – i wciąż było – sfabrykowane. Było sztuczne.

Innymi słowy, słońce, które przez dwa lata wisiało nad ich głowami, zapewniając wszystkim ciepło i życie, nie było tak naprawdę słońcem. W jakiś sposób było sztuczne. Wszystko tutaj było sztuczne.

Thomas nie wiedział, co to oznaczało, nie wiedział, jak to było możliwe. Jednak był pewien, że to musiała być prawda. To jedyne racjonalne wyjaśnienie, które jego umysł był w stanie zaakceptować. I patrząc na reakcje pozostałych Streferów, wydawało się oczywiste, że nikt wcześniej nie zdawał sobie z tego sprawy.

Podszedł do niego Chuck i strach widniejący na jego twarzy ukuł go w serce.

– Jak myślisz, co się stało? – zapytał Chuck drżącym, politowania godnym głosem, wciąż spoglądając w niebo. Thomas pomyślał, że potwornie musiała go boleć szyja od tego ciągłego wpatrywania się w górę. – Wygląda jak wielki szary sufit, zawieszony tak blisko, że mógłbyś go niemal dotknąć.

Thomas spojrzał wraz z Chuckiem w górę.

– Tak, sprawia, że zaczynasz się zastanawiać nad tym miejscem. – Po raz drugi w ciągu dwudziestu czterech godzin Chuck trafił w sedno. Niebo *naprawdę* wyglądało niczym sufit. Jak sufit olbrzymiego pokoju. – Może coś się zepsuło. Znaczy, może zaraz zaświeci.

Chuck w końcu oderwał wzrok od nieboskłonu i spojrzał na Thomasa.

– Jak to zepsuło? Co to ma niby oznaczać?

Zanim Thomas zdołał mu odpowiedzieć, przypomniał sobie mgliste wspomnienie wczorajszej nocy, zanim zasnął. Słowa Teresy w jego głowie. Powiedziała: *Właśnie zapoczątkowałam Koniec.* To przecież nie może być zbieg okoliczności. Poczuł ucisk w żołądku. Bez względu na powód, bez względu na to, czy to, co znajdowało się na niebie, było słońcem, czy też nie, teraz zniknęło. I to nie mogło oznaczać nic dobrego.

– Thomas? – zapytał Chuck, lekko klepiąc go w ramię.

– Tak? – odpowiedział zamyślony.

– Co miałeś na myśli, mówiąc, że się zepsuło? – powtórzył.

Thomas czuł, że potrzebował czasu, aby to wszystko przemyśleć.

– Ach. Sam nie wiem. Chodzi o rzeczy, których najwyraźniej nie rozumiemy. Ale nie można sprawić, aby słońce tak po prostu zniknęło. W dodatku wciąż mamy światło, dzięki któremu wszystko widzimy. Skąd ono pochodzi?

Chuck wybałuszył oczy, zupełnie jak gdyby najmroczniejsze, najbardziej skrywane sekrety wszechświata zostały przed nim ujawnione.

– Dokładnie, *skąd* ono pochodzi? Co tu się dzieje?

Thomas wyciągnął dłoń i ścisnął go za ramię. Dziwnie się poczuł.

– Nie mam pojęcia. Nie mam bladego pojęcia, stary. Jednak jestem pewien, że Newt i Alby się tego dowiedzą.

– Thomas! – krzyknął Minho, biegnąc w ich stronę. – Skończ te ploty i zbieraj się. Jesteśmy już spóźnieni.

Thomas był kompletnie zaskoczony. Nie wiedzieć czemu, spodziewał się, że dziwaczne niebo całkowicie pokrzyżowało grafik codziennych zadań.

– Wy nadal chcecie tam wyjść? – zapytał Chuck, również zdziwiony. Thomas cieszył się, że zadał to pytanie za niego.

– Oczywiście, sztamaku – opowiedział Minho. – Nie masz czasem jakichś pomyj do wytarcia? – Przeniósł wzrok na Thomasa. – Mamy kolejny powód, aby zawlec tam nasze tyłki. Jeżeli słońce naprawdę zniknęło, to niedługo wszystkie rośliny i zwierzęta padną martwe. Myślę, że nasz poziom desperacji właśnie nieco się podniósł.

Ostatnie zdanie głęboko go dotknęło. Pomimo wszystkich pomysłów, o których Thomas mu wspominał, Minho nie kwapił się, aby cokolwiek zmienić w funkcjonującym od dwóch lat sposobie działań. Połączenie podekscytowania oraz strachu przetoczyło się przez jego żyły, gdy dotarło do niego znaczenie tych słów.

– Czy to znaczy, że zostaniemy w Labiryncie na noc i przyjrzymy się uważniej murom?

Minho pokręcił głową.

– Nie, jeszcze nie teraz. Choć może niedługo. – Podniósł wzrok i spojrzał na niebo. – Stary, co za paskudny sposób na pobudkę. Zbieraj się, idziemy.

Thomas nie odezwał się słowem, gdy wraz z Minho pakowali swoje rzeczy i jedli błyskawicznie śniadanie. Jego myśli za bardzo kłębiły się wokół szarego nieba i tego, co powiedziała mu Teresa – przynajmniej wydawało mu się, że to była ona – więc nie miał ochoty na rozmowę.

Co miała na myśli, mówiąc o Końcu? Thomas nie mógł pozbyć się uczucia, że powinien o tym komuś powiedzieć. Powiedzieć wszystkim.

Jednak nie wiedział, co to oznaczało, i nie chciał, aby ktokolwiek dowiedział się, że słyszy w głowie kobiecy głos. Wtedy dopiero doszliby do wniosku, że jest zdrowo kopnięty, a być może nawet by go zamknęli. Tym razem na dobre.

Po długim zastanowieniu postanowił trzymać język za zębami i udał się wraz z Minho na drugi dzień szkolenia, wkraczając do Labiryntu, nad którym zawisło ponure, bezbarwne niebo.

Zobaczyli Bóldożercę, zanim zdążyli dotrzeć do przejścia prowadzącego z Sektora Ósmego do Pierwszego.

Minho był o kilka kroków przed Thomasem. Właśnie skręcił za róg po prawej, gdy nagle gwałtownie się zatrzymał, omal się nie przewracając. Odskoczył do tyłu i chwycił Thomasa za koszulkę, przyciskając go do muru.

– Cicho – wyszeptał. – Przed nami znajduje się Bóldożerca.

Thomas wybałuszył oczy, czując, jak serce zaczyna mu mocniej dudnić w piersi, choć już wcześniej ostro waliło.

W odpowiedzi Minho skinął głową, po czym przystawił palec do ust. Wypuścił koszulkę Thomasa z uścisku i cofnął się, następnie podkradł się do ściany, za którą widział Bóldożercę. Bardzo powoli wychylił się, aby spojrzeć. Thomas chciał krzyknąć, żeby na siebie uważał.

Gwałtownym ruchem schował głowę z powrotem za ścianą i zwrócił się do Thomasa, wciąż szepcząc.

– Po prostu tam siedzi. Prawie jak ten martwy, którego widzieliśmy.

– Co robimy? – zapytał Thomas tak cicho, jak tylko było to możliwe. Starał się zignorować panikę, która siała spustoszenie wewnątrz jego głowy. – Idzie w naszą stronę?

– Nie, kretynie. Przecież ci powiedziałem, że siedzi.

– No i? – Thomas chwycił się pod boki w akcie frustracji.
– Co robimy? – Przebywanie w tak bliskiej odległości od Bóldożercy wydawało się kiepskim pomysłem.

Minho namyślał się przez kilka sekund, po czym przemówił.
– Musimy tędy przejść, aby dostać się do naszego sektora. Poobserwujmy go przez chwilę. Jeżeli ruszy w naszą stronę, to uciekniemy z powrotem do Strefy. – Wyjrzał ponownie zza rogu, po czym spojrzał szybko przez ramię. – Cholera, nie ma go! Idziemy!

Minho nie czekał na odpowiedź, nie dostrzegł przerażenia w wybałuszonych ze strachu oczach Thomasa. Pobiegł tam, gdzie niedawno widział kreaturę. Pomimo że przeczucie podpowiadało mu co innego, Thomas ruszył za nim.

Pobiegł za Minho wzdłuż długiego korytarza, skręcił w lewo, następnie w prawo. Za każdym razem, gdy skręcali, zwalniali tempo, aby Opiekun Zwiadowców mógł pierwszy wyjrzeć za róg. Za każdym razem szeptem informował Thomasa o znikającym za następnym rogiem zadku Bóldożercy. Trwało to około dziesięciu minut, aż dotarli do długiego korytarza, na końcu którego znajdowało się Urwisko, za którym z kolei rozciągała się otwarta przestrzeń nieba. Bóldożerca zmierzał dokładnie w tamtym kierunku.

Minho zatrzymał się tak gwałtownie, że Thomas o mało na niego nie wpadł. Thomas wpatrywał się zszokowany, jak Bóldożerca przed nim toczy się wprost na krawędź Urwiska, po czym rzuca się z niego w szarą przepaść. Kreatura zniknęła z pola widzenia, niczym cień pochłonięty przez mrok.

– To wszystko wyjaśnia – powiedział Minho.

Thomas stał obok niego na krawędzi Urwiska, wpatrując się w szarą nicość rozpościerającą się pod nim. Nie było niczego widać, ani po lewej stronie, ani po prawej, ani na dole, ani u góry, tak daleko, jak tylko sięgał wzrokiem. Nic poza rozciągającą się wszędzie pustką.

– Co wyjaśnia? – zapytał Thomas.

– Widzieliśmy to już po raz trzeci. Coś jest na rzeczy.

– Tak. – Thomas wiedział, o co mu chodziło, jednak i tak czekał na wyjaśnienia Minho.

– Ten zmarlak, którego znalazłem, udał się w tę stronę i nigdy nie widzieliśmy, żeby wracał albo zapuszczał się w głąb Labiryntu. Później te ofermy, które podstępem skłoniliśmy do skoku z Urwiska.

– Skłoniliśmy? – zapytał Thomas. – Dobrowolnie to oni nie poszli.

Minho spojrzał na niego refleksyjnie.

– Hmm. Tak czy inaczej, teraz to. – Wskazał na przepaść. – Nie mam wątpliwości. W jakiś sposób Bóldożercy potrafią tędy *opuścić Labirynt*. Brzmi jak magia, ale to samo tyczy się znikającego słońca.

– Skoro *oni* mogą się tędy wydostać – dodał Thomas, kontynuując tok rozumowania kompana – to my również. – Dreszcz podekscytowania przebiegł mu po plecach.

Minho wybuchnął śmiechem.

– Znowu odzywa się w tobie pragnienie śmierci? Chcesz się powłóczyć z Bóldożercami, a może wyskoczycie razem na piwo?

Thomas poczuł, że opuszcza go nadzieja.

– Masz jakiś lepszy pomysł?

– Po kolei, świeżuchu. Weźmy najpierw kilka kamieni i zróbmy test. Tu musi być jakieś ukryte wyście.

Thomas pomógł mu w przeszukiwaniu po omacku za-kamarków i szczelin Labiryntu, podnosząc każdy kamień, który tylko udało mu się znaleźć. Zdobyli ich więcej dzięki rozłupywaniu szczelin w murze i roztrzaskiwaniu kawałków o ziemię. Gdy w końcu uskładali pokaźny stos, przetrans-portowali zdobycz nad krawędź i usiedli na ziemi, wystawia-jąc nogi nad Urwisko.

Thomas spojrzał w dół i dostrzegł jedynie szarą niekończą-cą się przepaść.

Minho wyciągnął swój notes oraz ołówek i położył je na ziemi.

– W porządku, musimy to wszystko porządnie opisać. I dobrze to wszystko zakonserwuj w tej twojej mózgownicy. Jeżeli wyjście stąd ukryte jest za jakąś optyczną iluzją, to nie chcę być tym, który nawali, kiedy jakiś sztamak będzie chciał tam wskoczyć.

– Tym sztamakiem powinien być Opiekun Zwiadowców – powiedział Thomas, zdobywając się na żart, aby ukryć ogarniający go strach. Zimny pot oblał go na myśl, że prze-bywali tak blisko miejsca, z którego w każdej chwili mogli wyjść Bóldożercy. – Zawsze możemy cię przywiązać do liny.

Minho podniósł kamień ze sterty.

– Ogay. Rzucajmy po kolei zygzakiem, tam i z powrotem. Jeżeli jest tam gdzieś jakieś magiczne wyjście, to miejmy na-dzieję, że podziała również na kamienie i one też znikną.

Thomas wziął kamień i ostrożnie rzucił nim w lewo, tuż przy miejscu, w którym lewa ściana korytarza wychodzącego na Urwisko łączył się z krawędzią. Poszarpany kawałek kamienia spadał. I spadał. Następnie utonął w szarej bezkresnej przestrzeni.

Przyszła kolej na Minho. Rzucił kamieniem o kilkanaście centymetrów dalej niż Thomas. Ten również zatopił się w otchłani. Thomas rzucił kolejnym, znowu o kilkanaście centymetrów dalej. Następnie ponownie Minho. Każdy z kamieni niknął w ciemnej topieli nieba. Thomas rzucał kamieniami coraz dalej, aż dotarli do miejsca oddalonego o jakieś cztery metry od krawędzi Urwiska. Następnie obrali za cel punkt znajdujący się trochę bliżej krawędzi, po czym zaczęli się kierować w stronę Labiryntu.

Wszystkie kamienie spadły. Gdziekolwiek by nimi nie trafili. Rzucili wystarczającą ilość, aby przykryć nimi całą lewą połowę powierzchni znajdującej się przed nimi, obejmującą odległość, którą każdy – lub *cokolwiek* – z pewnością by przeskoczył. Z każdym kolejnym kamieniem rosło w nich zniechęcenie, które w końcu przybrało postać ciężkiej chandry.

Thomas nie mógł powstrzymać się od zbesztania samego siebie – to był głupi pomysł.

Następnie kolejny kamień rzucony przez Minho zniknął.

To była najdziwniejsza, najtrudniejsza do przetworzenia przez jego mózg rzecz, jaką kiedykolwiek widział.

Minho rzucił wielkim kamieniem, który odpadł ze szczeliny w murze. Thomas obserwował wszystko wnikliwie. Ten kamień wyleciał z ręki Minho, poszybował do przodu, niemal w środek, naprzeciwko linii Urwiska, powoli spadając w kierunku niewidocznej ziemi głęboko na dole. Następnie wyparował, zupełnie jak gdyby przeleciał przez ścianę wody lub mgły.

W jednej chwili było widać, jak spada, w następnej już zniknął.

Thomas zaniemówił.

– Rzucaliśmy już stąd wcześniej różne rzeczy – odezwał się Minho. – Jak mogliśmy to przeoczyć? Nigdy wcześniej nie widziałem, żeby coś znikało. Nigdy.

Thomas zakasłał. Czuł się, jakby miał zdarte gardło.

– Zrób to jeszcze raz, może po prostu nam się zdawało.

Minho posłuchał go, rzucając kamień w to samo miejsce. I po raz kolejny kamień zniknął.

– Może wcześniej po prostu tego nie zauważyłeś – powiedział Thomas. – To nie powinno mieć miejsca. Czasami nie zwracasz zbyt wielkiej uwagi na rzeczy, których nie spodziewasz się zobaczyć.

Rzucili pozostałe kamienie, celując w pierwotny punkt i wokół niego. Ku zaskoczeniu Thomasa miejsce, w którym kamienie zniknęły, miało powierzchnię kilkudziesięciocentymetrowego kwadratu.

– Nic dziwnego, że to przeoczyliśmy – powiedział Minho, sporządzając notatki jak szalony i spisując rozmiary, starając się nakreślić szkic. – To miejsce nie jest zbyt duże.

– Bóldożercy muszą się ledwo przez to przeciskać. – Thomas nie spuszczał wzroku z obszaru, w którym znajdował się niewidzialny, zawieszony w powietrzu kwadrat, starając się wyryć w pamięci odległość i położenie, zapamiętać dokładnie, gdzie się znajdował. – A kiedy wychodzą, to muszą zachować równowagę na krawędzi tej dziury i przeskakiwać z powrotem dzielącą ich od krawędzi Urwiska przestrzeń. To nie jest tak daleko. Skoro ja mógłbym ją przeskoczyć, to oni z pewnością też.

Minho skończył rysunek, po czym spojrzał na zawieszone w powietrzu przejście.

– Jak to jest możliwe, stary? Co to w ogóle jest?

– Tak jak powiedziałeś, to nie jest żadna magia. To musi być coś w rodzaju naszego nieba, które zaszło szarzyzną. Jakaś optyczna iluzja lub hologram, za którym znajduje się ukryte wyjście. Całe to miejsce jest jakieś pochrzanione. – I, co Thomas przyznał przed samym sobą, całkiem super. Nie mógł się doczekać, aby dowiedzieć się, jaka technologia za tym stała.

– Taa. Dobra, zbieramy się. – Minho wstał, stękając z wysiłku, i założył plecak. – Lepiej, abyśmy sprawdzili największy obszar Labiryntu, jaki tylko nam się uda. Biorąc pod uwagę nasz nowy nieboskłon, całkiem możliwe, że spotkamy jeszcze coś ciekawego. Wieczorem powiemy o tym Newtowi i Alby'emu. Nie wiem, czy nam to pomoże, ale przynajmniej wiemy, gdzie chowają się te cholerne stwory.

– I skąd przychodzą – dodał Thomas spoglądając po raz ostatni na ukryte przejście. – Z Nory Bóldożerców.

– Nazwa dobra jak każda inna. Idziemy.

Thomas siedział i wpatrywał się, czekając, aż Minho wykona jakiś ruch. Kilka minut upłynęło im w całkowitej ciszy i Thomas uświadomił sobie, że jego przyjaciel musiał być równie zafascynowany tym odkryciem, co on sam. W końcu, bez słowa, Minho odwrócił się, by odejść. Thomas, ociągając się, podążył za nim i ruszyli w głąb szarego, mrocznego Labiryntu.

* * *

Nie znaleźli nic oprócz kamiennych murów i bluszczu.

Po drodze Thomas zostawiał odcięte pnącza i sporządzał notatki. Trudno było mu zapisywać spostrzeżenia odnośnie minionego dnia, jednak Minho bez namysłu wskazywał mu, które ściany uległy przesunięciu. Gdy w końcu dotarli do ostatniego ślepego zaułka i nadeszła pora powrotu, Thomas poczuł niemal niepohamowaną potrzebę, aby zrzucić plecak i zostać tam na noc. By zobaczyć, co się stanie.

Minho chyba to wyczuł i chwycił go za ramię.

– Jeszcze nie teraz, stary. Nie dzisiaj.

Ruszyli więc w drogę powrotną.

Mieszkańców Strefy dopadł ponury nastrój, o co było nietrudno, gdy wszystko spowijała szarość. Przyćmione światło nie zmieniło się ani trochę, odkąd obudzili się rano, i Thomas zastanawiał się, czy cokolwiek w ogóle zmieni się o „zachodzie".

Gdy weszli przez Zachodnie Wrota, Minho udał się prosto do Pokoju Map.

Thomas był zaskoczony. Wydawało mu się, że to była ostatnia rzecz, którą powinni teraz zrobić.

– Nie chcesz poinformować Newta i Alby'ego o Norze Bóldożerców?

– Hej, wciąż jesteśmy Zwiadowcami – odpowiedział Minho. – I wciąż mamy zadanie do wykonania. – Thomas podążył za nim do metalowych drzwi w betonowym budynku i Minho odwrócił się, a na jego twarzy pojawił się blady uśmiech. – Ale ogay, zrobimy szybko, co trzeba, i idziemy do nich.

W pokoju znajdowali się już inni Zwiadowcy, którzy sporządzali swoje Mapy. Nikt nie odezwał się ani słowem, jak gdyby wyczerpano temat wszelkich teorii dotyczących nowego nieba. Poczucie panującej w pokoju beznadziei sprawiło, że Thomas poczuł się, jak gdyby ugrzązł po kolana w błocie. Wiedział, że również powinien odczuwać zmęczenie, jednak był zbyt podekscytowany. Nie mógł się doczekać, kiedy zobaczy reakcję Newta i Alby'ego na wiadomości o Urwisku.

Usiadł przy stole i sporządził mapę na podstawie własnej pamięci i notatek. Minho przyglądał mu się cały czas, zerkając przez

jego ramię i udzielając wskazówek. – „Ta nora była raczej tutaj,
a nie tu" – i – „Uważaj na proporcje" – oraz – „Rysuj prosto, ślamajdo". – Był irytujący, ale pomocny, i piętnaście minut później
Thomas przyglądał się swojej ukończonej pracy. Poczuł dumę
– jego Mapa była tak samo dobra jak te, które oglądał wcześniej.

– Nieźle – powiedział Minho. – Jak na świeżucha, ma się
rozumieć.

Minho wstał i podszedł do kufra, w którym znajdowały się
Mapy z Sektora Pierwszego, i otworzył go. Thomas uklęknął
przed nim i wyciągnął ze środka Mapę z poprzedniego dnia,
trzymając ją razem z tą, którą właśnie nakreślił.

– Czego mam szukać? – zapytał.

– Powtarzających się schematów. Ale oglądanie Map
z dwóch dni nic ci nie da. Musisz przestudiować te z kilku
tygodni, poszukać schematów, czegokolwiek. Wiem, że coś
tam jest, coś, co nam pomoże. Po prostu jeszcze tego nie znaleźliśmy. Tak jak mówiłem, do dupy z taką robotą.

Dziwna myśl nie dawała Thomasowi spokoju, ta sama,
którą poczuł, gdy po raz pierwszy przekroczył próg tego
pomieszczenia. Przesuwające się mury Labiryntu. Schematy.
Wszystkie te linie proste. Może one wskazywały zupełnie
inny rodzaj Mapy? Może do czegoś prowadziły? Miał głębokie przeczucie, że umykało mu coś oczywistego.

Minho poklepał go po ramieniu.

– Zawsze możesz zawlec tu swój tyłek po kolacji, po tym,
jak pogadamy z Newtem i Albym. Chodź, idziemy.

Thomas schował Mapy do kufra i zamknął go, nie mogąc pozbyć się dręczącego go uczucia niepokoju. Przemieszczające się
ściany, proste linie, schematy... Musiała być jakaś odpowiedź.

– W porządku, chodźmy.

Ledwo wyszli na zewnątrz i ciężki metalowe drzwi zatrza-
snęły się z hukiem za nimi, kiedy podeszli do nich Newt

z Albym. Nie wyglądali na zadowolonych. Podekscytowanie Thomasa natychmiast przeobraziło się w zaniepokojenie.

– Hej – powiedział Minho. – Właśnie...

– Do rzeczy – przerwał mu Alby. – Nie ma czasu do stracenia. Znaleźliście coś? Cokolwiek?

Minho wzdrygnął się na ostrą uwagę, jednak wyraz jego twarzy wskazywał raczej na zdumienie niż złość.

– Też się cieszę na twój widok. Tak, w sumie to coś *znaleźliśmy*.

Co dziwne, Alby wyglądał na niemal rozczarowanego.

– Bo to purewskie miejsce rozlatuje się na kawałki. – Rzucił Thomasowi złowrogie spojrzenie, jakby to wszystko była jego wina.

Co mu jest? – pomyślał Thomas, czując, jak w nim samym narasta gniew. Cały dzień ciężko pracowali i tak im za to dziękują?

– O czym ty mówisz? – zapytał Minho. – Co jeszcze się stało?

Odpowiedział Newt, skinąwszy głową w kierunku Pudła.

– Nie dostaliśmy dzisiaj cholernego zaopatrzenia. Przychodziło zawsze o tej samej porze, co tydzień od dwóch lat. Ale nie dzisiaj.

Cała czwórka spojrzała na metalowe drzwi przytwierdzone do ziemi. Thomasowi wydawały się być cieniem zawieszonym nad ciemnoszarym powietrzem, które spowijało wszystko wokół.

– No to teraz jesteśmy upurwieni na dobre – wyszeptał Minho, a jego reakcja sprawiła, że Thomas uświadomił sobie, w jak ciężkiej znajdowali się sytuacji.

– Rośliny nie mają słońca – powiedział Newt. – Nie mamy też zapasów z cholernego Pudła. Tak, myślę, że jesteśmy upurwieni.

Alby skrzyżował ramiona, wciąż wpatrując się w Pudło, jakby starał się otworzyć drzwi siłą woli. Thomas miał nadzieję, że ich przywódca nie poruszy teraz kwestii tego, co widział w trakcie Przemiany, albo czegokolwiek, co miało coś wspólnego z Thomasem. Zwłaszcza teraz.

– Tak czy inaczej – kontynuował Minho – znaleźliśmy coś dziwnego.

Thomas czekał, licząc na jakąś pozytywną reakcję ze strony Newta lub Alby'ego, że być może nawet będą mieli jakieś informacje, które pozwolą rzucić nieco światła na tę tajemnicę.

Newt uniósł brwi.

– Co?

Wyjaśnienie sprawy zajęło Minho całe trzy minuty, począwszy od Bóldożercy, którego śledzili, i skończywszy na wynikach ich kamienistego eksperymentu.

– Pewnie prowadzi do miejsca, gdzie... no wiecie... *żyją* Bóldożercy – powiedział.

– Nora Bóldożerców – dodał Thomas. Wszyscy trzej spojrzeli na niego, rozdrażnieni, jak gdyby nie miał prawa zabierać głosu. Jednak, po raz pierwszy, potraktowanie go jak świeżucha nie zraniło chłopca aż tak bardzo.

– Muszę to zobaczyć na własne oczy – powiedział Newt. Następnie wyszeptał: – We łbie się nie mieści. – Thomas nie mógł się z nim bardziej zgodzić.

– Nie wiem, co możemy zrobić – wtrącił Minho. – Może zbudujemy coś, co zatarasuje ten korytarz.

– Nie ma mowy – powiedział Newt. – Cholerne kreatury potrafią łazić po ścianach, pamiętasz? Nic ich nie powstrzyma.

Hałas przed Bazą odwrócił ich uwagę od tematu rozmowy. Grupa Streferów stała przed wejściem do domu, przekrzykując się nawzajem. Był tam Chuck, i gdy dostrzegł Thomasa i resztę, podbiegł do nich z wymalowanym na twarzy wyrazem podekscytowania. Thomas mógł jedynie zgadywać, jaka szalona rzecz się tym razem wydarzyła.

– Co się dzieje? – zapytał Newt.

– Obudziła się! – wrzasnął Chuck. – Dziewczyna się obudziła!

Thomas poczuł skręt w żołądku. Oparł się o betonową ścianę budynku. Dziewczyna. Dziewczyna, która mówiła w jego głowie. Chciał uciec, nim znowu się to wydarzy, nim znowu zawładnie jego umysłem.

Jednak było już za późno.

– Tom, nie znam nikogo z tych ludzi. Przyjdź po mnie! Wszystko się zaciera... Zapominam o wszystkim, oprócz ciebie... Muszę ci o czymś powiedzieć! Moja pamięć zanika...

Nie rozumiał, jak to robiła, jak udało jej się przeniknąć do jego umysłu.

Teresa zamilkła na chwilę, po czym powiedziała coś, co było zupełnie pozbawione sensu.

– Labirynt to kod, Tom. Labirynt to kod.

36

Thomas nie chciał się z nią zobaczyć. Nie chciał się z nikim widzieć.

Jak tylko Newt poszedł z nią porozmawiać, Thomas wymknął się po cichu, licząc, że nikt w całym tym zamieszaniu go nie zauważy. To było łatwe, zwłaszcza że wszyscy skupili się na nieznajomej dziewczynie, która właśnie obudziła się ze śpiączki. Obszedł skraj Strefy, następnie biegiem udał się w swoje zaciszne miejsce w lesie z tyłu Grzebarzyska.

Przyczaił się w rogu, wtulając w bluszcz i zarzucając na całe ciało koc. Wyglądało to na rozpaczliwą próbę ukrycia się przed wtargnięciem Teresy do jego umysłu. Upłynęło kilka minut, jego serce w końcu się uspokoiło.

– Najgorsze było zapominanie ciebie.

Z początku Thomas sądził, że to kolejna wiadomość w jego głowie. Przycisnął ściśnięte pięści do uszu. Jednak tym razem głos był jakiś... inny. Usłyszał go na własne uszy. Dziewczęcy głos. Ciarki przeszły mu po plecach, gdy powoli odsłonił koc.

Po jego prawej stronie stała Teresa, opierając się o masywny kamienny mur. Wyglądała teraz zupełnie inaczej, była przytomna i żywa. Ubrana w białą koszulę z długimi rękawami, niebieskie jeansy i brązowe buty, wydawała się jeszcze piękniejsza niż wtedy, gdy widział ją w śpiączce. Miała czarne włosy, jasną skórę, a w jej oczach płonął żywy ogień.

– Tom, czy ty naprawdę mnie nie pamiętasz? – Jej głos był delikatny, w przeciwieństwie do tego oszalałego, ciężkiego dźwięku, który z siebie wydobyła, gdy przekazała wiadomość, że *nic już nie będzie takie jak kiedyś.*

– To znaczy... że ty pamiętasz mnie? – zapytał, zawstydzony piskliwym dźwiękiem, który wydał z siebie przy ostatnim słowie.

– Tak. Nie. Może. – Oburzona wzniosła ręce w górę. – Nie potrafię tego wytłumaczyć.

Thomas otworzył usta, po czym zamknął je, nie wypowiadając ani słowa.

– Pamiętam, że *pamiętałam* – wyszeptała, siadając i ciężko wzdychając. Przysunęła kolana do piersi i objęła je ramionami.

– Uczucia. Emocje. Zupełnie jakbym miała w głowie półki opatrzone etykietą dla wspomnień i twarzy, które są teraz puste. Jak gdyby wszystko, co wydarzyło się wcześniej, znajdowało się po drugiej stronie, spowite białą zasłoną. Łącznie z tobą.

– Ale skąd mnie znasz? – Czuł się, jakby ściany wokół niego wirowały.

Teresa odwróciła się w jego stronę.

– Nie wiem. Ale to ma coś wspólnego z wydarzeniami sprzed Labiryntu. Z nami. Ale jak mówiłam, to wspomnienie jest głównie puste.

– Skąd wiesz o Labiryncie? Kto ci powiedział? Przecież dopiero co się obudziłaś.

– Ja... mam teraz jeden wielki mętlik w głowie. – Wyciągnęła dłoń. – Ale wiem, że jesteś moim przyjacielem.

Niemal oszołomiony, Thomas odciągnął całkowicie koc i pochylił się do przodu, aby uścisnąć jej dłoń.

– Podoba mi się, jak mówisz do mnie *Tom.* – Wiedział, że nie mógł powiedzieć niczego bardziej głupiego, gdy tylko słowa opuściły jego usta.

Teresa przewróciła oczami.

– To przecież twoje imię, czyż nie?

– Tak, ale większość ludzi zwraca się do mnie per Thomas. Może poza Newtem, on mówi do mnie Tommy. *Tom* sprawia, że czuje się... jakbym był w domu, choć sam nie wiem, czym on właściwie jest. – Wydał z siebie gorzki uśmiech. – Jesteśmy popaprani czy jak?

Uśmiechnęła się po raz pierwszy i Thomas o mało nie odwrócił wzroku, zupełnie jak gdyby tak miła rzecz nie pasowała zupełnie do tak ponurego i szarego miejsca. Jakby nie miał prawa spoglądać na jej uśmiech.

– Tak i to nieźle – odpowiedziała. – Boję się.

– Ja też, możesz mi wierzyć.

Upłynęło kilka minut, podczas których oboje wbijali wzrok w ziemię.

– Jak... – zaczął, nie wiedząc, jak ją zapytać. – W jaki sposób... rozmawiałaś ze mną w mojej głowie?

Teresa pokręciła głową.

– *Nie mam pojęcia, po prostu potrafię* – powiedziała do niego w myślach. Następnie przemówiła na głos: – To tak, jakbyś próbował teraz jazdy na rowerze, gdyby go tu mieli. Założę się, że mógłbyś to zrobić bez chwili namysłu. Ale czy pamiętasz, jak uczyłeś się na nim jeździć?

– Nie. Chodzi mi o to, że... Pamiętam, jak się jeździ, ale nie mogę sobie przypomnieć, kiedy się tego nauczyłem. – Zamilkł, czując ogarniający go smutek. – Albo kto mnie tego nauczył.

– Cóż – powiedziała, jej usta drżały, jakby poczuła się zakłopotana jego nagłym przejawem przygnębienia. – Tak czy inaczej... to właśnie mniej więcej tak wygląda.

– To wyjaśnia parę rzeczy.

Teresa wzruszyła ramionami.

– Ale nikomu o tym nie mówiłeś? Pomyślą, że oszaleliśmy.

– Cóż... powiedziałem, kiedy przytrafiło mi się to po raz pierwszy. Ale wydaje mi się, że Newt doszedł do wniosku, że to z powodu stresu. – Thomas poczuł się niespokojnie, zupełnie jak gdyby miał oszaleć, jeżeli się nie poruszy. Wstał i zaczął chodzić w kółko. – Musimy wyjaśnić parę rzeczy. Tę dziwną wiadomość, którą trzymałaś, mówiącą, że jesteś ostatnią osobą, która tu przybyła, twoją śpiączkę, fakt, że możesz się ze mną telepatycznie porozumiewać. Coś przychodzi ci do głowy?

Teresa wodziła za nim wzrokiem, kiedy chodził tam i z powrotem.

– Oszczędzaj siły i nie zadawaj więcej pytań. Mam jedynie niejasne wrażenie, że ty i ja byliśmy istotni, że w jakiś sposób nas *wykorzystano*. Że jesteśmy inteligentni. Że przybyliśmy tu nie bez powodu. Wiem, że zapoczątkowałam Koniec, cokolwiek to oznacza. – Jęknęła, a jej twarz zaszła purpurą. – Moje wspomnienia są równie bezużyteczne, co twoje.

Thomas uklęknął przed nią.

– Nieprawda. To, że wiedziałaś o tym, iż wymazano mi pamięć, nawet mnie o to nie pytając, i o pozostałych rzeczach, świadczy o tym, że wiesz o wiele więcej niż ktokolwiek z nas.

Ich spojrzenie spotkało się na dłuższą chwilę. Jej umysł wirował, starając się nadać temu wszystkiemu sens.

– *Po prostu tego nie rozumiem* – powiedziała w myślach.

– No i znowu – powiedział na głos Thomas, choć ulżyło mu, że już się nie obawiał tego głosu w głowie. – Jak ty to robisz?

– Tak po prostu, i założę się, że ty też potrafisz.

– Cóż, jakoś nie palę się, aby spróbować. – Thomas usiadł na ziemi i przyciągnął kolana do piersi, tak jak zrobiła to wcześniej Teresa. – Powiedziałaś coś do mnie, w mojej głowie, tuż przed tym, jak mnie tu znalazłaś. Powiedziałaś, że „Labirynt to kod". Co miałaś na myśli?

Pokręciła lekko głową.

– Kiedy obudziłam się po raz pierwszy, to czułam się, jakbym była w zakładzie dla obłąkanych. Jakieś dziwne osoby nade mną, świat wyłaniał się wokół, wspomnienia w mojej głowie wirowały jak szalone. Starałam się uchwycić kilka i to było właśnie jedno z nich. Nie pamiętam, *dlaczego* to powiedziałam.

– Było coś jeszcze?

– Prawdę mówiąc, to tak. – Podwinęła lewy rękaw koszuli, odsłaniając ramię. Na jej skórze, czarnym tuszem wypisane były niewielkie litery.

– Co to jest? – zapytał, nachylając się bliżej.

– Sam przeczytaj.

Litery były niechlujnie nakreślone, jednak kiedy uważniej się im przyjrzał, zdołał odczytać napis. **DRESZCZ jest dobry.**

Serce zabiło mu szybciej.

– Widziałem już to słowo. DRESZCZ. – Szukał w głowie odpowiedzi, co ono mogło oznaczać. – Na małych owadach, które tu żyją. Na żukolcach.

– Co to za jedne?

– Jaszczurkopodobne maszyny, które szpiegują nas na zlecenie Stwórców, ludzi, którzy nas tu zesłali.

Teresa zastanawiała się nad tym przez chwilę, spoglądając przed siebie. Następnie skupiła wzrok na swoim ramieniu.

– Nie pamiętam, dlaczego to napisałam – powiedziała, śliniąc kciuk i starając się zmazać wypisane słowa. – Ale nie pozwól mi o tym zapomnieć. To musi coś znaczyć.

Te trzy słowa nie dawały Thomasowi spokoju.

– Kiedy to napisałaś?

– Kiedy się obudziłam. Obok łóżka leżał długopis i notes. Zapisałam to, kiedy zrobiło się zamieszanie.

Ta dziewczyna go zdumiewała – najpierw więź, która ich łączyła od samego początku, później telepatia, a teraz to.

– Wszystko, co się z tobą wiąże, jest jakieś dziwne. Wiesz o tym, prawda? – zapytał Thomas.

– Patrząc na twoją małą kryjówkę, powiedziałabym, że z tobą też nie wszystko jest w porządku. Bo kto normalny mieszka w lesie?

Thomas próbował rzucić na nią gniewne spojrzenie, jednak się uśmiechnął. Czuł się żałośnie i było mu wstyd, że się ukrywał.

– Cóż, wygląda na to, że jesteśmy do siebie podobni, a w dodatku twierdzisz, że jesteśmy przyjaciółmi. Chyba muszę ci zaufać.

Wyciągnął dłoń, by po raz kolejny ją uścisnąć. Teresa trzymała jego dłoń przez dłuższą chwilę. Thomas poczuł z tego powodu niespodziewanie przyjemny *dreszcz*.

– Chcę tylko wrócić do domu – powiedziała, w końcu wypuszczając jego dłoń. – Tak jak każdy z was.

Thomas doznał gorzkiego rozczarowania, gdy nagle powrócił do rzeczywistości i uświadomił sobie, jak ponurym miejscem stał się świat.

– Obecnie sytuacja nie wygląda za ciekawie. Słońce zniknęło, a niebo spowiła szarość, nie przysłano nam również cotygodniowego zaopatrzenia. Wygląda więc na to, że wkrótce i tak się to wszystko zakończy.

Jednak zanim Teresa zdążyła mu odpowiedzieć, z lasu wybiegł Newt, zmierzając w ich w stronę.

– Jak u diabła... – powiedział, zatrzymując się przed nimi. Alby oraz kilka innych osób było tuż za nim. Newt spojrzał na Teresę. – Jak się tu dostałaś? Plaster powiedział, że w jednej chwili leżałaś w łóżku, a w następnej już cię, cholera, nie było.

Teresa wstała, zaskakując Thomasa swoją pewnością siebie.

– Chyba zapomniał wspomnieć o tym, jak kopnęłam go w krocze i uciekłam przez okno.

Thomas wybuchnął śmiechem, gdy Newt odwrócił się do starszego chłopaka, który stał nieopodal i którego twarz nagle oblała się purpurą.

– Moje gratulacje, Jeff – powiedział Newt. – Zostałeś oficjalnie pierwszym facetem w Strefie, który dał się skopać dziewczynie.

Teresa nie przerywała.

– Mów tak dalej, a będziesz następny.

Newt odwrócił się w ich stronę, jednak na jego twarzy nie malował się lęk. Stał w milczeniu, po prostu się w nich wpatrując. Thomas robił to samo, zastanawiając się, co chodziło Newtowi po głowie.

Alby podszedł do nich.

– Mam tego dość. – Wskazał na pierś Thomasa, niemal go trącając. – Chcę wiedzieć, kim jesteś, kim jest ta dziewucha i skąd się znacie.

Thomas poczuł, jak robi mu się słabo.

– Alby, przysięgam, ja...

– Jak tylko się obudziła, przyszła prosto do ciebie, smrodasie!

Thomas poczuł, jak wzbiera w nim gniew i niepokój, że Alby postrada rozum, tak jak Ben.

– No i co z tego? Znam ją, ona zna mnie lub przynajmniej się znaliśmy. To nic nie znaczy! Nic nie pamiętam. Tak samo jak ona.

Alby spojrzał na Teresę.

– Co zrobiłaś?

Thomas, zdumiony pytaniem, spojrzał na Teresę, aby zobaczyć, czy dziewczyna wie, o co mu chodziło. Jednak nie odpowiedziała.

– Co zrobiłaś, się pytam! – wrzasnął Alby. – Najpierw niebo, teraz to.

– Zapoczątkowałam coś – odpowiedziała spokojnym głosem. – Nie specjalnie, przysięgam. Zapoczątkowałam Koniec. Ale nie wiem, co to oznacza.

– Co jest, Newt? – zapytał Thomas, nie chcąc się zwracać bezpośrednio do Alby'ego. – Co się stało?

Jednak Alby chwycił go za koszulkę.

– Co się stało?! Powiem ci, co się stało, smrodasie. Jesteś zbyt zajęty robieniem maślanych oczu, aby się rozejrzeć wokoło. Aby zauważyć, jaka jest cholerna pora dnia!

Thomas spojrzał na zegarek, uświadamiając sobie, przerażony, co przeoczył. I wiedział już, co Alby chciał mu powiedzieć, nim jeszcze zdążył to zrobić.

– *Mury*, krótasie. *Wrota*. Nie zamknęły się dziś na noc.

Thomas zaniemówił. Teraz wszystko się zmieni. Nie ma słońca, nie ma zaopatrzenia, nie ma ochrony przed Bóldożercami. Teresa miała rację od samego początku – nic już nie jest takie jak kiedyś. Thomas poczuł, jakby oddech zamarzł mu w piersi, i nie mógł wydusić z siebie słowa.

Alby wskazał na dziewczynę.

– Zamknąć ją i to teraz! Billy, Jackson, brać ją! Wsadźcie ją do Ciapy i nie zwracajcie uwagi na jej pyskatą gebę.

Teresa nie zareagowała, jednak Thomas nie mógł stać spokojnie z boku i przyglądać się temu.

– Co ty wygadujesz? Nie możesz... – przerwał, gdy dostrzegł w oczach Alby'ego wściekłość tak wielką, że aż serce mu zadrżało. – Ale... jak możesz ją obwiniać o to, że mury nie zamknęły się na noc?

Newt zrobił krok naprzód i położył delikatnie dłoń na piersi Alby'ego, odpychając go.

– Jeszcze się pytasz, Tommy? Przecież sama się, cholera, do tego przyznała.

Thomas odwrócił się, aby spojrzeć na Teresę, i pobladł na widok smutku w jej błękitnych oczach. Poczuł się, jakby ktoś ścisnął dłonią jego serce.

– Ciesz się, że do niej nie dołączysz – powiedział Alby i rzucił im ostatnie spojrzenie, nim odszedł. Nigdy wcześniej Thomas nie miał tak wielkiej ochoty kogoś uderzyć.

Billy i Jackson podeszli do Teresy i chwycili za obie ręce,

po czym zaczęli eskortować ją do więzienia.

Zanim jednak dotarli do drzew, Newt ich zatrzymał.

– Zostańcie z nią. Bez względu na to, co się wydarzy, nikt nie ma prawa jej dotknąć. Przyrzeknijcie na swoje życie.

Strażnicy skinęli, po czym odeszli, zabierając ze sobą więźnia. Thomasa zabolało jeszcze bardziej to, że poszła z nimi bez oporu. Nie mógł uwierzyć w smutek, który go ogarnął. Nie chciał się z nią rozstawać.

Przecież dopiero, co ją spotkałem, pomyślał. Nawet jej nie znam.

Wiedział jednak, że to nie była prawda. Czuł łączącą ich bliskość, która mogła powstać jedynie w czasie, zanim wymazano im pamięć.

– *Przyjdź do mnie* – powiedziała w myślach.

Nie wiedział, jak jej odpowiedzieć. Nie potrafił się w ten sposób porozumiewać. Ale i

tak spróbował.

– *Dobrze. Przynajmniej będziesz tam bezpieczna.*

Nie odpowiedziała.

– *Teresa?*

Brak odpowiedzi.

Kolejne trzydzieści minut były wybuchem masowego zamętu.

Choć od ranka, kiedy nie pojawiło się słońce, światło wcale nie uległo zmianie, to można było dostrzec, jakby nad Strefą rozpostarła się ciemność. Gdy Newt z Albym zwołali wszystkich Opiekunów i nakazali im zebrać wszystkie grupy wewnątrz Bazy w przeciągu godziny, Thomas czuł się jedynie obserwatorem, nie wiedząc do końca, jak może pomóc.

Budole – bez swojego szefa Gally'ego, który nadal pozostawał zaginiony – dostali rozkaz postawienia barykady przy wszystkich otwartych Wrotach. Wykonali to polecenie, choć

Thomas wiedział, że nie było zbyt wiele czasu ani materiałów, aby wynikła z tego jakakolwiek korzyść. Zdawało mu się niemal, że Opiekunom zależało na tym, aby zająć ludzi czymkolwiek, aby odwlec w czasie nieunikniony atak paniki. Thomas pomógł Budolom w szukaniu każdego nadającego się przedmiotu, zbierali je i rzucali w szczeliny pomiędzy murami, starając się wszystko poprzybijać, jak tylko mogli najmocniej. Całość wyglądała mizernie i żałośnie, i przerażała go śmiertelnie. Nie było mowy, aby w ten sposób powstrzymali najazd Bóldożerców.

W czasie pracy Thomas zerkał na innych uwijających się przy swoich zadaniach mieszkańców Strefy.

Każda latarka, jaką znaleziono, została rozdana. Newt wydał polecenia, aby wszyscy nocowali w Bazie, i żeby nikt nie włączał światła bez konieczności. Patelniak miał za zadanie zabrać z kuchni całe zapasy trwałego jedzenia i zanieść je do Bazy na wypadek, gdyby zostali tam uwięzieni – Thomas mógł sobie jedynie wyobrazić, jak okropna była to wizja. Reszta zbierała zapasy i narzędzia. Thomas zobaczył, jak Minho przenosi z piwnicy do głównego budynku broń. Alby wyraził się jasno, że nie będą ryzykować: uczynią z Bazy swoją fortecę i muszą zrobić wszystko, aby jej bronić.

Kiedy Thomasowi w końcu udało się niepostrzeżenie oddalić od Budoli, poszedł pomóc Minho w przenoszeniu pudeł z nożami i kijami owiniętymi drutem kolczastym. Następnie Minho powiedział, że Newt przydzielił mu specjalne zadanie i mniej więcej dał Thomasowi jasno do zrozumienia, aby spływał, odmawiając udzielania mu jakichkolwiek wyjaśnień.

Thomas poczuł się zraniony, jednak odszedł, tak naprawdę chcąc porozmawiać o pewnej sprawie z Newtem. Odnalazł go w końcu, gdy przechodził przez dziedziniec w stronę Mordowni.

– Newt! – zawołał, starając się go dogonić. – Musisz mnie wysłuchać.

Newt zatrzymał się tak niespodziewanie, że Thomas, rozpędzony, o mało na niego nie wpadł. Odwrócił się i rzucił Thomasowi poirytowane spojrzenie, zdające się mówić, aby dobrze się zastanowił, zanim cokolwiek powie.

– Streszczaj się – odpowiedział.

Thomas o mało nie wzdrygnął się, nie wiedząc do końca, jak wyrazić to, co miał na myśli.

– Musicie ją wypuścić. – Wiedział, że tylko ona mogła pomóc, że nadal może pamiętać o czymś istotnym.

– Fajnie, że się zakumplowaliście. – Newt zaczął odchodzić. – Nie zawracaj mi głowy, Tommy.

Thomas chwycił go za rękę.

– Wysłuchaj mnie! Jej obecność coś znaczy. Wydaje mi się, że przysłano nas tutaj, żebyśmy wam pomogli i zakończyli to wszystko.

– Zakończyli. Jasne, przez wpuszczenie hordy Bóldożerców, aby nas pozabijali. Słyszałem już dzisiaj kilka walniętych pomysłów, ale twój bije je wszystkie na głowę.

Thomas wydał z siebie pomruk niezadowolenia, aby Newt dowiedział się, jak bardzo był poirytowany.

– Nie, wcale nie sądzę, aby o to chodziło.

Newt skrzyżował ramiona na piersi. Wyglądał na rozdrażnionego.

– O czym ty ględzisz, świeżuchu?

Odkąd Thomas zobaczył wypisane na murze w Labiryncie słowa – *departament rozwoju eksperymentów, strefa zamknięta: czas zagłady* – nie przestawał o nich rozmyślać. Wiedział, że jeżeli ktokolwiek miał mu uwierzyć, to właśnie Newt.

– Myślę, że... jesteśmy tu w ramach jakiegoś chorego eksperymentu lub testu, albo czegoś podobnego. Ale on zmierza ku końcowi. Nie możemy przecież tkwić tu w nieskończoność. Ktokolwiek nas tu umieścił, chce, aby to się już zakończyło. W ten czy w inny sposób. – Thomas odczuł ulgę, gdy to z siebie wyrzucił.

Newt przetarł oczy.

– I to niby ma mnie przekonać, że wszystko jest cacy i że powinienem ją wypuścić? Bo księżniczka się zjawiła i nagle wszystko wywróciło się do góry nogami?

– Nie o to chodzi. Nie sądzę, aby ona miała cokolwiek wspólnego z naszą obecnością tutaj. Jest jedynie pionkiem. Przysłali ją tutaj, jako nasze ostatnie narzędzie, wskazówkę czy cokolwiek, co pomogłoby nam się stąd wydostać. – Thomas wziął głęboki oddech. – Myślę, że mnie również przysłali z tego powodu. To, że zapoczątkowała Koniec, nie oznacza wcale, że jest zła.

Newt spojrzał w kierunku Ciapy.

– Wiesz co? W tej chwili mi to powiewa. Jedną noc może tam przekimać. Przynajmniej będzie bezpieczna.

Thomas przytaknął, wyczuwając możliwość dojścia do kompromisu.

– W porządku, musimy sobie jakoś dzisiaj dać radę. Rano, kiedy będzie już bezpiecznie, pomyślimy, co z nią zrobić. Pomyślimy, co sami mamy dalej robić.

Newt prychnął.

– Wydaje ci się, Tommy, że jutro będzie inaczej? Siedzimy tu już od ponad dwóch cholernych lat.

Thomasa ogarnęło przytłaczające przeczucie, że ostatnie wydarzenia były zachętą, katalizatorem, aby to wszystko zakończyć.

– Ponieważ teraz już *musimy* znaleźć stąd wyjście. Nie będziemy mieli wyboru. Nie możemy dłużej w ten sposób żyć, z dnia na dzień, patrząc tylko na to, czy uda nam się dotrzeć cało i bezpiecznie z powrotem do Strefy przed zamknięciem Wrót na noc.

Newt stał przez chwilę w milczeniu. Z każdej strony otaczali ich krzątający się po całym dziedzińcu Streferzy.

– Musimy dać z siebie więcej. Zostać tam, kiedy mury zaczną się przesuwać.

– Dokładnie – powiedział Thomas. – Właśnie o to mi chodzi. Być może uda nam się zabarykadować lub wysadzić wejście do Nory Bóldożerców. Zyskać trochę czasu, aby przeszukać Labirynt.

– Alby nie zgodzi się na wypuszczenie dziewczyny – powiedział Newt, skinąwszy głową w stronę Bazy. – Facet nie ma o was najlepszego zdania, ale teraz naszym zmartwieniem jest to, aby przetrwać do rana.

Thomas przytaknął.

– Możemy ich pokonać.

– Już raz skopałeś im tyłki, co nie? – Nie czekając na odpowiedź, Newt odszedł, wydzierając się na ludzi, aby dokończyli pracę i udali się do Bazy.

Thomas był zadowolony z rozmowy, lepszego jej przebiegu nie mógł sobie wymarzyć. Postanowił się pośpieszyć i porozmawiać z Teresą, zanim będzie za późno. Biegnąc do Ciapy, która znajdowała się z tyłu Bazy, zerkał na gromadzących się już wewnątrz Streferów, którzy taszczyli ze sobą mnóstwo rzeczy.

Thomas zatrzymał się przed niewielkim więzieniem, łapiąc oddech.

– Teresa? – zapytał w końcu przez okratowane okienko pozbawionej światła celi.

Jej twarz wyskoczyła nagle po przeciwnej stronie. Wystraszyła go.

Zanim zdążył się powstrzymać, wydał z siebie zduszony krzyk – chwilę później doszedł do siebie.

– Potrafisz nieźle człowieka nastraszyć.

– To naprawdę słodkie – powiedziała. – Dziękuję. – W ciemności jej błękitne oczy zaczynały świecić jak u kota.

– Nie ma za co – odpowiedział, nie zwracając uwagi na jej sarkazm. – Posłuchaj, tak sobie myślałem... – Zawahał się, zbierając myśli.

– Na pewno więcej niż ten palant Alby – mruknęła pod nosem.

Thomas zgadzał się z nią, jednak chciał jej jak najszybciej powiedzieć o tym, z czym do niej przyszedł.

– Stąd musi być jakieś wyjście. Musimy się po prostu wysilić i zostać w Labiryncie dłużej. A to, co napisałaś na ramieniu, i co powiedziałaś o kodzie, to musi przecież coś oznaczać.

Musi – pomyślał. Poczuł odrobinę nadziei.

– Myślałam o tym samym. Ale najpierw, czy możesz mnie stąd wydostać? – Jej dłonie pojawiły się nagle, ściskając okienne kraty. Thomas poczuł absurdalną potrzebę dotknięcia ich.

– Newt powiedział, że może jutro wyjdziesz. – Thomas cieszył się, że udało mu się osiągnąć tak wielkie ustępstwo. – Przez noc będziesz musiała tu jakoś wytrzymać. W sumie to może być najbezpieczniejsze miejsce w Strefie.

– Dziękuję, że go poprosiłeś. Fajnie będzie przespać się na tej zimnej podłodze. – Wskazała kciukiem za siebie. – Chociaż może powinnam się cieszyć, że żaden Bóldożerca nie przeciśnie się przez to okienko?

Wspomnienie Bóldożerców zaskoczyło go. Nie przypominał sobie, aby zdążył jej o nich powiedzieć.

– Jesteś pewna, że niczego nie pamiętasz?

Namyślała się przez chwilę.

– To dziwne, ale wydaje mi się, że parę rzeczy pamiętam. Chyba że po prostu o tym usłyszałam, kiedy leżałam w śpiączce.

– W sumie to nie ma teraz żadnego znaczenia. Chciałem się z tobą zobaczyć, zanim wejdę na noc do środka. – Jednak nie chciał odchodzić. Niemal żałował, że nie zamknięto go razem z nią. Uśmiechnął się w myślach. Mógł sobie jedynie wyobrazić reakcje Newta na taką prośbę.

– Tom?

Thomas uświadomił sobie, że wpatrywał się oszołomiony w przestrzeń.

– Tak?

Jej dłonie zniknęły niepostrzeżenie w ciemności celi. Widział jedynie jej oczy i bladą poświatę jej białej skóry.

– Nie wiem, czy wytrzymam tu przez całą noc.

Thomas poczuł, jak ogarnia go niewiarygodny przypływ smutku. Chciał ukraść Newtowi klucze i pomóc jej w ucieczce. Wiedział jednak, że to był absurdalny pomysł. Będzie musiała po prostu przez to przejść. Spojrzał w jej błyszczące oczy.

– Przynajmniej nie zapadnie całkowita ciemność. Wygląda na to, że jesteśmy skazani na ten szajso-zmierzch dwadzieścia cztery godziny na dobę.

– Taa... – Teresa spojrzała na Bazę za nim, po czym ponownie skupiła się na Thomasie. – Twarda ze mnie dziewczyna, nic mi nie będzie.

Thomas czuł się okropnie, zostawiając ją tam, jednak wiedział, że nie ma innego wyboru.

– Dopilnuję, żeby wypuścili cię z samego rana.

Uśmiechnęła się, sprawiając, że poczuł się lepiej.

– Obiecujesz?

– Obiecuję. – Thomas puknął palcami w swoją prawą skroń. – Jeżeli poczujesz się samotna, to możesz ze mną porozmawiać za pomocą... wszelkich twoich sztuczek. Postaram się ci odpowiedzieć. – Pogodził się już z tym, niemal tego pragnął.

Miał jedynie nadzieję, że uda mu się ustalić, jak jej odpowiedzieć, aby mogli ze sobą porozmawiać.

– *Niedługo się nauczysz* – powiedziała w myślach.

– Mam nadzieję. – Stał w miejscu i nie chciał się stamtąd ruszyć. Na krok.

– Lepiej już idź. Nie chcę mieć cię na swoim sumieniu.

Thomas zmusił się do uśmiechu.

– Dobrze. Do zobaczenia jutro.

I zanim zdążył się rozmyślić, odszedł niepostrzeżenie, skręcając za rogiem w stronę głównego wejścia do Bazy, w chwili gdy ostatni Streferzy, poganiani przez Newta niczym zbłąkane kurczaki, wchodzili właśnie do środka. Thomas wślizgnął się za nimi, a na samym końcu wszedł Newt, zamykając za sobą drzwi.

Zanim zdążyły się zatrzasnąć, Thomasowi wydawało się, że usłyszał pierwszy upiorny jęk Bóldożerców, dobiegający gdzieś z głębi Labiryntu.

Zapadła noc.

38

Większość mieszkańców Strefy spała zazwyczaj na zewnątrz, więc zgromadzenie ich wszystkich wewnątrz Bazy spowodowało spory ścisk. Opiekunowie przydzielili Streferów do poszczególnych pokojów, rozdając koce i poduszki. Pomimo dużej liczby osób oraz panującego chaosu, wśród zebranych zapanowała niepokojąca cisza, zupełnie jakby nikt nie chciał zwracać na siebie uwagi.

Kiedy wszyscy już byli na swoich miejscach, Thomas poszedł wraz Newtem, Albym i Minho na górę, gdzie w końcu mogli dokończyć rozpoczętą wcześniej rozmowę. Alby i Newt usiedli na jedynym łóżku w pokoju, podczas gdy Thomas i Minho spoczęli na krzesłach naprzeciwko. Pozostałymi meblami w pokoju była krzywa drewniana toaletka oraz mały stolik z lampą, z której płynęło jedyne światło. Szara ciemność napierała z zewnątrz na szyby okien, zwiastując nadejście złowrogich wydarzeń.

– Niewiele brakuje – mówił Newt – abym rzucił to wszystko w cholerę i pocałował Bóldożercę na dobranoc. Nie mamy zapasów, wisi nad nami szare niebo, mury się nie zamykają. Nie możemy się jednak poddawać i wszyscy o tym wiemy. Ćwoki, które nas tu przysłały, albo chcą nas zabić, albo pobudzić nas do działania. Tak czy inaczej, musimy ruszyć tyłki, póki jeszcze możemy.

Thomas przytaknął, jednak nic nie odpowiedział. Zgadzał się całkowicie, jednak nie miał żadnych konkretnych pomysłów w związku z tym, co należało zrobić. Jeżeli przetrwają do rana, to może razem z Teresą uda im się coś wymyślić.

Thomas spojrzał na Alby'ego, który wpatrywał się w podłogę, najwyraźniej pogrążony we własnych ponurych myślach. Na jego twarzy wciąż malowało się zmęczenie oraz przygnębienie, a oczy miał zapadnięte i podkrążone. Przemiana było właściwym określeniem, biorąc pod uwagę to, co z nim zrobiła.

– Alby? – zapytał Newt. – Chcesz się przyłączyć?

Alby podniósł wzrok, zaskoczenie malowało się na jego twarzy, zupełnie jakby nie zdawał sobie sprawy z tego, że ktoś inny jeszcze przebywał w pokoju.

– Co? Ach tak. Ogay. Ale widzieliście, co się dzieje nocą. Tylko dlatego, że udało się Superświeżuchowi, to wcale nie oznacza, że uda się i nam.

Thomas przewrócił oczami i zerknął w kierunku Minho. Miał już dość zachowania Alby'ego.

Jeżeli Minho myślał to samo, to dobrze to ukrywał.

– Popieram Thomasa i Newta. Musimy skończyć z tym mazgajeniem i użalaniem się nad sobą. – Zatarł ręce i nachylił się do przodu. – W pierwszej kolejności jutro z samego rana, kiedy Zwiadowcy wyruszą do Labiryntu, przydzielicie grupy do studiowania Map na okrągło. Spakujemy się porządnie, tak abyśmy mogli tam zostać przez kilka dni.

– Że co? – zapytał Alby głosem, który w końcu ujawnił jakieś emocje. – Co masz na myśli, mówiąc *dni*?

– Mam na myśli *dni*. Przy otwartych Wrotach i braku słońca i tak nie ma sensu tutaj wracać. Pora zabawić tam dłużej i sprawdzić, czy gdzieś nie otwierają się jakieś drzwi, kiedy mury się przesuwają. Jeżeli się jeszcze przesuwają.

– Nie ma mowy – odparł Alby. – Ukryjemy się w Bazie, a jeżeli to się nie sprawdzi, to mamy jeszcze Pokój Map i Ciapę.

Nie możemy, purwa, prosić ludzi, aby poszli tam na pewną śmierć! Kto by się na to odważył?

– Ja – odpowiedział Minho. – I Thomas.

Wszyscy spojrzeli na Thomasa, który po prostu przytaknął. Choć myśl ta przerażała go śmiertelnie, to zbadanie Labiryntu – prawdziwe spenetrowanie go – było tym, co chciał uczynić od samego początku, gdy tylko o nim usłyszał.

– I ja, jeżeli będę musiał – przemówił Newt, zaskakując Thomasa. Choć nigdy o tym nie mówił, to było oczywiste, że jego utykanie nieustannie przypominało mu o jakichś strasznych wydarzeniach w Labiryncie. – I jestem pewien, że wszyscy Zwiadowcy również.

– Z twoim kulasem? – prychnął sarkastycznie Alby.

Newt zmarszczył brwi i wbił wzrok w podłogę.

– Nie będę nikogo prosił o zrobienie czegoś, jeżeli sam, cholera, nie zamierzam wziąć w tym udziału.

Alby osunął się na łóżko i oparł nogi na poduszce.

– Wszystko jedno. Rób, co chcesz.

– Rób, co chcesz? – zapytał Newt, wstając. – Co jest z tobą, człowieku? Wydaje ci się, że mamy jakiś wybór? Chcesz, abyśmy siedzieli na tyłkach i czekali, aż wykończą nas Bóldożercy?

Thomas chciał wstać i przekonać Alby'ego do działania, będąc pewnym, że w końcu pozbędzie się depresyjnego nastroju.

Jednak ich przywódca w najmniejszym stopniu nie okazywał skruchy, nie było również po nim widać, aby przejmował się reprymendą.

– To lepsze od wbiegnięcia wprost na nich.

– Alby, musisz zacząć zachowywać się odpowiedzialnie.

Choć ciężko było mu to przyznać, Thomas wiedział, że jeżeli zamierzali cokolwiek osiągnąć, to potrzebowali Alby'ego. Streferzy go podziwiali.

Alby w końcu wziął głęboki oddech, po czym spojrzał na każdego z nich.

– Zdajecie sobie sprawę, że jestem popaprany? Poważnie... Przepraszam. Nie powinienem być dłużej przywódcą.

Thomas wstrzymał oddech. Nie mógł uwierzyć w to, co Alby właśnie powiedział.

– Jasna cholera – zaczął Newt.

– Nie! – krzyknął Alby, na jego twarzy malowała się pokora i rezygnacja. – Nie to miałem na myśli. Posłuchaj. Nie powiedziałem, że powinniśmy się zamienić. Po prostu twierdzę, że... to wy powinniście podjąć decyzję. Nie ufam swoim osądom. Więc... tak, zrobię, co chcesz.

Thomas widział, że zarówno Minho, jak i Newt byli równie zaskoczeni, co on sam.

– Hmm... ogay – odpowiedział powoli Newt, jakby nie będąc pewnym, czy to prawda. – To wypali, obiecuję. Przekonasz się.

– Taa – mruknął pod nosem Alby. Po długiej przerwie w końcu przemówił, z nutą dziwnego podekscytowania w głosie. – Wiecie co? Przydzielcie mnie do nadzoru Map. Dopilnuję, aby Streferzy wypruli sobie przy nich flaki.

– Mnie pasuje – powiedział Minho. Thomas chciał się zgodzić, jednak nie wiedział, czy miał prawo głosu.

Alby postawił z powrotem stopy na podłodze i usiadł wyprostowany.

– Wiecie, to był naprawdę głupi pomysł z naszej strony, że postanowiliśmy zostać tu na noc. Powinniśmy być w Pokoju Map i pracować.

Thomas pomyślał, że to była najmądrzejsza rzecz, jaką Alby powiedział od dawna.

Minho wzruszył ramionami.

– Pewnie masz rację.

– Więc idę – powiedział Alby, skinąwszy pewnie głową. – I to zaraz.

Newt pokręcił głową.

– Zapomnij. Słychać już było zawodzenie cholernych Bóldożerców. Musimy poczekać do pobudki.

Alby pochylił się do przodu, opierając łokcie na kolanach.

– Hola, to wy, smrodasy, zaczęliście całą tę ożywczą gadkę. Więc nie biadolcie, kiedy w końcu zacząłem was słuchać. Jeżeli mam coś zrobić, to muszę to zrobić, być dawnym sobą. Muszę się czymś zająć.

Thomas odczuł ulgę. Miał już dosyć spierania się.

Alby wstał.

– Poważnie, muszę to zrobić. – Ruszył w kierunku drzwi, jakby naprawdę zamierzał wyjść.

– Nie mówisz poważnie – odezwał się Newt. – Nie możesz tam teraz wyjść!

– Idę i basta. – Alby wyciągnął z kieszeni swój pęk kluczy i zabrzęczał nim szyderczo. – Thomas nie mógł uwierzyć w jego nagły przypływ odwagi. – Do zobaczenia rano, smrodaski.

I wyszedł.

To było dziwne uczucie, zdawać sobie sprawę z tego, że pora była coraz późniejsza, że ciemność powinna pochłonąć cały świat wokoło, jednak mimo to na zewnątrz pulsowało jedynie blade, szare światło. Thomas nie potrafił się do tego przyzwyczaić, zupełnie jakby potrzeba snu, która wzrastała w nim powoli z każdą upływającą minutą, była jakoś dziwnie nienaturalna. Czas zwolnił swój bieg i zaczął się wlec nieustępliwie. Poczuł, jakby jutro miało nigdy nie nadejść.

Pozostali Streferzy ułożyli się na łóżkach i usadowili na fotelach, wtulając się w poduszki i nakrywając kocami. Starali się zasnąć. Nikt się nie odzywał, nastrój był wisielczy i ponury. Słychać było jedynie ciche powłóczenie nogami i szepty.

Thomas próbował ze wszystkich sił zasnąć, wiedząc, że dzięki temu czas szybciej upłynie, jednak po dwóch godzinach wciąż mu się ta sztuka nie udawała. Położył się na grubym kocu na podłodze, w jednym z pokojów na górze, obok kilku innych Streferów, ściśniętych niemal jeden na drugim. Łóżko przypadło Newtowi.

Chuck wylądował w innym pokoju i z jakiegoś powodu Thomas wyobraził sobie, że siedział skulony w ciemnym rogu, płacząc i przyciskając swój koc do piersi niczym pluszowego misia. Ten obraz zasmucił go tak bardzo, że starał się go przegonić, jednak na próżno.

Niemal każda osoba miała przy sobie latarkę na wszelki wypadek. Pomimo bladej jak śmierć poświaty ich nowego nieba, Newt rozkazał zgasić wszystkie światła. Nie było potrzeby ściągania na siebie niepotrzebnej uwagi. Zrobili wszystko, co można było *zrobić* w tak krótkim czasie, aby przygotować się na atak Bóldożerców: pozabijali okna deskami, zastawili drzwi meblami, a w dłoniach dzierżyli noże...

A jednak Thomas nie czuł się bezpiecznie.

Wyczekiwanie na to, co mogło się wydarzyć, było nie do zniesienia. Szpony strachu i rozpaczy zaczęły zaciskać się wokół jego szyi. Niemal pragnął, aby kreatury w końcu przylazły i zakończyły tę jego mękę. Oczekiwanie było nie do wytrzymania.

Odległe zawodzenie Bóldożerców stawało się coraz głośniejsze wraz z upływem nocy, a każda kolejna minuta wydawała się trwać o wiele dłużej od poprzedniej.

Upłynęła kolejna godzina. Następnie jeszcze jedna. W końcu przyszedł sen, jednak w nędznych kawałkach. Thomas podejrzewał, że musiało być około drugiej nad ranem, kiedy obrócił się z pleców na brzuch po raz tysięczny tej nocy. Położył dłonie pod policzki i zaczął wpatrywać się w nogę łóżka, która w przyćmionym świetle wyglądała niemal jak cień. Wówczas wszystko się zmieniło.

Z zewnątrz dobiegły go głośne dźwięki maszyn, a wraz z nimi znane mu szczękanie toczącego się po kamiennej ziemi Bóldożercy, podobne do dźwięków porozrzucanych gwoździ. Thomas zerwał się na równe nogi, tak jak większość jego kompanów.

Newt już stał, wymachiwał rękoma, a następnie uciszał wszystkich, przykładając palec do ust. Nie zważając na chorą nogę, podszedł na palcach do jedynego okna w pokoju, które zabezpieczały trzy pośpieszenie przybite deski. Przez wielkie szpary można się było dobrze przyjrzeć temu, co znajdowało się na zewnątrz. Zachowując ostrożność, Newt nachylił się bliżej, a Thomas poszedł po cichu za nim.

Przykucnął obok niego, tuż przy najniższej z przybitych desek, przykładając oko do szpary. Przebywanie tak blisko ściany było przerażającym uczuciem. Jednak jedyne, co dostrzegł, to pusty dziedziniec. Nie miał wystarczająco dużo miejsca, aby spojrzeć w górę, na dół czy na boki, mógł patrzeć jedynie przed siebie. Po upływie minuty zrezygnował i oparł się plecami o ścianę. Newt również odszedł i usiadł na łóżku.

Upłynęło kilka kolejnych minut, w trakcie których co każde dziesięć-dwadzieścia sekund rozbrzmiewały rozmaite, przenikliwe dźwięki Bóldożerców. Zgrzyt toczącego się metalu poprzedzonego piskiem małych silników. Szczęk ostrzy o twardy kamień. Najpierw trzaski, potem dźwięki otwierania się czegoś i ponownie trzaski. Thomas wzdrygał się ze strachu na każdy usłyszany dźwięk.

Brzmiało to tak, jakby na zewnątrz znajdowała się ich trójka lub czwórka. Co najmniej.

Słyszał, jak wynaturzone bestio-maszyny są coraz bliżej. Czekały na kamiennych płytach na dole. Zewsząd rozlegało się buczenie i mechaniczny stukot.

Thomasowi zaschło w ustach. Widział ich już twarzą w twarz, pamiętał to wszystko zbyt dobrze. Powtarzał sobie w myślach, aby głęboko oddychać. Pozostali Streferzy w pokoju stali nieruchomo. Nikt nie wydał z siebie nawet dźwięku. Strach zawisł w powietrzu niczym miecz nad szyją skazańca.

Jeden z Bóldożerców wydał z siebie dźwięki, jakby zmierzał w stronę budynku. Następnie trzaski wydawane przez jego toczące się po kamieniu kolce przybrały niski, głuchy ton. Thomas widział wszystko oczami wyobraźni: metalowe ostrza kreatury wbijające się w drewnianą podłogę budynku, jej masywne cielsko toczące się wewnątrz domu i wspinające się na górę do ich pokoju, przeciwstawiające się grawitacji swoją siłą. Thomas słyszał, jak kolce Bóldożercy rozrywały drewno na strzępy, torując sobie drogę na górę. Cały budynek się trząsł.

Skrzypienie, miażdżenie i łamanie drewna – te dźwięki stały się dla Thomasa najbardziej przerażającymi odgłosami na świecie. Były coraz głośniejsze, coraz bliższe. Pozostali chłopcy chodzili nerwowo po pokoju, starając się trzymać jak najdalej od okna. Thomas w końcu poszedł za ich przykładem, Newt był obok niego. Wszyscy zgromadzili się pod przeciwległą ścianą, wpatrując się w okno.

Gdy dźwięki stawały się już nie do wytrzymania – Thomas uświadomił sobie, że Bóldożerca był tuż za oknem – nagle zapadła złowroga cisza. Thomas niemal słyszał bicie własnego serca.

Na zewnątrz rozbłysły światła, rzucając do pokoju przez szpary w oknie pomiędzy deskami dziwne promienie. Następnie wąski cień przerwał światło, przesuwając się tam i z powrotem. Thomas wiedział, że to Bóldożerca, który wyciągnął swoją sondę oraz broń, szykując się na ucztę. Thomas wyobraził sobie, jak mechaniczne chrząszcze pomagają Bóldożercy znaleźć drogę do środka. Kilka sekund później cień zniknął. Światło zatrzymało się, rzucając na pokój trzy nieruchome płaszczyzny blasku.

Napięcie było nie do wytrzymania. Thomas nie słyszał, aby inni choćby oddychali. Pomyślał, że mniej więcej to samo musiało dziać się w pozostałych pokojach. Wtedy przypomniał sobie o Teresie zamkniętej w Ciapie.

Miał nadzieję, że do niego przemówi, kiedy nagle drzwi od strony korytarza stanęły otworem. W całym pokoju wybuchły stłumione okrzyki strachu. Streferzy spodziewali się ataku od strony okna, a nie zza pleców. Thomas odwrócił się, aby sprawdzić, kto otworzył drzwi. Spodziewał się ujrzeć przerażonego Chucka albo skruszonego Alby'ego. Jednak kiedy dostrzegł osobę, która tam stała, miał wrażenie, że jego czaszka zaczęła się gwałtownie kurczyć, przygniatając jego mózg w nagłym zdumieniu.

W drzwiach stał Gally.

39

W oczach Gally'ego płonęła wściekłość. Jego ubranie było porozdzierane i brudne. Upadł na kolana i nie ruszał się, jego pierś pulsowała, gdy oddychał z trudem. Rozejrzał się po pokoju niczym wściekły pies w poszukiwaniu swej ofiary. Nikt nie odezwał się ani słowem. Zupełnie jakby wszyscy wierzyli, że był jedynie wytworem ich wyobraźni.

– Zabiją was! – wrzasnął Gally, pryskając śliną. – Bóldożercy was wszystkich pozabijają, po jednym każdej nocy, póki się to nie skończy!

Thomas przyglądał się oniemiały, jak Gally wstał i chwiejąc się, ruszył przed siebie, ciągnąc za sobą prawą nogę. Nikt z zebranych w pokoju ani drgnął, najwyraźniej wszyscy byli zbyt zszokowani, aby cokolwiek zrobić. Newt stał z szeroko rozdziawioną szczęką.

Thomas wystraszył się bardziej niespodziewanego gościa aniżeli Bóldożerców, którzy znajdowali się tuż za oknem.

Gally zatrzymał się tuż przed Thomasem i Newtem. Wskazał na Thomasa zakrwawionym placem.

– Ty – powiedział w tak szyderczy sposób, że zabrzmiało to niemal komicznie. – To wszystko twoja wina! – Bez ostrzeżenia, zamachnął się lewą ręką, składając dłoń w pięść, i uderzył Thomasa w skroń. Krzycząc, Thomas upadł powalony na ziemię, bardziej z zaskoczenia niż z bólu. Podniósł się, ledwie tylko znalazł się na podłodze.

Newt w końcu wyrwał się z uścisku oszołomienia i odepchnął Gally'ego. Gally poleciał do tyłu i upadł na stolik przy oknie, a lampa, która na nim stała, spadła z hukiem na ziemię i rozbiła się na kawałki. Thomas spodziewał się, że Gally rzuci się w odwecie na Newta, jednak chłopak pozbierał się z podłogi i zmierzył wszystkich obłędnym wzrokiem.

– Stąd nie ma wyjścia – powiedział, tym razem cichym, chłodnym i przeraźliwym głosem. – Purewski Labirynt wykończy was wszystkich... Pozabijają was Bóldożercy... po jednym co noc, póki się to nie skończy... Tak będzie lepiej... – Wbił wzrok w podłogę. – Będą zabijać tylko jednego... ich głupie Wyzwania...

Thomas przysłuchiwał się, starając się opanować strach, aby zapamiętać wszystko, co mówił szurnięty chłopak.

Newt zrobił krok do przodu.

– Zawrzyj parszywy twarzostan, za oknem jest Bóldożerca. Siadaj na tyłku i ani słowa, może sobie pójdzie.

Gally spojrzał na niego, mrużąc oczy.

– Ty nic nie rozumiesz. Jesteś na to za głupi. Zawsze byłeś. Stąd nie ma wyjścia, nie można ich pokonać! Zabiją cię, zabiją was wszystkich, *jednego po drugim*!

Wykrzykując ostatnie słowa, Gally rzucił się w stronę okna i zaczął szarpać deski niczym dzikie zwierzę, które próbuje uciec z klatki. Zanim Thomas lub ktokolwiek inny zdołał zareagować, Gally zdążył już oderwać jedną z nich i rzucić nią o podłogę.

– Nie! – krzyknął Newt, biegnąc w jego kierunku. Thomas ruszył za nim, nie mogąc uwierzyć w to, co właśnie się działo.

W chwili, gdy dopadł do niego Newt, Gally oderwał drugą deskę. Zamachnął się, trzymając ją w obu dłoniach, i uderzył Newta w głowę, posyłając go z hukiem na łóżko i opryskując krwią prześcieradło. Thomas powstrzymał go, szykując się do walki.

– Gally! – krzyknął. – Co ty wyprawiasz?!

Chłopak splunął na ziemię, sapiąc niczym wściekły pies.

– Zawrzyj purewski twarzostan, Thomas. Zamknij się! Wiem, kim jesteś, ale mam to gdzieś. Robię to, co należy.

Thomas poczuł, jakby jego nogi przywarły do ziemi. Był totalnie zaskoczony tym, co powiedział Gally. Przyglądał się, jak Gally odrywa ostatnią z desek. Jak tylko bezużyteczny już kawałek drewna uderzył o podłogę, szyba w oknie eksplodowała, a do pokoju wpadło tysiące kawałeczków szkła, niczym rój kryształowych os. Thomas zakrył twarz rękoma i rzucił się na podłogę, starając się odskoczyć jak najdalej od okna. Gdy opadł na łóżko, odwrócił się, gotowy, by spojrzeć przychodzącej po niego śmierci w twarz.

Przez zniszczone okno zdążyło się już w połowie przecisnąć rozjuszone, ohydne cielsko Bóldożercy z jego metalowymi kleszczami, które kłapały i trzaskały na wszystkie strony. Thomas był tak przerażony, że o mało nie dostrzegł, że wszyscy z pokoju uciekli na korytarz. Wszyscy za wyjątkiem Newta, który leżał nieprzytomny na łóżku.

Zastygły z przerażenia, Thomas przyglądał się, jak jedno z długich odnóży Bóldożercy sięga po pozbawione życia ciało. To wystarczyło, aby przełamał w sobie strach. Zerwał się na nogi, lustrując podłogę w poszukiwaniu jakiejkolwiek broni. Dostrzegł jedynie noże – w tej chwili nie mogły mu się do niczego przydać. Ogarnęła go panika, która zżerała go od środka niczym rak.

Nagle Gally ponownie się odezwał. Bóldożerca cofnął odnóże, zupełnie jakby chciał się przysłuchać temu, co miał do powiedzenia. Jego cielsko jednak wciąż napierało, próbując wcisnąć się do wnętrza pokoju.

– Nikt tego nie rozumiał! – wrzasnął chłopak, przekrzykując okropne odgłosy kreatury, która taranowała wejście do wnętrza pokoju, rozwalając ściany na kawałki. – Nikt nigdy nie rozumiał tego, co zobaczyłem. Tego, co się ze mną stało podczas Przemiany! Nie wracaj do prawdziwego świata! Nie chcesz... go... pamiętać!

Gally rzucił Thomasowi długie szalone spojrzenie, jego oczy były pełne przerażenia. Następnie odwrócił się i rzucił na wierzgające w oknie cielsko Bóldożercy. Thomas krzyknął, przyglądając się, jak wszystkie olbrzymie odnóża kreatury natychmiast się schowały i zacisnęły na dłoniach i nogach Gally-'ego, uniemożliwiając mu jakąkolwiek ucieczkę czy ratunek. Ciało Gally'ego zatopiło się w gąbczastym cielsku potwora, wydając przy tym okropny chlupot. Następnie, z zaskakującą szybkością, Bóldożerca wycofał się na zewnątrz połamanej framugi okna i zaczął przemieszczać się w stronę ziemi.

Thomas podbiegł do postrzępionej wyrwy w ścianie, spoglądając w dół w samą porę, aby ujrzeć, jak Bóldożerca opada na ziemię i zaczyna uciekać przez Strefę, a ciało Gally'ego to pojawia się, to znika, kiedy kreatura toczy się po kamiennym dziedzińcu. Światła potwora rzucały upiorną żółtą poświatę na otwarte Zachodnie Wrota, przez które rozpędzony Bóldożerca chwilę później uciekł, znikając w otchłani Labiryntu. Wtem, parę sekund później, kilka pozostałych stworów ruszyło za swoim towarzyszem, warkocząc i szczękając, celebrując odniesione zwycięstwo.

Thomas o mało nie zwymiotował. Zaczął odchodzić od okna, jednak coś na zewnątrz przykuło jego uwagę. Szybko wychylił się przez wyrwę w budynku, która kiedyś była oknem, aby przyjrzeć się dokładniej. Pojedyncza sylwetka mknęła przez dziedziniec Strefy w kierunku wyjścia, przez które właśnie zabrano Gally'ego.

Pomimo kiepskiego światła, Thomas w jednej chwili uświadomił sobie, kim był ten chłopak. Krzyknął – zawołał, aby się zatrzymał – jednak było za późno.

Minho, biegnąc w szaleńczym tempie, zniknął w mroku Labiryntu.

Światła rozbłysły w całym budynku. Streferzy biegali wokoło, wszyscy mówili naraz. Kilku chłopców płakało w rogu. Miejscem zawładnął chaos.

Thomas nie zwracał na to wszystko uwagi.

Przebiegł przez korytarz, następnie schodami w dół, przeskakując po trzy stopnie. Przedarł się przez tłum na dole i wybiegł na zewnątrz, pędząc w kierunku Zachodnich Wrót. Zatrzymał się tuż przed progiem Labiryntu – przeczucie nakazało mu się dwukrotnie zastanowić, zanim tam wejdzie. Newt zawołał go z oddali, odwlekając podjęcie decyzji.

– Minho za nimi pobiegł! – krzyknął Thomas, gdy Newt go dogonił, przyciskając mały ręcznik do rany na głowie. Plama krwi zdążyła już przesiąknąć przez biały materiał.

– Widziałem – odpowiedział, odsuwając ręcznik, aby na niego spojrzeć. Skrzywił się i przyłożył go z powrotem do głowy. – Purwa, boli jak cholera. Chyba mózg się w końcu Minho zlasował, nie mówiąc już o Gallym. Zawsze wiedziałem, że to świr.

Thomas martwił się jedynie o Minho.

– Idę za nim.

– Znowu chcesz zgrywać bohatera?

Thomas spojrzał na Newta, zraniony kąśliwą uwagą.

– Wydaje ci się, że robię to, aby wam zaimponować? Daruj sobie. Zależy mi wyłącznie na tym, aby się stąd wydostać.

– Cóż, jesteś stałym rozrabiaką. Ale w tej chwili mamy gorsze zmartwienia.

– Jakie? – Thomas wiedział, że jeżeli chce dogonić Minho, to nie może sobie pozwolić na zwłokę.

– Ktoś... – zaczął Newt.

– Tam jest! – krzyknął Thomas. Minho wybiegł właśnie zza rogu naprzeciw i biegł wprost do nich. Thomas przyłożył dłonie do ust. – Co ty wyprawiasz, kretynie!

Minho zaczekał, aż przebiegnie przez Wrota, następnie pochylił się, opierając dłońmi o kolana i wziął kilka głębokich oddechów, nim odpowiedział. – Chciałem... tylko... się... upewnić.

– O czym? – zapytał Newt. – Po coś leciał za Gallym?

Minho wyprostował się i oparł dłonie na biodrach, wciąż ledwo łapiąc oddech.

– Spokój, chłopaki! Chciałem tylko zobaczyć, czy poszli w kierunku Urwiska. W kierunku Nory Bóldożerców.

– No i? – zapytał Thomas.

– Bingo – odpowiedział, ocierając pot z czoła.

– Aż się wierzyć nie chce – powiedział Newt niemal szeptem. – Co za noc.

Thomas próbował skupić się na Norze Bóldożerców i na tym, co to wszystko oznaczało. Wciąż powracał jednak myślami do tego, o czym zaczął mówić Newt, zanim dostrzegli wracającego Minho.

– O czym chciałeś mi powiedzieć? – zapytał. – Mówiłeś, że mamy gorsze...

– Taa. – Newt wskazał kciukiem przez ramię. – Wciąż widać cholerny dym.

Thomas spojrzał we wskazanym kierunku. Potężne metalowe drzwi Pokoju Map były nieco uchylone, a zza nich, w kierunku szarego nieba unosiła się strzępiasta smuga dymu.

– Ktoś podpalił skrzynie z mapami – powiedział Newt. – Wszystkie, co do jednej.

Nie wiedzieć czemu, Thomas aż tak bardzo nie przejmował się Mapami – i tak wydawały mu się bezwartościowe. Stał przed oknem Ciapy, zostawiwszy Newta i Minho, którzy poszli zbadać sprawę sabotażu. Tuż przed tym, jak się rozdzielili, Thomas zauważył, że wymienili między sobą dziwne spojrzenie, niemal jakby przekazywali sobie wzrokiem jakąś sekretną wiadomość. Jednak on myślał wyłącznie o jednym.

– Teresa?

W oknie pojawiła się jej twarz, dłońmi przecierała oczy.

– Czy ktoś zginął? – zapytała półprzytomna.

– Co ty, spałaś? – zapytał. Ulżyło mu, gdy zobaczył, że nic jej nie jest.

– Tak – odpowiedziała. – Dopóki nie usłyszałam, jak coś rozszarpuje Bazę na kawałki. – Co się wydarzyło?

Thomas pokręcił głową w niedowierzaniu.

– Nie mam pojęcia, jak mogłaś spać przy hałasie tych wszystkich Bóldożerców.

– Jak wybudzisz się ze śpiączki, to się przekonasz.

– *Nie odpowiedziałeś na moje pytanie* – dodała w myślach.

Thomas zamrugał, przez moment zaskoczony jej głosem – od jakiegoś czasu już w ten sposób do niego nie mówiła.

– Skończ już z tym.

– Po prostu mów, co się stało.

Thomas westchnął. Długo by opowiadać, a on nie miał ochoty mówić jej o wszystkim od samego początku.

– Nie znasz Gally'ego, ale to wariat, który uciekł. Teraz pojawił się i rzucił na Bóldożercę, który uciekł z nim do Labiryntu. To było naprawdę dziwne. – Wciąż nie mógł uwierzyć, że to się naprawdę wydarzyło.

– To wiele tłumaczy – powiedziała Teresa.

– Tak. – Obejrzał się za siebie, licząc, że ujrzy gdzieś Alby'ego. Na pewno wypuściłby teraz Teresę. Streferzy byli rozproszeni po całym dziedzińcu, jednak nigdzie nie było widać ich przywódcy. Odwrócił się z powrotem w stronę Teresy. – Nie rozumiem. Dlaczego Bóldożercy wycofali się, gdy pojmali Gally'ego? Mówił coś o tym, że co noc będą zabijać jednego z nas, dopóki wszyscy nie będziemy martwi. Wspomniał o tym co najmniej dwukrotnie.

Teresa wystawiła dłonie przez kraty, opierając przedramiona na betonowym parapecie.

– Tylko jednego co noc? Dlaczego?

– Nie wiem. Mówił, że ma to coś wspólnego z... próbami. Albo z wyzwaniami. Z czymś takim. – Thomasem zawładnęła ta sama dziwna potrzeba co ubiegłej nocy – chciał ująć jej dłoń. Powstrzymał się jednak.

– Tom, myślałam o tym, co mi wczoraj powiedziałeś. Że Labirynt jest kodem. Zamknięte pomieszczenia sprawiają, że w cudowny sposób mózg robi to, do czego został stworzony.

– Jak myślisz, co to oznacza? – Ogromnie zaciekawiony, starał się ignorować wrzaski i gwar rozbrzmiewające w Strefie, kiedy reszta mieszkańców dowiedziała się o podpaleniu Pokoju Map.

– Mury przesuwają się co noc, prawda?

– Zgadza się. – Widział, że do czegoś zmierzała.

– A Minho powiedział, iż uważają, że jest w tym jakiś schemat, tak?

– Tak. – Wszystko zaczęło się również układać w głowie Thomasa w całość, zupełnie jak gdyby odzyskiwał utraconą wcześniej pamięć.

– Nie pamiętam, dlaczego powiedziałam ci o tym kodzie. Wiem, że kiedy wychodziłam ze śpiączki, to różnego rodzaju myśli i wspomnienia kłębiły mi się w głowie jak szalone, zupełnie jak gdyby ktoś *opróżniał* mój umysł, wysysając je wszystkie ze środka. Czułam wtedy, że muszę powiedzieć o tym kodzie, zanim o nim zapomnę. Musi więc za tym stać jakiś ważny powód.

Thomas niemal jej nie słuchał. Jeszcze bardziej niż przed chwilą, skupiał się na swoich myślach. – Zawsze porównują każdą Mapę danego Sektora z tą z poprzedniego dnia i z jeszcze wcześniejszego, i jeszcze wcześniejszego, i tak codziennie. Każdy Zwiadowca analizuje swój Sektor. A co jeżeli powinni porównać Mapy z *innymi* Sektorami... – Urwał myśl, jakby znalazł jakiś początek.

Teresa kontynuowała swoje rozważania, jakby nie zwracała nie niego uwagi.

– Pierwszą rzeczą, jaką przywodzi mi na myśl słowo *kod*, są litery. Litery alfabetu. Może Labirynt próbuje coś *powiedzieć*.

Wszystko ułożyło się w jego głowie tak prędko, że niemal dosłownie usłyszał trzask pasujących do siebie elementów.

– Masz rację, masz rację! Ale przez cały ten czas Zwiadowcy tego nie dostrzegali. Analizowali to od złej strony!

Teresa chwyciła za kraty, przyciskając twarz do żelaznych prętów.

– Co? O czym ty mówisz?

Thomas chwycił za dwie kraty na obrzeżu i przysunął się na tyle blisko, że poczuł jej zapach – pachniała zaskakująco przyjemną wonią potu i kwiatów.

– Minho powiedział, że schematy się powtarzają, tylko że nie wiedzą, co one znaczą. Zawsze jednak analizowali je sektor za sektorem, porównując jeden dzień z drugim. Co, jeżeli każdy dzień jest oddzielną częścią kodu i w jakiś sposób należy wykorzystać wszystkie osiem sektorów?

– Myślisz, że każdy dzień stara się ujawnić jakieś słowo? – zapytała. – Przemieszczając mury?

Thomas przytaknął.

– Albo literę dnia, sam nie wiem. Zwiadowcy zawsze sądzili, że przesuwające się ściany ujawnią jakieś wyjście, a nie słowo. Parzyli na całość jak na mapę, a nie jak na obraz. Musimy... – przerwał, przypominając sobie o tym, co właśnie powiedział mu Newt. – O, nie.

Oczy Teresy zapłonęły niepokojem.

– Co się stało?

– O nie, o nie, o nie... – Thomas wypuścił z uścisku kraty i zrobił krok do tyłu. Obrócił się w stronę Pokoju Map. Dym nie był już tak wielki, jednak wciąż wydobywał się zza drzwi, tworząc ciemną, mglistą chmurę, która spowijała wszystko wokół.

– Co się stało? – powtórzyła Teresa. Zza krat nie mogła widzieć płonącego budynku.

Thomas zwrócił się ku niej.

– Nie sądziłem, że są ważne...

Ale co! – zagrzmiała.

– Ktoś podpalił wszystkie Mapy. Jeżeli był w ogóle jakiś kod, to właśnie przepadł.

41

– Wrócę po ciebie – powiedział Thomas, odwracając się, by odejść. Żołądek piekł go niemiłosiernie. – Muszę znaleźć Newta i zobaczyć, czy zdołano uratować jakiekolwiek Mapy.

– Zaczekaj! – krzyknęła Teresa. – Wyciągnij mnie stąd!

Nie było jednak na to czasu i Thomas czuł się z tego powodu paskudnie.

– Nie mogę. Wrócę, obiecuję. – Odwrócił się, nim zdołała zaprotestować, i pognał w kierunku czarnej chmury dymu. Poczuł od wewnątrz ukłucia tysięcy igieł. Jeżeli Teresa miała rację, to wcześniej mieli wskazówkę na wyciągnięcie ręki, wskazówkę, która pomogłaby im się stąd wydostać, a teraz stracili ją w płomieniach... Myśl ta była tak przygnębiająca, że aż sprawiała mu ból.

Pierwszą rzeczą, jaką ujrzał, gdy dobiegł do celu, była grupa Streferów stojąca tuż przed wielkimi stalowymi drzwiami, które wciąż były uchylone, a których zewnętrzną krawędź pokrywała sadza. Gdy się jednak zbliżył, zdał sobie sprawę, że stali wokół i spoglądali na coś leżącego na ziemi. Dostrzegł Newta, który klęczał pośrodku i nachylał się nad ciałem.

Za nim stał Minho, zrozpaczony i okopcony. To on pierwszy zauważył Thomasa.

– Gdzie byłeś?

– Porozmawiać z Teresą. Co się stało? – Czekał niecierpliwie na kolejną porcję złych wiadomości.

Minho zmarszczył czoło w gniewie.

– Ktoś podpalił Pokój Map, a ty uciekasz, żeby sobie pogadać ze swoją cholerną dziewczyną? Co jest z tobą?

Thomas wiedział, że ta uwaga powinna była go zranić, jednak jego umysł zaprzątało coś zupełnie innego.

– Nie sądziłem, że ma to jeszcze znaczenie, skoro do tego czasu nie udało wam się w nich niczego znaleźć...

Minho spojrzał na niego ze wstrętem. Blade światło i kłęby dymu sprawiły, że jego twarz wyglądała niemal złowrogo.

– Tak, to idealna pora, żeby się poddać. Co u...

– Przepraszam. Po prostu powiedz, co się stało. – Thomas wychylił się przez ramię chudego chłopaka stojącego przed nim, aby się przyjrzeć ciału na ziemi.

Alby leżał na plecach, a na czole miał olbrzymie rozcięcie. Krew sączyła się z jego obu skroni, niektóre krople wpadały do oczu, zamieniając się tam w zakrzepłe strupy. Newt przemywał ostrożnie ranę mokrą szmatą, zadając szeptem pytania. Zbyt cicho, aby można było je usłyszeć. Thomas, martwiąc się o Alby'ego, pomimo jego zrzędliwego ostatnimi czasy humoru, odwrócił się w stronę Minho i powtórzył pytanie.

– Winston znalazł go tu na wpół żywego, podczas gdy Pokój Map stał w płomieniach. Parę osób przybiegło i ugasiło pożar, ale było już za późno. Wszystkie kufry zostały spalone na cholerny wiór. Z początku podejrzewałem Alby'ego, ale ten, kto to zrobił, rozbił też jego łeb o stół, sam widzisz. Wygląda paskudnie.

– Jak myślisz, kto to zrobił? – Thomas nie mógł się doczekać, aby im powiedzieć o możliwym odkryciu, którego razem z Teresą dokonali. Bez Map, nic nie było jednak pewne.

– Może Gally, zanim się zjawił i mu odbiło? Może Bóldożercy? Nie wiem i mam to gdzieś. I tak nie ma to teraz znaczenia.

Thomasa zaskoczyła jego nagła zmiana zdania.

– I kto tu się niby poddaje?

Minho podniósł głowę tak szybko, że Thomas aż cofnął się o krok. Dostrzegł na jego twarzy gniew, który szybko ustąpił miejsca nieokreślonemu wyrazowi zdziwienia lub zdumienia.

– Nie to miałem na myśli.

Thomas zmrużył oczy w ciekawości.

– Co...

– Po prostu zawrzyj twarzostan. – Minho przyłożył palec do ust, rozglądając się na boki, czy ktoś mu się nie przyglądał. – Wkrótce się dowiesz.

Thomas wziął głęboki oddech, by zebrać myśli. Jeżeli oczekiwał uczciwości od innych, to on również nie powinien być im dłużny. Z Mapami czy bez, postanowił, że podzieli się z nimi swoimi spostrzeżeniami odnośnie możliwego kodu Labiryntu.

– Minho, muszę tobie i Newtowi o czymś powiedzieć. Musimy też uwolnić Teresę, pewnie kona z głodu, a poza tym przyda nam się jej pomoc.

– Ta głupia dziewucha to ostania rzecz, jaką się teraz martwię.

Thomas zignorował zniewagę.

– Po prostu daj nam parę minut, mamy pomysł. Może zadziała, jeżeli wystarczająco wielu Zwiadowców pamięta swoje Mapy.

Te słowa przyciągnęły uwagę Minho, jednak ponownie na jego twarzy zagościł ten sam dziwny wyraz, jak gdyby Thomas nie dostrzegał czegoś oczywistego.

– Pomysł? Jaki?

– Po prostu chodź ze mną do Ciapy. Ty i Newt.

Minho zastanawiał się przez chwilę.

– Newt! – zawołał.

– Co jest? – Newt powstał, rozkładając zakrwawioną szmatę w poszukiwaniu czystego skrawka. Thomas nie mógł nie zauważyć, że każdy centymetr tkaniny przesiąknięty był purpurą.

Minho wskazał na leżącego na ziemi Alby'ego.

– Niech Plaster się nim zajmie. Musimy pogadać.

Newt rzucił mu pytające spojrzenie, po czym wręczył szmatę najbliżej stojącemu Streferowi.

– Idź i znajdź Clinta. Powiedz mu, że mamy gorsze zmartwienia niż cholerne drzazgi w tyłkach.

Gdy chłopak odbiegł, by zrobić, co mu nakazano, Newt podszedł od Alby'ego.

– O czym chcesz pogadać?

Minho kiwnął głową, wskazując na Thomasa, jednak nie odezwał się.

– Po prostu chodźcie ze mną – powiedział Thomas. Następnie odwrócił się i ruszył w stronę Ciapy, nie czekając na odpowiedź.

– Wypuśćcie ją. – Thomas stanął przy drzwiach celi, krzyżując ramiona. – Wypuśćcie ją, to wtedy pogadamy. Możecie mi wierzyć, że będziecie chcieli tego wysłuchać.

Newt pokryty był sadzą i brudem, a jego włosy były potargane i tłuste od potu. Z całą pewnością nie był w najlepszym humorze.

– Tommy, to nie jest...

– Proszę cię. Po prostu je otwórz i wypuść ją. Proszę. – Tym razem się nie podda.

Minho stał naprzeciw drzwi z rękami na biodrach.

– Skąd wiesz, że możemy jej ufać? – zapytał. – Jak tylko się obudziła, całe to miejsce szlag trafił. Sama się *przyznała*, że coś zapoczątkowała.

– Ma rację – powiedział Newt.

Thomas skinął na drzwi w kierunku Teresy.

– Możemy jej ufać. Za każdym razem, gdy z nią rozmawiałem, to mówiliśmy o tym, jak się stąd wydostać. Zesłano ją tutaj tak samo jak każdego z nas, to głupota posądzać ją o spowodowanie rzeczy, które się ostatnio wydarzyły.

Newt burknął:

– Więc co, do purwy, miała na myśli, mówiąc, że coś zapoczątkowała?

Thomas wzruszył ramionami, nie chcąc się przyznać, że Newt miał rację. Musiało być jakieś wytłumaczenie.

– Kto wie, jej umysł wariował, kiedy się obudziła. Może sami przechodziliśmy przez to w Pudle, gadając bzdety, zanim się obudziliśmy. Po prostu ją wypuśćcie.

Newt i Minho wymienili długie spojrzenie.

– No dalej – nalegał Thomas. – Czego się boicie? Że ucieknie i zadźga każdego Strefera na śmierć? Dajcie spokój.

Minho westchnął.

– W porządku. Wypuść tę głupią dziewuchę.

– Nie jestem głupia! – wrzasnęła Teresa głosem stłumionym przez ściany. – I słyszę, barany, każde wasze słowo!

Newt wybałuszył oczy.

– Niezłą sobie panienkę przygruchałeś, Tommy.

– Pospieszcie się już – powiedział Thomas. – Założę się, że zanim w nocy wrócą Bóldożercy, czeka nas mnóstwo pracy. O ile nie pojawią się w ciągu dnia.

Newt burknął i wyciągnął klucze, podchodząc do Ciapy. Kilka brzęków później drzwi stanęły otworem.

– Wychodź.

Teresa wyszła z niewielkiego budynku, rzucając Newtowi gniewne spojrzenie, kiedy go mijała. Równie nieprzyjemnym spojrzeniem obdarzyła Minho, następnie stanęła obok Thomasa. Jej dłoń musnęła jego. Dreszcze przeszły po całym jego ciele i poczuł się śmiertelnie zawstydzony.

– Dobra, a teraz mów – powiedział Minho. – Co jest takiego ważnego?

Thomas spojrzał na Teresę, zastanawiając się, jak to powiedzieć.

– No co? – zapytała. – Ty mów, mnie mają za seryjną zabójczynię.

– Taa, bo wyglądasz tak niebezpiecznie – mruknął pod nosem Thomas, jednak skupił swoją uwagę na Newcie i Minho. – Kiedy Teresa wychodziła z głębokiego snu, przez jej umysł przedzierały się wspomnienia. Ona, mhm – ledwo powstrzymał się od ujawnienia, że powiedziała mu o tym w myślach – powiedziała mi później, że pamięta słowa, że Labirynt to *kod*. Że zamiast szukać wyjścia, powinniśmy poszukać wiadomości, którą nam przesyła.

– *Kod?* – zapytał Minho. – Jak to możliwe?

Thomas pokręcił głową, żałując, że nie zna odpowiedzi.

– Nie wiem na pewno, znasz Mapy lepiej ode mnie. Mam jednak pewną teorię. Dlatego miałem nadzieję, że jeszcze pamiętacie niektóre z nich.

Minho spojrzał na Newta, unosząc pytająco brwi. Newt przytaknął.

– Co? – zapytał Thomas, zmęczony tym, że cały czas coś przed nim ukrywali. – Zachowujecie się tak, jakbyście mieli jakąś tajemnicę.

Minho przetarł oczy obiema dłońmi i wziął głęboki oddech.

– Ukryliśmy Mapy.

Z początku nie zrozumiał.

– Że co?

Minho wskazał na Bazę.

– Ukryliśmy cholerne Mapy w zbrojowni, a w ich miejsce umieściliśmy atrapy. To przez ostrzeżenie Alby'ego. I przez ten tak zwany *Koniec*, który zapoczątkowała twoja dziewczyna.

Thomas był tak podniecony usłyszaną wiadomością, że na chwilę zapomniał o powadze sytuacji. Przypomniał sobie, że dzień wcześniej Minho zachowywał się podejrzanie, mówiąc, że ma do wykonania specjalne zadanie. Thomas spojrzał na Newta, który przytaknął.

– Nic im nie jest – powiedział Minho. – Więc jeżeli masz jakąś teorię, to gadaj.

– Zaprowadźcie mnie do nich – powiedział Thomas, nie mogąc się doczekać, kiedy je zobaczy.

– W porządku, chodźmy.

42

Minho zapalił światło, co sprawiło, że Thomas zmrużył na chwilę oczy. Groźne cienie uczepiły się pudeł z bronią, które stały porozrzucane na stole i podłodze. Ostrza, kije i inne paskudnie wyglądające narzędzia jakby tam po prostu czekały, gotowe, by w każdej chwili ożyć i zabić pierwszą osobę, która będzie na tyle głupia, aby się do nich zbliżyć. Wilgotny, zatęchły zapach potęgował upiorne wrażenie jakie sprawiał ten pokój.

– Z tyłu znajduje się ukryta wnęka – wyjaśnił Minho, mijając kilka półek zawieszonych w ciemnym rogu. – Tylko kilka osób o niej wie.

Thomas usłyszał skrzypnięcie starych drewnianych drzwi i po chwili Minho ciągnął po podłodze tekturowe pudło. Dźwięk szurającego kartonu przypominał nóż przecinający kość.

– Wsadziłem zawartość każdego kufra do osobnego pudła, w sumie jest ich osiem. Wszystkie tam są.

– A to które jest? – zapytał Thomas, klękając przy nim, gotowy, by zacząć eksperyment.

– Otwórz i zobacz. Każda strona jest oznaczona, pamiętasz?

Thomas ciągnął za poprzecinane klapy wieka, dopóki nie odskoczyły. Mapy z Sektora Drugiego spoczywały na rozwalonej stercie. Thomas sięgnął i wyciągnął stos.

– Ogay – powiedział. – Zwiadowcy zawsze porównywali je w odniesieniu do poprzedniego dnia, szukając jakiegoś schematu, który mógłby pomóc w znalezieniu stąd jakiegoś wyjścia. Powiedziałeś też, że tak naprawdę to nawet nie wiecie, *czego* szukać, ale i tak je studiujecie. Zgadza się?

Minho przytaknął, ramiona miał nadal skrzyżowane na piersi. Wyglądał, jakby ktoś miał za chwilę zdradzić mu tajemnicę nieśmiertelności.

– A co – kontynuował Thomas – jeżeli przemieszczanie się ścian nie ma nic wspólnego z mapą czy też Labiryntem? Co, jeżeli zamiast schematu, powinniśmy *szukać* słów? Jakiejś podpowiedzi, która pomogłaby nam stąd uciec.

Minho wskazał na Mapy, które Thomas trzymał w dłoni, wzdychając poirytowany.

– Stary, czy ty masz w ogóle pojęcie, ile czasu zajęło nam przestudiowanie tych map? Nie sądzisz, że byśmy dawno zauważyli, gdyby Labirynt literował cholerne *słowa*?

– Może nie można ich dostrzec gołym okiem, porównując kolejne dni. Może nie mieliście porównywać jednego dnia z drugim, tylko patrzeć na jeden dzień, jako całość?

Newt wybuchnął śmiechem.

– Tommy, może i żaden ze mnie bystrzak, ale wydaje mi się, że bredzisz.

Kiedy mówił, umysł Thomasa wirował jeszcze szybciej. Odpowiedź była na wyciągnięcie ręki – czuł dobrze, że był prawie u celu. Po prostu tak ciężko było to ubrać w słowa.

– Dobrze, już dobrze – powiedział, zaczynając od początku. – Zawsze przydzielaliście jednego Zwiadowcę do jednego sektora, tak?

– Zgadza się – odpowiedział Minho. Wyglądał na szczerze zainteresowanego i naprawdę chciał go zrozumieć.

– Zwiadowca tworzył Mapę codziennie, a następnie porównywał ją z tymi z poprzednich dni, dla *danego sektora*. A co, jeżeli zamiast tego powinniśmy porównać te osiem sektorów z każdego dnia *ze sobą*? Ponieważ każdy dzień to oddzielna wskazówka lub kod? Czy kiedykolwiek porównywaliście sektory ze sobą?

Minho podrapał się po podbródku i przytaknął.

– Tak jakby. Staraliśmy się sprawdzić, czy tworzą jakąś całość, kiedy się je połączy – to zrobiliśmy. Próbowaliśmy wszystkiego.

Thomas podciągnął wyżej nogi, przyglądając się Mapom na swoich kolanach. Przez kartkę leżącą na górze dostrzegł niewyraźne linie Labiryntu nakreślone na Mapie pod spodem. W tej samej chwili wiedział już, co ma zrobić. Spojrzał na swoich kompanów.

– Papier woskowany.

– Że co? – zapytał Minho. – O czym ty...

– Zaufaj mi. Potrzebuję papieru woskowanego i nożyczek. I wszystkie czarne markery i ołówki, jakie tylko uda ci się znaleźć.

Patelniak nie był zadowolony, kiedy zabrano mu całe pudło rolek papieru woskowanego, zwłaszcza że nie spodziewali się dostać kolejnego zaopatrzenia. Twierdził, że używał go do pieczenia, dlatego zawsze je zamawiał. W końcu byli zmuszeni mu powiedzieć, do czego był im potrzebny, aby dał się przekonać.

Po dziesięciu minutach uganiania się w poszukiwaniu ołówków i markerów – większość znajdowała się w Pokoju Map i spłonęła – Thomas usiadł wraz z Newtem, Minho i Teresą przy stole do pracy, znajdującym się w piwnicy z bronią. Nie znaleźli żadnych nożyczek, więc Thomas zabrał najostrzejszy nóż, jaki udało mu się znaleźć.

– Obyś miał jakiś pomysł – powiedział Minho. Ostrzeżenie pobrzmiewało w jego głosie, jednak jego oczy wykazywały zainteresowanie.

Newt pochylił się do przodu, opierając się łokciami na stole, zupełnie jakby czekał na jakąś magiczną sztuczkę.

– Zaczynaj już, świeżuchu.

– Ogay. – Thomas chciał jak najszybciej zacząć, był jednak również śmiertelnie przerażony, że nic z tego nie wyjdzie. Podał Minho nóż, po czym wskazał na papier woskowany. – Wytnij prostokąty, mniej więcej wielkości Map. Newt i Teresa, wy możecie mi pomóc w wyjmowaniu pierwszych dziesięciu Map z każdego pudła dla danego sektora.

– Co to ma być, będziemy teraz wycinać stateczki? – powiedział Minho, trzymając nóż i spoglądając na niego z odrazą. – Dlaczego nam nie powiesz, co, do klumpa, robimy?

– Koniec wyjaśnień – skwitował Thomas, wiedząc, że będą musieli po prostu zobaczyć to, co wyobraził sobie w głowie. Wstał i poszedł przeszukać wnękę z Mapami. – Zrozumiecie, kiedy wam pokażę. Jeżeli się mylę, to trudno, wtedy możemy z powrotem biegać jak szczury w Labiryncie.

Minho westchnął, widocznie rozdrażniony, następnie mruknął coś pod nosem. Teresa przez jakiś czas stała cicho, jednak przemówiła w myślach do Thomasa.

– *Myślę, że wiem, co robisz. To genialny pomysł.*

Thomas przestraszył się, jednak starał się nie dać tego po sobie poznać. Wiedział, że musi sprawiać wrażenie, jakby nie słyszał żadnych głosów w głowie, inaczej uznaliby go za wariata.

– *Chodź... pomóż... mi* – starał się jej odpowiedzieć, wypowiadając w myślach każde słowo z osobna, próbując wyobrazić sobie wiadomość i ją *wysłać*. Nie odpowiedziała mu jednak.

– Teresa – powiedział na głos. – Możesz mi z tym pomóc? – Skinął głową w kierunku szafy.

Poszli razem do małego, zakurzonego pokoju i pootwierali wszystkie pudła, wyciągając z każdego z nich niewielki stos

Map. Gdy wrócili do stołu, Thomas dostrzegł, że Minho zdołał wyciąć już dwadzieścia arkuszy, rzucając nowe kawałki papieru na niezdarny stos po swojej prawej stronie.

Usiadł i wziął kilka z nich. Podniósł jeden z arkuszy w stronę światła, dostrzegając, jak mienił się mlecznym blaskiem. Dokładnie tego potrzebował.

Wziął do ręki marker.

– No dobrze, niech każdy z was wyszuka teraz Mapy z ostatnich dziesięciu dni i położy je na tej kupce. Pamiętajcie, aby je na górze opisać, tak abyśmy się nie pogubili. Kiedy skończymy, to myślę, że uda nam się coś zobaczyć.

– Co zobaczyć? – zapytał Minho.

– Po prostu wycinaj – rozkazał mu Newt. – Myślę, że wiem, do czego chłopak zmierza.

Thomasowi ulżyło, że wreszcie ktoś zaczynał pojmować, o co mu chodziło.

Zabrali się do pracy, wyszukując oryginalne Mapy i układając je na papierze woskowanym, jedna za drugą, starając się ich nie ubrudzić i nie pomieszać, śpiesząc się, jak tylko mogli. Thomas wykorzystał kawałek deski jako prowizoryczną linijkę, aby zachować proste linie. Wkrótce ukończył już pięć map, a po chwili kolejnych pięć. Reszta również się nie ociągała, pracując gorączkowo.

Rysując, Thomas zaczął odczuwać coraz większą panikę, nieprzyjemne uczucie, że ich praca była kompletną stratą czasu. Jednak Teresa, która siedziała obok niego, rysowała linie od góry do dołu, wzdłuż i wszerz, wystawiając język w kąciku ust, w pełni skoncentrowana na wykonywanym zadaniu. Z całą pewnością miała o wiele więcej pewności co do wykonywanej pracy niż reszta jej kompanów.

Pudło za pudłem, sektor za sektorem. Nie przerywali pracy.

– Mam już dosyć – powiedział w końcu Newt, przerywając ciszę. – Palce mnie palą jak cholera. Sprawdźmy, czy coś z tego w ogóle będzie.

Thomas odłożył marker i rozprostował palce u dłoni, mając nadzieję, że się nie mylili.

– Ogay, weźcie Mapy z ostatnich kilku dni z każdego sektora, ułóżcie je na stosach wzdłuż stołu, zaczynając od Sektora Pierwszego do Ósmego. Pierwszy tutaj – wskazał na koniec – aż do Ósmego tutaj. – Wskazał na drugi koniec stołu.

W milczeniu zrobili to, o co ich prosił, sortując Mapy, które uprzednio przygotowali, dopóki osiem stert papieru woskowanego nie spoczęło na stole.

Roztrzęsiony i zdenerwowany, Thomas podniósł po jednej kartce z każdego stosu, upewniając się, że pochodziły z tego samego dnia, i trzymając je w odpowiedniej kolejności. Następnie układał je jedna na drugiej tak, aby każdy ze szkiców Labiryntu, który znajdował się nad i pod, miał tę samą datę, dopóki na stosie nie znalazło się osiem różnych sektorów Labiryntu naraz. To, co ujrzał, wprawiło go w zdumienie. Niemal w magiczny sposób, ich oczom ukazał się obraz. Teresa wydała z siebie cichy okrzyk zdumienia.

Linie przecinające się wzajemnie, w górę i w dół, tak gęsto, że to, co Thomas trzymał teraz w dłoniach, przypominało szachownicę. Jednak pewne linie pośrodku – te, które zdawały się powtarzać częściej od pozostałych – utworzyły nieco ciemniejszy obraz od całej reszty. Był delikatny, jednak bez wątpienia tam był.

Na samym środku strony znajdowała się litera C.

Thomas poczuł przypływ rozmaitych emocji: ulgi, że pomysł się sprawdził, zaskoczenia, podniecenia oraz ciekawości, związanej z tym, dokąd mogło ich to odkrycie zaprowadzić.

– Wow – powiedział Minho, podsumowując odczucia Thomas jednym słowem.

– To może być zbieg okoliczności – powiedziała Teresa.

– Szybko, ułóż następne.

Thomas posłuchał, układając osiem stron z każdego dnia w kolejności od Sektora Pierwszego do Ósmego. Za każdym razem w samym środku poprzecinanej masy linii formowała się wyraźna litera. Po *C* była litera *H*, później *W*, następnie *Y* i *T*, a na końcu *A* i *J*. Następnie *Z... A... D*.

– Spójrzcie – powiedział Thomas, wskazując na utworzone stosy arkuszy, zdezorientowany, acz szczęśliwy, że litery były tak oczywiste. – Labirynt przeliterował słowo *CHWY-TAJ*, a następnie *ZAD*.

– Chwytaj zad – zapytał Newt. – To wcale nie brzmi jak cholerny kod ratunkowy.

– Nie możemy przerwać pracy – powiedział Thomas.

Kolejnych kilka kombinacji uświadomiło im, że drugim słowem tak naprawdę było *ZADANIE*. *CHWYTAJ* i *ZADANIE*.

– To na pewno nie jest zbieg okoliczności – powiedział Minho.

– Na pewno – zgodził się Thomas. Nie mógł się doczekać, aż zobaczy więcej.

Teresa wykonała gest w kierunku wnęki z Mapami.

– Musimy sprawdzić je wszystkie, przejrzeć wszystkie pudła.

– Tak – przytaknął Thomas. – Bierzmy się do roboty.

– Nie możemy wam pomóc – powiedział Minho.

Cała trójka spojrzała na niego. Odwzajemnił ich spojrzenia.

– Przynajmniej nie ja i nie Thomas. Musimy iść ze Zwiadowcami do Labiryntu.

– Co? – zapytał Thomas. – To jest o wiele ważniejsze!

– Być może – odpowiedział spokojnie Minho – ale nie możemy opuścić choćby dnia. Nie teraz.

Thomas poczuł olbrzymie rozczarowanie. Bieganie po Labiryncie wydawało się stratą czasu w porównaniu do możliwości odkrywania kodu.

– Ale dlaczego? Sam przecież powiedziałeś, że ten sam schemat w zasadzie powtarza się od miesięcy, jeden dzień niczego nie zmieni.

Minho uderzył dłonią w stół.

– Gówno prawda! Ze wszystkich dni, ten dzisiejszy może być najważniejszy, jeżeli mamy się stąd wydostać. Coś mogło się zmienić, coś mogło się otworzyć. Skoro cholerne ściany już się nie zamykają, to myślę, że powinniśmy w końcu skorzystać z twojego pomysłu, zostać tam na noc i przeszukać Labirynt dokładniej.

To przykuło uwagę Thomasa. Przecież od dawna *chciał* to zrobić. Rozdarty, zapytał:

– Ale co z kodem? Co z...

– Tommy – przemówił Newt pocieszającym głosem. – Minho ma rację. Powinniście iść do Labiryntu. Skrzyknę kilku zaufanych Streferów i zajmiemy się tym. – Newt, jak nigdy wcześniej, brzmiał jak przywódca,.

– Ja też – przytaknęła Teresa. – Zostanę i mu pomogę.

Thomas spojrzał na nią.

– Jesteś pewna? – Sam bardzo chciał odkryć kod, jednak uznał, że Minho i Newt mieli rację.

Uśmiechnęła się i skrzyżowała ramiona na piersi.

– Jeżeli zamierzasz odszyfrować kod ukryty w złożonym zbiorze różnych labiryntów, to jestem niemal pewna, że nie dasz sobie rady bez kobiecej głowy. – Jej uśmiech przerodził się w uśmieszek.

– Skoro tak mówisz – odpowiedział i sam skrzyżował ramiona, spoglądając na nią z uśmiechem. Nie chciał się z nią rozstawać.

– Ogay. – Minho skinął głową i odwrócił się do wyjścia. – No to ustalone. Idziemy. Ruszył w stronę drzwi, jednak zatrzymał się, kiedy zdał sobie sprawę, że Thomas nie szedł za nim.

– Nie martw się, Tommy – powiedział Newt. – Twojej dziewczynie nic nie będzie. – Thomas poczuł milion kłębiących się właśnie w jego głowie myśli. Chęć poznania kodu, zażenowanie co do tego, co Newt myślał o nim i o Teresie, ciekawość, co mogą znaleźć w Labiryncie. Oraz strach.

Przegonił je jednak. Nie żegnając się, w końcu ruszył za Minho i poszli schodami na górę.

Thomas pomógł Minho zwołać Zwiadowców, aby przekazać im informacje i przygotować ich do wielkiej wyprawy. Zdziwił się, jak wszyscy chętnie zgodzili się z tym, że jest już najwyższy czas, aby dogłębnie przeszukać Labirynt i zostać tam na noc. Pomimo strachu i szalejących nerwów, Thomas oznajmił Minho, że sam może przeszukać jeden z Sektorów, jednak jego Opiekun nie wyraził na to zgody. Mieli ośmiu doświadczonych Zwiadowców, którzy mogli się podjąć zadania. Thomas miał iść razem z Minho i na tę wieść odczuł tak wielką ulgę, że niemal było mu z tego powodu wstyd.

Spakowali plecaki, biorąc więcej prowiantu niż zwykle. Nikt nie wiedział, jak długo tam zostaną. Pomimo strachu, który odczuwał, Thomas nie mógł również powstrzymać swojej ekscytacji – może nadszedł dzień, w którym znajdą w końcu upragnione wyjście?

Rozciągali wraz z Minho mięśnie nóg przy Zachodnich Wrotach, gdy podszedł do nich Chuck, aby się pożegnać.

– Poszedłbym z wami – powiedział chłopak zbyt radosnym głosem – ale nie uśmiecha mi się zginąć straszliwą śmiercią.

Thomas roześmiał się, zaskakując tym samego siebie.

– Dzięki za słowa otuchy.

– Uważajcie na siebie – dodał Chuck, a ton jego głosu przeszedł prędko w szczerą troskę. – Szkoda, że nie mogę wam pomóc.

Thomas był wzruszony. Był pewien, że gdyby naprawdę do tego doszło, to Chuck poszedłby razem z nimi, gdyby go o to poprosił.

– Dzięki. Na pewno będziemy na siebie uważać.

Minho burknął.

– Na to już za późno. Teraz musimy zaryzykować, dzieciaku.

– Lepiej już chodźmy – powiedział Thomas. Zżerały go nerwy i chciał wreszcie wyruszyć, przestać o tym myśleć. Koniec końców, nocowanie w Labiryncie nie było wcale gorsze od pozostania w Strefie przy otwartych Wrotach. Myśl ta nie sprawiła jednak, że poczuł się lepiej.

– Ogay – skwitował spokojnie Minho. – Ruszajmy.

– No to – rzucił Chuck, wpatrując się w swoje stopy, zanim ponownie spojrzał na Thomasa – powodzenia. Możesz być spokojny. Jeżeli twoja dziewczyna poczuje się samotna, to dostarczę jej trochę czułości.

Thomas przewrócił oczyma.

– Ona nie jest moją dziewczyną, smrodasie.

– Wow – powiedział Chuck. – Zacząłeś używać wyzwisk Alby'ego. – Najwyraźniej starał się zataić fakt, jak bardzo przerażały go ostatnie wydarzenia. Jego oczy zdradzały jednak prawdę. – Poważnie, powodzenia.

– Dzięki, to wiele dla mnie znaczy – odparł Minho i sam przewrócił oczami. – Na razie, sztamaku.

– Taa, na razie – wymamrotał Chuck, po czym odwrócił się, by odejść.

Thomas poczuł ukłucie smutku. Możliwe, że już nigdy więcej nie zobaczy ani Chucka, ani Teresy, ani żadnego z nich. Poczuł nagle, że musi to powiedzieć.

– Nie zapominaj, co ci obiecałem! – krzyknął. – Zabiorę cię do domu!

Chuck odwrócił się i podniósł kciuk w górę. Jego oczy błyszczały od łez.

Thomas wyrzucił w górę kciuki u obu dłoni. Następnie wraz z Minho założyli plecaki i wkroczyli do Labiryntu.

Nie zatrzymywali się, dopóki nie znaleźli się w połowie drogi do ostatniego ślepego zaułka w Sektorze Ósmym. Mieli dobry czas – Thomas cieszył się ze swojego zegarka, zwłaszcza kiedy niebo spowijała szarość – ponieważ szybko stało się oczywiste, że od wczorajszego dnia mury nie przemieściły się. Wszystko było dokładnie takie samo. Nie musieli nawet sporządzać Map ani notatek. Ich jedynym zadaniem było dotarcie do końca i powrót, w trakcie którego zamierzali przeszukać Labirynt w poszukiwaniu czegoś, czego wcześniej nie dostrzegli. Czegokolwiek. Minho zarządził dwudziestominutową przerwę, po czym wrócili do zadania.

Gdy biegli, nie odzywali się ani słowem. Minho uprzedził go, że mówienie to jedynie strata energii, więc Thomas skoncentrował się na swoim tempie i oddechu. Regularnie. Równo. Wdech, wydech. Wdech, wydech. Zapuszczali się coraz bardziej w głąb Labiryntu, za towarzyszy mając jedynie własne myśli i głośny tupot nóg po twardym, kamiennym chodniku.

Gdy minęła trzecia godzina, zaskoczyła go Teresa, przemawiając do niego w myślach.

– *Robimy postępy, znaleźliśmy już kilka kolejnych słów. Póki co, nie mają jednak żadnego sensu.*

W pierwszym odruchu Thomas chciał ją zignorować, zaprzeczyć po raz kolejny, że ktoś posiadał zdolność wkraczania do jego umysłu, do naruszania jego prywatności. *Chciał* jednak z nią porozmawiać.

– *Słyszysz mnie?* – zapytał, wyobrażając sobie te słowa w głowie, wysyłając je w myślach do niej, w sposób, którego nie potrafił wytłumaczyć. Koncentrując się, wypowiedział słowa ponownie. – *Słyszysz mnie?*

– *Tak!* – odpowiedziała. – *Naprawdę wyraźnie, kiedy to powtórzyłeś.*

Thomas był zszokowany. Tak bardzo, że omal się nie zatrzymał. Poskutkowało!

– *Zastanawiam się, dlaczego potrafimy to robić* – zawołał w myślach. Wysiłek psychiczny, jaki kosztowało go porozumiewanie się z nią, był ogromny. Czuł, że ból głowy uwił sobie gniazdo w jego mózgu.

– *Może byliśmy kochankami* – odpowiedziała Teresa.

Thomas potknął się i runął na ziemię. Uśmiechnął się zakłopotany do Minho, który odwrócił się bez zatrzymywania i spojrzał na niego. Thomas podniósł się i ruszył za nim.

– *Słucham?* – zapytał w końcu.

Wyczuł jej śmiech, rozmyty obraz pełen barw.

– *To takie dziwne* – powiedziała. – *Niby jesteś dla mnie obcą osobą, ale wiem, że tak nie jest.*

Thomas, choć zlany potem, odczuł przyjemny dreszcz przeszywający jego ciało.

– *Wybacz, że cię rozczaruję, ale jesteśmy sobie obcy. Dopiero co cię poznałem, pamiętasz?*

– *Nie bądź niemądry, Tom. Myślę, że ktoś majstrował przy naszych mózgach i coś w nich umieścił, dzięki czemu możemy teraz porozumiewać się telepatycznie. To musiało się stać, zanim się tutaj znaleźliśmy. Dlatego myślę, że już się znaliśmy.*

Zastanawiał się nad tym i doszedł do wniosku, że najprawdopodobniej miała rację. Naprawdę zaczynał ją lubić.

– *Ktoś majstrował przy mózgach?* – zapytał. – *Jak?*

– *Nie wiem, nie potrafię przywołać tego wspomnienia. Wyda-*

je mi się, że dokonaliśmy czegoś wielkiego.

Thomas zastanawiał się nad tym, że odkąd tylko pojawiła się w Strefie, odczuwał jakąś łączącą ich więź. Chciał dowiedzieć się czegoś więcej i przekonać się, co powie.

– *O czym ty mówisz?*

– *Chciałabym to wiedzieć. Staram się po prostu podsyłać ci jakieś pomysły i zobaczyć, czy czegoś ci to nie mówi.*

Thomas przypomniał sobie o tym, co mówili Gally, Ben i Alby. O ich podejrzeniach, że w jakiś sposób był przeciwko nim, że był kimś, komu nie mogli zaufać. Pomyślał również o tym, co powiedziała Teresa po raz pierwszy – że on i ona są w jakiś sposób za to wszystko odpowiedzialni.

– *Ten kod musi coś oznaczać* – dodała. – *I to, co napisałam na ramieniu, też. Że DRESZCZ jest dobry.*

– *Może to nie będzie miało znaczenia* – odpowiedział. – *Może znajdziemy stąd wyjście. Jeszcze tego nie wiemy.*

Thomas zacisnął na chwilę mocno powieki, próbując się skoncentrować. Strumień powietrza przepływał przez jego klatkę piersiową za każdym razem, kiedy rozmawiali – niezwykłe uczucie wypełnienia, które go zarazem irytowało, jak i ekscytowało. Otworzył ponownie oczy, gdy uświadomił sobie, że Teresa mogła czytać również w jego myślach wtedy, kiedy z nią nie rozmawiał. Czekał na odpowiedź, jednak żadna nie nadeszła.

– *Jesteś tam?* – zapytał.

– *Tak, to zawsze przyprawia mnie o ból głowy.*

Ulżyło mu, że nie był jedyny.

– *Mnie też głowa pęka.*

– *Rozumiem* – odpowiedziała. – *To na razie.*

– *Nie, zaczekaj!* – Nie chciał, aby odchodziła. Sprawiała, że dzięki niej czas biegł szybciej. Sprawiała, że bieganie stawało się w jakiś sposób łatwiejsze.

– Na razie, Tom. Odezwę się, jeżeli uda nam się coś ustalić.

– Teresa, a co z tym napisem na twoim ramieniu?

Upłynęło kilka sekund. Brak odpowiedzi.

– Teresa?

Nie było jej. Thomas poczuł, jakby balon powietrza w jego piersi pękł, wypuszczając toksyny do jego ciała. Rozbolał go brzuch i myśl o bieganiu przez resztę dnia nagle go przygnębiła.

Tak czy inaczej, chciał powiedzieć Minho o tym, w jaki sposób mógł porozumiewać się z Teresą, podzielić się tym, zanim jego mózg eksploduje. Jednak się nie odważył. Przyznanie się do telepatii nie było w tej chwili najlepszym pomysłem. Wszystko i tak było już wystarczająco dziwne.

Thomas opuścił głowę i wziął głęboki oddech. Będzie musiał trzymać język za zębami i skupić się na bieganiu.

Dwie przerwy później Minho w końcu zwolnił tempo, zaczął iść wzdłuż długiego korytarza, który nagle kończył się ścianą. Zatrzymał się i usiadł, opierając się o ścianę w ślepym zaułku. Bluszcz był tam szczególnie gęsty. Ich świat wydawał się być zewsząd porośnięty bujną roślinnością, ukrywającą twardy, niemożliwy do pokonania kamień.

Thomas dołączył do Minho i wygłodniali rzucili się na skromną zawartość swoich pojemników z lunchem, na który składała się kanapka i kawałki owoców.

– To by było na tyle – powiedział Minho, wziąwszy drugiego kęsa. – Przebiegliśmy już przez cały sektor. I co, ani śladu wyjścia.

Thomas wiedział o tym doskonale, jednak kiedy usłyszał to na własne uszy, podłamał się jeszcze bardziej.

Nie odzywając się więcej, dokończyli posiłek i przygotowali się do przeszukania Labiryntu, nie do końca wiedząc, czego tak naprawdę szukali.

Przez następnych kilka godzin, Thomas i Minho przeczesywali korytarze, kładąc się na ziemi i wspinając się po pnączach. Nie znaleźli niczego i Thomas czuł się coraz bardziej zniechęcony. Jedyną interesującą rzeczą, na jaką natrafili, była kolejna tablica z napisem Departament Rozwoju Eksperymentów, Strefa Zamknięta: Czas Zagłady. Minho nie chciał nawet na nią spojrzeć.

Zjedli kolejny posiłek, po czym wrócili do poszukiwań. Niczego nie znaleźli i Thomas powoli zaczynał się godzić z nieuniknionym – w Labiryncie nie było nic, co mogliby znaleźć.

Gdy zbliżała się pora zamykania Wrót, Thomas zaczął wypatrywać oznak Bóldożerców, drżąc z niepewności, kiedy skręcali za każdy róg. W dłoniach, w mocnym uścisku, trzymali noże. Jednak przed północą nie natrafili na nikogo.

Minho zauważył Bóldożercę, który zniknął za rogiem przed nimi i nie wrócił. Trzydzieści minut później Thomas zauważył kolejnego, który zrobił dokładnie to samo. Godzinę później tuż obok nich przemknął rozpędzony Bóldożerca, nawet się nie zatrzymując. Thomas o mało się nie przewrócił z przerażenia.

Wraz z Minho kontynuowali eksplorację.

– Myślę, że się z nami bawią – powiedział Minho chwilę później.

Thomas zorientował się, że już dawno zaprzestał poszukiwań i szedł z powrotem w stronę Strefy ze spuszczoną głową. Sądząc po wyglądzie, Minho czuł się dokładnie tak samo.

– Co masz na myśli? – zapytał Thomas.

Opiekun westchnął.

– Myślę, że Stwórcy chcą, abyśmy wiedzieli, że stąd nie ma wyjścia. Ściany się już nawet nie przemieszczają – zupełnie jakby to była jakaś głupia gra, której czas dobiegł końca. I chcą, abyśmy wrócili do Strefy i poinformowali o tym pozostałych. O ile chcesz się założyć, że jak wrócimy, to okaże się, że Bóldożercy zabrali kolejną osobę? Myślę, że Gally miał rację. Będą nas dalej zabijać.

Thomas nie odpowiedział. Czuł, że za tym, co mówił Minho, kryła się prawda. Nadzieja, którą odczuwał, gdy wyruszali, już dawno w nim umarła.

– Wracajmy już do domu – rzucił Minho zmęczonym głosem.

Thomas nie chciał przyznać się do porażki, jednak przytaknął. Wyglądało na to, że kod pozostawał ich jedyną nadzieją i postanowił właśnie na nim się skupić.

Ruszyli w milczeniu z powrotem do Strefy. Przez całą drogę powrotną nie napotkali żadnego Bóldożercy.

45

Zegarek Thomasa wskazywał dziewiątą trzydzieści rano, kiedy wraz z Minho przeszli przez Zachodnie Wrota i wrócili do Strefy. Thomas był tak zmęczony, że miał ochotę się położyć na miejscu i zasnąć. Byli w Labiryncie przez jakieś dwadzieścia cztery godziny.

Niespodziewanie, pomimo braku światła i wiszącego nad Strefą widma kataklizmu, dzień wyglądał zwyczajnie. Streferzy jak zwykle wykonywali swoje obowiązki, zajmując się hodowlą, uprawą i sprzątaniem. Nie potrzeba było wiele czasu, aby wkrótce zauważyła ich grupka chłopców. Następnie powiadomiono Newta, który chwilę później do nich przybiegł.

– Jesteście pierwszymi, którzy wrócili – powiedział, podchodząc do nich. – Co się stało? – Dziecięcy wyraz nadziei na jego twarzy złamał Thomasowi serce. Najwyraźniej sądził, że znaleźli coś ważnego. – Powiedzcie, że macie dobre wiadomości.

Spojrzenie Minho było martwe, utkwione gdzieś w odległym szarym punkcie.

– Nic – odpowiedział. – Labirynt to jeden wielki, cholerny kawał.

Newt spojrzał zdezorientowany na Thomasa.

– Co on plecie?

– Jest zniechęcony – odparł Thomas, wzruszając ramionami. – Niczego nie znaleźliśmy. Nie było przesuwających się ścian, wyjścia, niczego. Czy Bóldożercy przyszli w nocy?

Newt zawahał się, ciemność spowiła mu twarz. W końcu, przytaknął.

– Tak, zabrali Adama.

Thomas nie znał tego chłopaka i miał wyrzuty sumienia, że nawet nic nie poczuł.

Tylko jedna osoba, pomyślał. Może Gally miał rację.

Newt miał właśnie coś jeszcze powiedzieć, kiedy Minho nagle wybuchnął.

– Mam już tego dość! – wykrzyknął, spluwając w bluszcz, a na jego szyi wyskoczyły żyły. – Mam dość! Koniec z tym! Koniec! – Zdjął plecak i rzucił nim o ziemię. – Nie ma żadnego wyjścia, nigdy nie było i nigdy nie będzie. Wszyscy jesteśmy upurwieni!

Zziajany Thomas przyglądał się, jak Minho zaczął ociężale stąpać w stronę Bazy. Poczuł niepokój. Jeżeli Minho się podda, to mają poważny problem.

Newt nie odezwał się słowem. Zostawił oszołomionego Thomasa samego. Powietrze spowiła rozpacz, gęsta i gryząca, niczym kłęby dymu unoszące się nad płonącym Pokojem Map.

Pozostali Zwiadowcy wrócili w przeciągu następnej godziny i z tego, co Thomas usłyszał, żaden z nich niczego nie znalazł. Rzędy posępnych twarzy sunęły po całej Strefie, a Streferzy w większości porzucili swoje codzienne obowiązki.

Thomas wiedział, że kod Labiryntu pozostawał teraz ich jedyną nadzieją. To musi coś oznaczać. Musi. Kiedy wysłuchał relacji pozostałych Zwiadowców, otrząsnął się z przygnębienia.

– *Teresa?* – powiedział w myślach, zamykając oczy, jakby w ten sposób miało to zadziałać mocniej. – *Gdzie jesteś? Udało ci się coś wymyślić?*

Po długiej ciszy niemal się poddał, dochodząc do wniosku, że nie udało mu się nawiązać z nią kontaktu.

– *Słucham. Tom, mówiłeś coś?*

– *Tak* – odpowiedział, podekscytowany, że udało mu się ponownie nawiązać z nią kontakt. – *Słyszysz mnie? Nie wiem, czy robię to właściwie.*

– Czasami są zakłócenia, ale działa. Trochę to dziwaczne, prawda?

Thomas właśnie się nad tym zastanawiał, bo prawdę powiedziawszy, zaczynał się już do tego przyzwyczajać.

– *Nie jest tak źle. Jesteście jeszcze w piwnicy? Widziałem Newta, ale później gdzieś się zmył.*

– *Nadal tam jesteśmy. Newt załatwił trzech Streferów, którzy pomagają nam przy Mapach. Myślę, że mamy już cały kod.*

Serce podskoczyło mu do gardła.

– *Poważnie?*

– *Przyjdź tu.*

– *Już idę.* – Był już w drodze, kiedy to mówił. Zdziwił się, bo w jednej chwili odeszło całe jego zmęczenie.

Newt wpuścił go do środka.

– Minho wciąż się nie pokazał – powiedział, schodząc schodami do piwnicy. – Czasem zachowuje się jak narwaniec.

Thomas zdziwił się, że Minho marnuje czas na dąsanie się, zwłaszcza w obliczu możliwości, jakie kryły się za kodem. Porzucił jednak te myśli, kiedy weszli do pokoju. Wokół stołu stało kilku Streferów, których Thomas nie znał. Wszyscy wyglądali na wyczerpanych i mieli podkrążone oczy. Stosy Map leżały porozrzucane po całym pokoju, pokrywały całą podłogę. Wyglądało to, jakby przez pokój przetoczyło się tornado.

Teresa opierała się o rząd półek, przyglądając się uważnie pojedynczemu arkuszowi papieru. Gdy Thomas wszedł, spojrzała na niego, po czym ponownie skupiła wzrok na kartce. Zasmuciło go to trochę – bo sądził, że ucieszy się na jego widok – jednak chwilę później poczuł się głupio, że tak pomyślał. Najwyraźniej była zajęta rozpracowywaniem kodu.

– *Musisz to zobaczyć* – powiedziała Teresa, jak tylko Newt odprawił swoich pomocników. Poczłapali po drewnianych schodach na górę, narzekając, że cała ich praca poszła na marne.

Thomas odpowiedział jej, bojąc się, że Newt zorientuje się w sytuacji.

– *Nie mów do mnie w myślach, kiedy Newt jest w pobliżu. Nie chcę, aby dowiedział się o naszym... darze.*

– Podejdź tu i rzuć na to okiem – powiedziała na głos, starając się ukryć uśmiech.

– Padnę na kolana i wycałuję twoje dymiące giry, jeżeli rozkminisz, o co w tym chodzi – powiedział Newt.

Thomas podszedł do Teresy, nie mogąc się doczekać, kiedy zobaczy, co też udało im się ustalić. Wręczyła mu kartkę papieru, unosząc brwi.

– To jest bez wątpienia prawidłowe – powiedziała. – Po prostu nie mam zielonego pojęcia, co to oznacza.

Thomas wziął kartkę i uważnie się jej przyjrzał. Z lewej strony znajdowały się oznakowane kółka, od jeden do sześciu. Obok każdego z nich znajdowało się słowo napisane wielkimi literami.

CHWYTAJ
ZADANIE
KREW
ZGON
TRUP
GUZIK

Nic poza tym. Tylko sześć słów.

Rozczarowanie zagościło na jego twarzy – był pewny, że jak tylko uzyskają cały kod, to jego zastosowanie stanie się dla nich oczywiste. Spojrzał na Teresę przygnębiony.

– To wszystko? Jesteś pewna, że są w odpowiedniej kolejności?

Zabrała kartkę z powrotem.

– Labirynt powtarzał te słowa od miesięcy. Przestaliśmy sprawdzać, kiedy stało się to oczywiste. Za każdym razem po słowie *GUZIK*, następował tydzień przerwy bez żadnego słowa, a potem schemat się powtarzał i wszystko zaczynało się ponownie od słowa *CHWYTAJ*. Ustaliliśmy więc pierwsze słowo i właściwą kolejność.

Thomas skrzyżował ramiona i oparł się o półki obok Teresy. Bez zastanawiania się, utrwalił wszystkie sześć słów, zapisując je w pamięci. *Chwytaj, Zadanie, Krew, Zgon, Trup, Guzik.* To nie wróżyło niczego dobrego.

– Wesołe słówka, co nie? – powiedział Newt, wymawiając na głos jego myśli.

– Taa – skwitował Thomas pełnym frustracji pomrukiem. – Musimy ściągnąć tu Minho, może on wie o czymś, o czym my nie pomyśleliśmy. Gdybyśmy tylko mieli więcej wskazówek. – Zastygł nieruchomo, ugodzony atakiem zawrotów głowy; upadłby na podłogę, gdyby nie półki za jego plecami, na których się oparł. Przyszedł mu właśnie do głowy pewien pomysł. Okropny, przerażający i paskudny. Najgorszy ze wszystkich okropnych, przerażających i paskudnych pomysłów w historii.

Przeczucie podpowiadało mu jednak, że się nie mylił. Musiał to zrobić.

– Tommy? – zapytał Newt, podchodząc do niego bliżej, wyraźnie zaniepokojony. – Co ci jest? – Nagle zrobiłeś się blady jak córka młynarza.

Thomas potrząsnął głową, uspokajając się.

– Co?... Ach nic, przepraszam. Bolą mnie oczy, muszę się przespać. – Przetarł skronie dla efektu.

– *Wszystko w porządku?* – zapytała w myślach Teresa. Spojrzał na nią i zauważył, że była równie zaniepokojona, co

Newt, a to poprawiło mu nastrój.

– *Tak. Serio. Jestem po prostu zmęczony. Muszę się przespać.*

– Cóż – powiedział Newt, wyciągając dłoń i ściskając go za ramię. – Spędziłeś w Labiryncie całą cholerną noc. Idź się zdrzemnąć.

Thomas spojrzał na Teresę, a następnie na Newta. Chciał się z nimi podzielić tym pomysłem, jednak postanowił tego nie robić. Zamiast tego przytaknął i ruszył w stronę schodów.

Thomas miał teraz pomysł. Pomimo że był kiepski, to miał jednak plan.

Potrzebowali więcej wskazówek odnośnie kodu. Potrzebowali *wspomnień*.

Postanowił więc dać się użądlić Bóldożercy. Przejść przez Przemianę. Celowo.

46

Thomas postanowił nie rozmawiać z nikim przez resztę dnia.

Teresa próbowała kilkakrotnie. Powtarzał jej jednak, że źle się czuje, że chce zostać sam i chce się przespać w swoim kącie na tyłach lasu i może trochę pomyśleć. Spróbować odkryć schowaną we własnym umyśle tajemnicę, która wyjaśniłaby mu, co dalej robić.

Jednak, prawdę powiedziawszy, to przygotowywał się na to, co zaplanował zrobić wieczorem, starając się przekonać samego siebie, że postępuje właściwie. Że nie ma innego wyboru. W dodatku był absolutnie przerażony i nie chciał, aby ktokolwiek to zauważył.

W końcu, kiedy jego zegarek obwieścił nadejście wieczoru, udał się ze wszystkimi do Bazy. Dopóki nie zaczął pośpiesznie pochłaniać przygotowanej przez Patelniaka zupy pomidorowej i biszkoptów, niemal nie zdawał sobie sprawy z tego, jak bardzo był głodny.

Następnie przyszła pora na kolejną bezsenną noc.

Budole zabili deskami dziury w ścianach pozostawione przez Bóldożerców, którzy zabrali Gally'ego i Adama. Efekt ich pracy wyglądał niczym robota bandy pijaków, jednak deski były wystarczająco wytrzymałe. Newt oraz Alby, który miał mocno obandażowaną głowę i który w końcu poczuł się na tyle dobrze, aby móc samodzielnie chodzić, zalecili, aby Streferzy zamieniali się co noc miejscami spoczynku.

Thomas wylądował w olbrzymim salonie na parterze, wśród tych samych ludzi, z którymi spał dwie noce wcześniej. W pokoju szybko zapanowała cisza, choć nie wiedział, czy to z powodu zmęczenia, czy też strachu jego kompanów, którzy mimo wszystko liczyli w duchu, że Bóldożercy nie przyjdą ponownie. Tym razem pozwolono pozostać Teresie w budynku wraz z resztą Streferów. Leżała obok niego, zwinięta w kłębek na dwóch kocach. Nie wiedząc skąd, Thomas wyczuwał, że spała. Naprawdę *spała*.

Thomas jednak nie potrafił zasnąć, choć wiedział, że jego ciało rozpaczliwie potrzebowało snu. Starał się, tak bardzo starał się zamknąć oczy, zmusić się do relaksu. Jednak na próżno. Noc wlekła się niemiłosiernie, a uczucie wyczekiwania spoczywało na jego piersi niczym przygniatający go ciężar.

Wówczas, tak jak wszyscy się tego spodziewali, usłyszeli przerażające, mechaniczne odgłosy Bóldożerców znajdujących się na zewnątrz. Nadeszła pora.

Wszyscy stłoczyli się pod najbardziej oddaloną od okien ścianą, starając się zachować absolutną ciszę. Thomas skulił się wraz z Teresą w rogu, przyciskając do piersi kolana i wbijając wzrok w okno. Straszna, podjęta przez niego decyzja ścisnęła go za serce i nie chciała wypuścić. Wiedział jednak, że wszystko mogło od tego zależeć.

Napięcie w pokoju wzrastało z każdą chwilą. Streferzy zachowywali ciszę, nikt nie odważył się choćby poruszyć. Odległe zgrzytanie metalu o drewno rozbrzmiało echem po domu. Dla Thomasa brzmiało to tak, jakby Bóldożerca wspinał się po ścianie z tyłu Bazy, z drugiej strony budynku. Kilka sekund później usłyszeli kolejne odgłosy dochodzące ze wszystkich stron, najbliższy Bóldożerca był tuż za ich oknem. Powietrze w pokoju jakby nagle zamarzło, przemieniając się w bryłę lodu. Thomas przycisnął pięści do oczu, oczekiwanie na atak wykańczało go.

Huk eksplozji, rozrywanego drewna i tłuczonego szkła rozbrzmiał gdzieś na górze, trzęsąc całym domem. Thomasa sparaliżował strach, gdy rozległo się kilka krzyków, a potem usłyszeli głośny odgłos kroków. Głośne jęki oraz skrzypienie podłogi obwieściły zbiegającą na parter hordę Streferów.

– Dorwał Dave'a! – ktoś krzyknął przenikliwym głosem.

Nikt w pokoju nawet nie drgnął. Thomas wiedział, że prawdopodobnie każdego z nich dopadło poczucie winy z powodu ulgi, jaką odczuwali z faktu, że tym razem to złowieszcze fatum nie dopadło ich. Że być może przez jedną noc będą bezpieczni. Drugą noc z rzędu zabrano tylko jednego chłopaka i wszyscy zaczęli wierzyć, że to, co powiedział Gally, było prawdą.

Thomas podskoczył, kiedy przeraźliwy łomot połączony z krzykami i dźwiękiem rozłupywanego drewna rozbrzmiał tuż za ich drzwiami, zupełnie jak gdyby jakiś żelaznoszczęki potwór pożerał całą klatkę schodową. Chwilę później do ich uszu dotarła kolejna eksplozja rozrywanego drewna – drzwi frontowe. Bóldożerca przetoczył się przez dom i właśnie wychodził.

Eksplozja strachu targnęła Thomasem. Teraz albo nigdy.

Zerwał się na nogi i podbiegł do drzwi, otwierając je na oścież. Usłyszał krzyk Newta, jednak zignorował go i pobiegł wzdłuż korytarza, przeskakując i unikając setek rozerwanych kawałków drewna. Zauważył miejsce, w którym jeszcze nie tak dawno stały drzwi frontowe, a na miejscu których znajdowała się obecnie postrzępiona dziura w ścianie, za którą z kolei rozpościerał się szary mrok. Pognał wprost przez nią i wybiegł na dziedziniec.

– *Tom!* – zawołała Teresa w jego głowie. – *Co ty wyprawiasz?*

Nie zwracał na nią uwagi. Po prostu biegł dalej.

Bóldożerca trzymający Dave'a – dzieciaka, z którym Thomas nigdy wcześniej nie rozmawiał – z warkotem toczył się na swoich kolcach w kierunku Zachodnich Wrót. Pozostali Bóldożercy, którzy zebrali się już na dziedzińcu, podążali za swoim towarzyszem w stronę Labiryntu. Bez wahania, wiedząc, że inni pomyślą, iż chce popełnić samobójstwo, Thomas puścił się biegiem w ich kierunku, dopóki nie znalazł się pośrodku stada kreatur. Zaskoczeni Bóldożercy zawahali się.

Thomas rzucił się na bestię, która trzymała Dave'a, próbując go wyrwać z jej uścisku, licząc, że kreatura weźmie na nim odwet. Krzyk Teresy, który rozległ się w jego głowie, był tak głośny, że poczuł się, jakby ktoś zatopił sztylet w jego czaszce.

Trzech Bóldożerców dopadło go naraz, ich długie kleszcze, szczypce oraz igły atakowały go ze wszystkich stron. Thomas wymachiwał nogami i rękoma, kopiąc w przerażające metalowe odnóża oraz drżące cielska. Nie chciał, aby go zabrali tak jak Dave'a, tylko żeby go użądlili. Ich nieustępliwy atak przybrał na sile i Thomas poczuł, jak ból rozlewa się w każdym centymetrze jego ciała – ukłucie igły poinformowało go, że odniósł sukces. Wrzeszcząc, kopał, odpychał i uderzał napastników, rzucając swe ciało na kuliste kreatury, próbując się im wyrwać. Szamocząc się w przypływie adrenaliny, w końcu dostrzegł wolne miejsce między oprawcami, przez które przedostał się i uciekł, pędząc co sił w nogach.

Gdy tylko udało mu się uciec poza zasięg ich śmiertelnych instrumentów, Bóldożercy zaniechali ataku i wycofali się w głąb Labiryntu. Thomas upadł na ziemię, jęcząc z bólu.

W następnej chwili pojawił się przy nim Newt, a wraz z nim Chuck, Teresa i kilka innych osób. Newt chwycił go za ramiona i podniósł, następnie złapał za obie ręce.

– Weźcie go za nogi! – krzyknął.

Thomas poczuł, że świat wokół niego wiruje i zebrało mu się na wymioty. Ktoś, nie był w stanie powiedzieć kto, wykonał polecenie Newta. Zaniesiono go przez dziedziniec, następnie przez drzwi frontowe Bazy, wzdłuż zdewastowanego korytarza, do pokoju i umieszczono na kanapie. Świat wciąż kręcił się i wirował.

– Coś ty nawyprawiał? – krzyknął mu Newt prosto w twarz. – Jak mogłeś być tak cholernie głupi!

Thomas musiał przemówić, zanim zatopi się w ciemności.

– Nie... Newt... nic nie rozumiesz...

– Zamknij się! – wrzasnął Newt. – Oszczędzaj siły!

Thomas poczuł, jak ktoś bada jego ręce i nogi, jak zrywają z jego ciała ubranie, szukając uszkodzeń. Usłyszał głos Chucka i poczuł ulgę, że jego przyjacielowi nic się nie stało. Plaster powiedział coś o tym, że został użądlony kilkanaście razy.

Teresa siedziała obok jego stóp, ściskając dłonią jego prawą kostkę.

– *Dlaczego Tom? Dlaczego to zrobiłeś?*

– *Ponieważ...* – Nie miał wystarczająco dużo sił, aby się skoncentrować.

Newt krzyknął, aby przyniesiono mu Serum Bólu. Minutę później Thomas poczuł ukłucie w ramię. Ciepło rozeszło się od tego miejsca po całym ciele, uspokajając go, uśmierzając ból. Jednak świat wciąż wydawał się rozpadać i wiedział, że za kilka sekund wszystko zniknie.

Pokój wirował, kolory płynnie przechodziły z jednego w drugi, kręcąc się coraz szybciej. Kosztowało go to mnóstwo siły, jednak zanim ciemność ogarnęła go na dobre, zdołał wypowiedzieć ostatnie słowa.

– Nie martwcie się – wyszeptał, mając nadzieję, że go usłyszeli. – Zrobiłem to celowo...

47

Thomas stracił poczucie czasu, kiedy przechodził przez Przemianę.

Zaczęła się podobnie jak jego pierwsze wspomnienie z Pudła – od ciemności i zimna. Jednak tym razem nie miał uczucia, że coś dotykało jego stóp lub ciała. Unosił się pośród pustki, wpatrując się w otchłań ciemności. Nic nie widział, nic nie czuł. Jakby ktoś skradł wszystkie jego zmysły i umieścił go w próżni.

Czas wlókł się i wlókł. Strach przemienił się w ciekawość, która zamieniła się w znużenie.

W końcu, po niekończącym się oczekiwaniu, coś zaczęło się zmieniać.

Nie czuł, lecz usłyszał, jak wzmaga się odległy wiatr. Następnie gdzieś w oddali pojawiła się kłębiąca się mgła bieli – wirujące tornado dymu, które ukształtowało się w długi lej i rozciągało tak mocno, aż w końcu Thomas nie był w stanie dostrzec zarówno początku, jak i końca białej trąby powietrznej. Później poczuł wichurę tuż za jego plecami, wsysaną przez cyklon, która targała jego ubranie i włosy niczym postrzępione podczas sztormu flagi.

Komin gęstej mgły zaczął przesuwać się w jego kierunku – albo to on przesuwał się w kierunku mgły, nie potrafił tego stwierdzić – zwiększając prędkość w zastraszającym tempie. O ile jeszcze kilka sekund wcześniej widział odległy kształt leja, teraz przed oczyma miał jedynie płaski przestwór bieli.

I wtedy go pochłonęło. Poczuł, jak mgła zawładnęła jego umysłem, jak strumień wspomnień wlewa się do jego myśli. Wszystko inne przeobraziło się w ból.

48

– Thomas.

Głos był odległy i niósł się niczym echo w długim tunelu.

– Thomas, słyszysz mnie?

Nie chciał odpowiadać. Jego umysł wyłączył się, nie mogąc już dłużej znieść bólu. Thomas bał się, że ból powróci, jeżeli pozwoli się wybudzić. Wyczuł światło po drugiej stronie powiek, wiedział jednak, że po ich otworzeniu ból będzie nie do wytrzymania. Nie zrobił nic.

– Thomas, to ja, Chuck. Wszystko w porządku? Stary, proszę cię, nie umieraj.

Nagle wszystko powróciło. Strefa, Bóldożercy, kłujące igły, Przemiana. *Wspomnienia.* Z Labiryntu nie ma wyjścia. Ich jedyną szansą było coś, czego nigdy nie podejrzewali. Coś przerażającego. Thomas pogrążył się w rozpaczy.

Jęcząc, zmusił się do otwarcia oczu, zmrużył je. Powitała go okrągła twarzyczka Chucka, wpatrująca się w niego zatrwożonymi oczami. Jednak chwilę później oczy rozjaśniły się i na tej twarzy zagościł uśmiech. Pomimo wszystko, pomimo koszmaru całej sytuacji, Chuck uśmiechnął się.

– Obudził się! – krzyknął w przestrzeń. – Thomas się obudził!

Thomas wzdrygnął się na tubalny dźwięk jego głosu. Zamknął ponownie oczy.

– Czy ty musisz się tak wydzierać? Nie czuję się najlepiej.

– Przepraszam. Po prostu cieszę się, że żyjesz. Masz, chłopie, szczęście, że cię nie pocałowałem.

– Ani mi się waż. – Thomas ponownie otworzył oczy, z wielkim trudem podniósł się i usiadł na łóżku, opierając się plecami o ścianę i wyciągając nogi. Ból wżarł się w jego stawy i mięśnie. – Ile czasu trwała Przemiana? – zapytał.

– Trzy dni – odpowiedział Chuck. – W nocy umieszczaliśmy cię dla bezpieczeństwa w Ciapie, za dnia przenosiliśmy cię z powrotem tutaj. Co najmniej ze trzydzieści razy myślałem, że zszedłeś nam na dobre z tego świata. A teraz proszę, wyglądasz jak nowo narodzony!

Thomas mógł sobie jedynie wyobrazić, jak *nie*dobrze wyglądał.

– Pojawili się Bóldożercy?

Radość Chucka zniknęła z jego twarzy, roztrzaskując się o ziemię z hukiem, a jego wzrok zakotwiczył tępo w podłodze.

– Tak, zabrali Zarta i dwóch innych. Po jednym co noc. Minho ze Zwiadowcami przeczesali Labirynt, próbując znaleźć jakieś wyjście albo jakieś zastosowanie dla tego głupiego kodu, który odkryliście, jednak na próżno. Jak myślisz, dlaczego Bóldożercy zabierają tylko jednego sztamaka naraz?

Thomas poczuł, jak żołądek wywraca mu się na drugą stronę – znał dokładną odpowiedź na to pytanie, a teraz jeszcze na kilka innych. Wiedział wystarczająco dużo, aby dojść do przekonania, że czasami wiedza jest do bani.

– Sprowadź Alby'ego i Newta – odpowiedział w końcu. – Powiedz im, że musimy zwołać Zgromadzenie. Najszybciej, jak to możliwe.

– Poważnie?

Thomas westchnął.

– Chuck, właśnie przeszedłem przez Przemianę. Wydaje ci się, że nie jestem wystarczająco poważny?

Bez słowa, Chuck poderwał się i wybiegł z pokoju, a jego wołanie cichło, im bardziej się oddalał.

Thomas zamknął oczy i oparł głowę o ścianę. Następnie przemówił w myślach.

– *Teresa.*

Nie odpowiedziała od razu, jednak jej głos pojawił się w jego głowie tak wyraźnie, jak gdyby siedziała tuż obok niego.

– *To było naprawdę głupie, Tom. Naprawdę, naprawdę głupie.*

– *Musiałem to zrobić* – odpowiedział.

– *Przez ostatnich kilka dni nienawidziłam cię. Szkoda, że siebie nie widziałeś. Twojej skóry, twoich żył...*

– *Ty nienawidziłaś mnie?* – Ucieszył się, że tak bardzo jej na nim zależało.

Przerwała mu.

– *Chciałam ci w ten sposób powiedzieć, że gdybyś umarł, to bym cię zabiła.*

Thomas poczuł przypływ ciepła w piersi, wyciągnął dłoń i, zdziwiony, naprawdę je poczuł.

– *Cóż... to miłe, dziękuję.*

– *Powiedz, ile pamiętasz?*

Zawahał się.

– *Wystarczająco dużo. To, co mówiłaś o nas obojgu, i o tym, co im zrobiliśmy...*

– *A więc to prawda?*

– *Zrobiliśmy parę złych rzeczy.* – Wyczuwał frustrację bijącą od niej, jak gdyby miała milion pytań i nie wiedziała, od którego zacząć.

– *Dowiedziałeś się czegoś, co pomogłoby nam się stąd wydostać?* – zapytała, jak gdyby nie chciała wiedzieć, jaką pełniła rolę w tym wszystkim. – *Wiesz już, do czego służy kod?*

Thomas zawahał się, nie chcąc jeszcze o tym rozmawiać – zanim naprawdę nie pozbiera myśli. Ich jedyną szansą ucieczki może być pragnienie śmierci.

– *Może* – odpowiedział w końcu. – *Ale to nie będzie łatwe.*

Musimy zwołać Zgromadzenie. Poproszę, abyś wzięła w nim udział – nie mam siły, aby powtarzać to drugi raz.

Przez jakiś czas żadne z ich się nie odezwało.

– *Teresa?*

– *Tak?*

– *Z Labiryntu nie ma wyjścia.*

Nie odzywała się przez dłuższą chwilę, zanim odpowiedziała.

– Myślę, że wszyscy zdajemy już sobie z tego sprawę.

Thomas nie mógł znieść bólu w jej głosie. Czuł go w swojej głowie.

– *Nie martw się. Stwórcy chcą jednak, abyśmy się wydostali. Mam plan.* – Chciał wlać w nią nieco nadziei, bez względu na to, jak nikła ona była.

– *Naprawdę?*

– *Tak. Jest straszny i niektórzy z nas mogą zginąć. Brzmi obiecująco?*

– *Okropnie. Mów*

– *Musimy...*

Zanim zdołał dokończyć, do pokoju wszedł Newt, przerywając mu.

– *Później ci powiem* – dokończył szybko.

– *Pośpiesz się!* – odpowiedziała, po czym zniknęła.

Newt podszedł do łóżka i usiadł obok niego.

– Tommy, prawie nie widać po tobie choróbska.

Thomas przytaknął.

– Trochę mi niedobrze, ale tak poza tym, to czuję się nieźle. Myślałem, że będzie o wiele gorzej.

Newt pokręcił głową, na jego twarzy malowała się mieszanka złości i podziwu.

– To, co zrobiłeś, było zarówno odważne, jak i cholernie głupie. Wychodzi na to, że to twoja specjalność. – Przerwał i pokręcił głową. – *Wiem*, dlaczego to zrobiłeś. Które wspomnienia odzyskałeś? Coś, co pomoże?

– Musimy zwołać Zgromadzenie – odpowiedział Thomas, wyciągając nogi i siadając w wygodniejszej pozycji. Co zaskakujące, prawie nie odczuwał już bólu, tylko zawroty głowy. – Zanim zapomnę, co widziałem.

– Tak, Chuck wspominał, zrobi się. Ale dlaczego? Czego się dowiedziałeś?

– To test, Newt, to wszystko to jest jeden wielki test.

Newt przytaknął.

– Tak jak eksperyment.

Thomas pokręcił głową.

– Nie, nie rozumiesz. Robią odsiew, sprawdzając, czy się poddamy, szukając najlepszego spośród nas. Poddają nas wyzwaniom, próbują sprawić, abyśmy się poddali. Sprawdzają nasze zdolności do walki, sprawdzają, czy wierzymy... Przysłanie Teresy oraz wyłączenie wszystkiego było jedynie ostatnią częścią planu, jeszcze jedną... końcową analizą. Teraz przyszła pora na ostateczny test. Na ucieczkę.

Newt zmarszczył czoło, wyraźnie zmieszany.

– O czym ty mówisz? Wiesz, jak się stąd wydostać?

– Tak. Zwołaj Zgromadzenie. Teraz.

Godzinę później Thomas siedział naprzeciwko Opiekunów, tak jak to miało miejsce przed tygodniem lub dwoma. Nie wpuścili Teresy, co zdenerwowało go niemal tak samo mocno, jak ją. Newt i Minho ufali jej już, jednak pozostali wciąż się wahali.

– W porządku, świeżuchu – rozpoczął Alby, który wyglądał o wiele lepiej, siedząc pośrodku półokręgu krzeseł, obok Newta. Wszystkie krzesła oprócz dwóch były zajęte – brutalnie przypominając wszystkim, że Zart i Gally zostali zabrani przez Bóldożerców. – Daruj sobie owijanie w klumpa i po prostu mów.

Thomas, wciąż odczuwając lekkie zwroty głowy po przebytej Przemianie, zawahał się przez chwilę, próbując odzyskać nad sobą panowanie. Miał wiele do powiedzenia, jednak chciał, aby dobrze go zrozumieli.

– To długa historia – zaczął. – Nie mamy teraz czasu, aby przytoczyć wam ją całą, ale powiem wam z grubsza, o co w tym chodzi. Kiedy przechodziłem przez Przemianę, widziałem przebłyski obrazów – całe setki – niczym pokaz slajdów w zawrotnym tempie. Wiele sobie przypomniałem, jednak tylko niektóre ze wspomnień są na tyle wyraźne, że mogę o nich opowiedzieć. Pozostałe są zatarte lub już się zacierają. – Przerwał, zbierając myśli po raz ostatni. – Jednak pamiętam wystarczająco wiele. Stwórcy poddają nas testom. Nie można znaleźć wyjścia z Labiryntu. To wszystko wyłącznie próba.

Potrzebują zwycięzców – lub tych, którzy ocaleją – do czegoś ważnego. – Zamilkł, nie wiedząc, w jakiej kolejności powinien im o tym powiedzieć.

– Co to takiego?

– Zacznę od początku – powiedział Thomas, przecierając oczy. – Każdy z nas, co do jednego, został zabrany, kiedy byliśmy bardzo młodzi. Nie pamiętam, jak ani dlaczego, mam po prostu migawki przed oczami i przeczucie, że coś zmieniło się na świecie, że coś naprawdę złego się wydarzyło. Nie mam pojęcia, co to takiego. Stwórcy nas porwali i wydaje mi się, że czuli się usprawiedliwieni, robiąc to. W jakiś sposób dowiedzieli się, że dysponujemy ponadprzeciętną inteligencją, i dlatego nas wybrali. Sam nie wiem, większość wspomnień jest mglista i nie ma to i tak większego znaczenia. Nie pamiętam też niczego odnośnie mojej rodziny oraz tego, co się z nią stało. Jednak po tym, jak nas zabrano, kolejnych kilka lat spędziliśmy na nauce w specjalnych szkołach, wiodąc poniekąd normalne życie, aż mogli w końcu sfinansować i wybudować ten Labirynt. Wszystkie nasze imiona są po prostu głupimi przezwiskami, które nam nadali – jak Alby od Alberta Einsteina, Newt od Issaca Newtona oraz moje – Thomas. Od Edisona.

Alby wyglądał, jakby ktoś uderzył go w twarz.

– Nasze imiona... to nie są nawet nasze prawdziwe imiona?

Thomas pokręcił głową.

– Z tego, co wiem, to nigdy się nie dowiemy, jak brzmiały te prawdziwe.

– Co ty gadasz? – zapytał Patelniak. – Że jesteśmy jakimiś cholernymi sierotami wychowanymi przez naukowców?

– Tak – odpowiedział Thomas, mając nadzieję, że wyraz jego twarzy nie zdradzał, jak bardzo czuł się przygnębiony. – Ponoć jesteśmy naprawdę inteligentni i oni śledzą każdy nasz ruch, analizując nasze zachowania. Obserwują, kto się poddaje, a kto nie. Przyglądają się, kto przetrwa to wszystko. Nic dziwnego, że wszędzie wokół biega tyle żukolców. W dodatku, niektórym z nas zostało coś... pozamieniane w głowach.

– Prędzej Patelniak nauczy się gotować, niż uwierzę w tego klumpa, którego wygadujesz – mruknął Winston, wyglądając na zmęczonego i obojętnego.

– Po co miałbym zmyślać? – powiedział Thomas, unosząc głos. Dałem się *celowo* użądlić, aby sobie to wszystko przypomnieć! – Lepiej powiedz, jakie *ty* masz wytłumaczenie. Że żyjemy na obcej planecie?

– Mów dalej – powiedział Alby. – Ale nie rozumiem, dlaczego żaden z nas nie pamiętał tego. Przeszedłem przez Przemianę, jednak wszystko, co widziałem, było... – Rozejrzał się szybko dookoła, zupełnie jak gdyby powiedział coś, czego nie powinien był. – Nie dowiedziałem się niczego.

– Za chwilę powiem ci, dlaczego, jak sądzę, dowiedziałem się więcej od pozostałych – odparł Thomas, obawiając się tej części historii. – Mam mówić dalej, czy nie?

– Mów – powiedział Newt.

Thomas wziął olbrzymi wdech, jakby miał wziąć udział w wyścigu.

– Ogay, w jakiś sposób wymazali naszą pamięć, nie tylko wspomnienia z dzieciństwa, ale także te związane z tym, jak znaleźliśmy się w Labiryncie. Wsadzili nas do Pudła i wysłali w to miejsce. Na początek większą grupę, a następnie po jednym każdego miesiąca przez dwa ostatnie lata.

– Ale dlaczego? – zapytał Newt. – Po jaką cholerę?

Thomas uniósł dłoń w geście ciszy.

– Zmierzam do tego. Tak jak powiedziałem, chcieli nas przetestować, zobaczyć, jak zareagujemy na to, co nazywają Wyzwaniami, i na problem, którego nie można rozwiązać.

Sprawdzić, czy potrafimy współpracować, czy potrafimy zbudować społeczność. Wszystko zostało uwzględnione, a problem został zaplanowany w oparciu o jeden z najpowszechniejszych puzzli znanych cywilizacji – o labirynt. Wszystko po to, abyśmy myśleli, że stąd *musi* być jakieś wyjście, co miało zachęcać nas do jeszcze cięższej pracy, a jednocześnie zwiększać nasze zniechęcenie z powodu braku rozwiązania tej sytuacji. – Przerwał, aby rozejrzeć się wokoło, upewniając się, że wszyscy słuchali. – Chcę wam powiedzieć, że stąd nie ma wyjścia.

Rozbrzmiał gwar, wszyscy zaczęli zadawać pytania naraz.

Thomas ponownie podniósł dłoń, żałując, że nie może po prostu przelać swoich myśli do ich mózgów.

– Rozumiecie? Wasza reakcja dowodzi tego, o czym mówiłem. Większość ludzi już dawno by się poddała. Ale wydaje mi się, że my jesteśmy inni. Nie potrafimy się pogodzić z tym, że problem *nie może* zostać rozwiązany, zwłaszcza kiedy jest nim coś tak prostego, jak labirynt. Dlatego zawsze walczyliśmy, bez względu na to, jak beznadziejna była sytuacja.

Thomas uświadomił sobie, że jego głos powoli podnosił się, kiedy przemawiał, i poczuł uderzenie ciepła na twarzy.

– Bez względu na powód, mam już tego dosyć! Wszystkiego. Bóldożerców, przesuwających się ścian, Urwiska – to jest tylko część głupiego *testu*. Zostaliśmy wykorzystani i zmanipulowani. Stwórcy chcieli, aby nasze umysły pracowały wciąż nad rozwiązaniem, którego nigdy nie było. To samo tyczy się Teresy, którą do nas przysłali, i zapoczątkowania przez nią Końca – cokolwiek *to* oznacza – zamknięcia tego miejsca, szarego nieba i wszystkiego innego. Rzucają nam różne przeszkody, aby zobaczyć naszą reakcję, aby przetestować naszą wolę. Sprawdzić, czy zwrócimy się przeciwko sobie. Na końcu będą chcieli wykorzystać ocalałych do czegoś ważnego.

Patelniak powstał.

– Aby zabijać ludzi? To jest zapewne ta milusia część ich planu?

Thomas przez chwilę poczuł strach, niepokój, że Opiekunowie mogą skierować swoją złość na niego, za to, że tak wiele wie. A miało być jeszcze gorzej.

– Tak, aby zabijać ludzi. Bóldożercy zabierają po jednym po kolei tylko dlatego, żebyśmy nie zginęli wszyscy naraz, zanim to wszystko się zakończy, tak jak powinno. Przetrwają najlepsi. Tylko oni stąd uciekną.

Patelniak kopnął swoje krzesło.

– W takim razie lepiej zacznij gadać o tej magicznej ucieczce.

– Powie – odparł cicho Newt. – Zamknij się i słuchaj.

Minho, który przez cały czas siedział cicho, odchrząknął.

– Coś mi mówi, że nie spodoba mi się to, co za chwilę usłyszymy.

– Prawdopodobnie nie – powiedział Thomas. Zamknął oczy i skrzyżował ramiona. Następnych kilka minut będzie kluczowe. – Stwórcy potrzebują najlepszego z nas do tego, co zaplanowali, cokolwiek to jest. Musimy jednak na to zapracować. – W pokoju zaległa całkowita cisza, wszystkie oczy były wpatrzone w niego. – Kod.

– Kod? – powtórzył Patelniak głosem, w którym zatliła się iskierka nadziei. – Co z nim?

Thomas spojrzał na niego i zamilkł dla wzmożenia efektu.

– Nie bez powodu został ukryty w przemieszczających się murach Labiryntu. Wiem o tym. Byłem przy tym, kiedy Stwórcy to zrobili.

50

Przez dłuższą chwilę nikt w pokoju nie odezwał się i jedyne, co Thomas dostrzegł, to pozbawione wyrazu twarze, które na niego spoglądały. Poczuł, jak kropelki potu kapią mu z czoła, a ręce ślizgają się od nieprzyjemnej cieczy. Strach niemal go sparaliżował.

Newt wyglądał na całkowicie zdumionego i w końcu przerwał ciszę.

– O czym ty mówisz?

– Najpierw muszę wam o czymś powiedzieć. O mnie i o Teresie. Nie bez powodu Gally oskarżał mnie o różne rzeczy i każdy, kto przeszedł przez Przemianę, mnie poznaje.

Spodziewał się pytań – wybuchu przerywających mu głosów – jednak pokój spowijała śmiertelna cisza.

– Teresa i ja jesteśmy... inni – kontynuował. – Jesteśmy częścią Prób Labiryntu od samego początku, jednak wbrew naszej woli, przysięgam.

Minho był tym, który się teraz odezwał.

–Thomas, o czym ty, do cholery, mówisz?

– Teresa i ja zostaliśmy przez Stwórców wykorzystani. Gdybyście odzyskali swoje wszystkie wspomnienia, to zapewne chcielibyście nas pozabijać. Jednak sam muszę wam o tym powiedzieć, aby wam udowodnić, że możecie nam teraz ufać. Abyście mi uwierzyli, kiedy wam powiem o jedynym istniejącym sposobie, aby się stąd wydostać.

Thomas spojrzał szybko na twarze Opiekunów, zastanawiając się po raz ostatni, czy powinien o tym mówić, czy zrozumieją. Wiedział jednak, że musi to zrobić. *Musi*.

Wziął głęboki wdech i wydusił z siebie:

– Teresa i ja pomogliśmy zaprojektować Labirynt. Pomogliśmy stworzyć to wszystko.

Wszyscy wydawali się zbyt zszokowani, aby zareagować. Puste twarze wpatrywały się w niego ponownie. Thomas uświadomił sobie, że albo nie zrozumieli, albo mu nie uwierzyli.

– Co to ma niby oznaczać? – zapytał w końcu Newt. – Jesteś cholernym szesnastolatkiem. Jakim cudem mogłeś stworzyć Labirynt?

Thomas również zaczął w to nieco powątpiewać, jednak był pewien swoich wspomnień. Bez względu na to, jak szalonym pomysłem się to wydawało, wiedział, że była to prawda.

– Byliśmy... bystrzy. I sądzę, że to może być część Wyzwań. Ale, co najważniejsze, Teresa i ja posiadamy dar, który sprawił, że byliśmy niezwykle cenni w trakcie projektowania i budowania Labiryntu. – Przerwał, zdając sobie sprawę, że to wszystko musiało brzmieć absurdalnie.

– Mówże! – krzyknął Newt. – Wyrzuć to z siebie!

– Jesteśmy telepatami! Możemy się ze sobą porozumiewać za pomocą naszych cholernych myśli! – Wypowiedzenie tego na głos sprawiło, że niemal się zawstydził, jak gdyby przyznał się, że jest złodziejem.

Newt zamrugał zdziwiony, ktoś inny zakasłał.

– Posłuchajcie mnie jednak – kontynuował Thomas w pośpiechu, stając w swojej obronie. – Oni *zmusili* nas, abyśmy im pomogli. Nie wiem jak ani dlaczego, jednak to zrobili. – Zawahał się. – Może chcieli się przekonać, czy uda nam się zyskać wasze zaufanie, pomimo że byliśmy częścią ich zespołu. Może od samego początku to my mieliśmy być tymi, którzy mieli za zadanie ujawnić drogę ucieczki. Bez względu na powód, dzięki waszym Mapom udało nam się ustalić kod i musimy go teraz wykorzystać.

Thomas rozejrzał się po pokoju i ku jego zaskoczeniu oraz zdziwieniu, nie dostrzegł złości na żadnej z twarzy.

Większość Streferów nadal wpatrywała się w niego w osłupieniu albo kręciła głowami w zdumieniu bądź niedowierzaniu. I z jakiegoś dziwnego powodu, Minho się uśmiechał.

– To prawda i jest mi przykro z tego powodu – kontynuował Thomas. – Ale jedno mogę wam powiedzieć. Teraz wszyscy płyniemy tą samą łodzią. Teresa i ja zostaliśmy tutaj zesłani, tak jak każdy z was, i możemy umrzeć tak samo łatwo. Stwórcy widzieli już wystarczająco dużo, teraz nadszedł czas na ostateczny test. Sądzę, że musiałem przejść przez Przemianę, żeby poukładać brakujące kawałki tej układanki. Tak czy inaczej, chciałem, abyście znali prawdę, żebyście wiedzieli, że istnieje szansa, że możemy to zrobić.

Newt kręcił głową na boki, wpatrując się w podłogę. Następnie podniósł wzrok i zwrócił się do pozostałych Opiekunów.

– Stwórcy, to oni nam to zrobili, nie Tommy i Teresa. To te smrodasy i gorzko tego pożałują.

– Nieważne – powiedział Minho. – Mam to gdzieś. Przejdź w końcu do ucieczki.

Thomas poczuł, jak ścisnęło go w gardle. Ulżyło mu tak bardzo, że niemal odjęło mu mowę. Był przekonany, że nieźle oberwie za swoje wyznanie, o ile wcześniej nie zrzucą go z Urwiska. Pozostała część tego, co miał jeszcze do powiedzenia, wydawała się teraz niemal łatwa.

– W miejscu, do którego nigdy wcześniej nie zaglądaliśmy, znajduje się stanowisko komputerowe. Kod otworzy nam drzwi, przez które wyjdziemy z Labiryntu. Sprawi również, że wszyscy Bóldożercy zostaną wyłączeni, tak więc nie będą mogli nas ścigać – o ile uda nam się przeżyć na tyle długo, aby tam dotrzeć.

– Miejsce, do którego nigdy wcześniej nie *zaglądaliśmy*? – zapytał Alby. – A tobie wydaje się, że niby co robiliśmy przez ostatnie dwa lata?

– Zaufaj mi, nigdy tam nie byłeś.

Minho powstał.

– No to gdzie ono jest?

– To niemal samobójstwo – powiedział Thomas, wiedząc, że opóźnia odpowiedź. – Bóldożercy się na nas rzucą, jak tylko spróbujemy to zrobić. Wszyscy naraz. To ostateczny test. – Chciał mieć pewność, że pojmowali ryzyko. Szanse na to, że wszyscy przeżyją, były znikome.

– Więc gdzie to jest? – zapytał Newt, nachylając się na krześle do przodu.

– Nad Urwiskiem – odpowiedział Thomas. – Musimy wejść do Nory Bóldożerców.

Alby wstał tak szybko, że jego krzesło przewróciło się do tyłu. Jego przekrwione oczy wyróżniały się na tle białego bandaża owiniętego wokół czoła. Zrobił dwa kroki naprzód i zatrzymał się, zupełnie jakby zamierzał zaatakować Thomasa.

– Teraz to gadasz jak totalny kretyn – powiedział, piorunując wzrokiem Thomasa. – Albo zdrajca. Jak możemy ci uwierzyć, skoro pomogłeś zaprojektować to miejsce i umieścić nas w nim! Nie potrafimy pokonać jednego Bóldożercy na naszym terenie, a co dopiero stawić czoła całej hordzie w ich maleńkiej norze. Co ty tak naprawdę kombinujesz?

Thomas był wściekły.

– Co kombinuję? Nic! Po co miałbym to wszystko zmyślać?

Ramiona Alby'ego zesztywniały, a dłonie zacisnęły się w pięści.

– Z tego, co wiem, to przysłano cię tu, abyś nas pozabijał. Dlaczego mielibyśmy ci uwierzyć?

Thomas spojrzał na niego z niedowierzaniem.

– Alby, czy ty masz jakieś problemy z pamięcią krótkotrwałą? Ryzykowałem własne życie, aby cię uratować w Labiryncie, gdyby nie ja, to już dawno byłbyś martwy!

– Może w ten sposób chciałeś zyskać nasze zaufanie. Jeżeli jesteś w zmowie z tymi krótasami, którzy nas tu zesłali, to nie musiałeś martwić się tym, że Bóldożercy mogą wyrządzić ci krzywdę. Może to wszystko było tylko przedstawieniem.

W tym momencie złość, którą odczuwał Thomas, zelżała i przeszła we współczucie. Coś tu było nie tak, coś tu było podejrzane.

– Alby – wtrącił się Minho, przychodząc Thomasowi z pomocą. – To najdurniejsza teoria, jaką w życiu słyszałem. Trzy noce temu, o mało co nie dał się rozszarpać na strzępy. Tobie się wydaje, że to była część jakiegoś cholernego przedstawienia?

Alby przytaknął, szorstko.

– Może.

– *Zrobiłem* to – powiedział Thomas, wyrzucając z siebie całą swoją złość – po to, aby odzyskać wspomnienia i pomóc nam się stąd wydostać. Czy mam wam pokazać rany i siniaki na moim ciele?

Alby nic nie odpowiedział, jego twarz wciąż kipiała z wściekłości. Jego oczy zaszły łzami, a na szyi wyskoczyły mu żyły.

– Nie możemy tam wrócić! – krzyknął, odwracając się, aby spojrzeć na wszystkich w pokoju. – Widziałem, jak wyglądało nasze życie i wiem, że nie możemy tam wrócić!

– Czy o to właśnie chodzi? – zapytał Newt. – Jaja sobie robisz?

Alby odwrócił się gwałtownie w jego stronę, podnosząc zaciśniętą pięść. Jednak powstrzymał się, opuścił rękę, następnie odszedł i osunął się na krzesło, ukrywając twarz w dłoniach i zalewając się łzami. Nic nie mogło Thomasa bardziej zaskoczyć. Nieustraszony przywódca Streferów płakał.

– Alby, porozmawiaj z nami – naciskał na niego Newt, nie odpuszczając. – Co się dzieje?

– Zrobiłem to – powiedział, łkając przejmująco.

– Co takiego? – zapytał Newt. Wyglądał na równie zmieszanego, jak Thomas się czuł.

Alby podniósł wzrok, jego oczy były zalane łzami.

– Podpaliłem Mapy. Zrobiłem to. Uderzyłem się głową o stół, abyście pomyśleli, że to ktoś inny. Skłamałem, spaliłem wszystko. Ja to zrobiłem!

Opiekunowie wymienili spojrzenia, zszokowani, wybałuszając oczy i unosząc brwi. Dla Thomasa jednak nabrało to sensu. Alby przypomniał sobie, jak paskudne było jego wcześniejsze życie, zanim tutaj trafił, i nie chciał do niego wracać.

– Całe szczęście, że ocaliliśmy te papierki – powiedział Minho, całkowicie poważnie, niemal prześmiewczo. – Dzięki za wskazówkę, którą nam podesłałeś po Przemianie, abyśmy je chronili.

Thomas spojrzał, aby zobaczyć reakcję Alby'ego na sarkastyczną, niemal okrutną uwagę Minho, jednak on zachowywał się, jakby jej w ogóle nie słyszał.

Newt, miast okazać gniew, poprosił Alby'ego o wyjaśnienia. Thomas wiedział, dlaczego Newt się nie wściekał – Mapy były bezpieczne a kod ustalony. To nie miało już znaczenia.

– Powtarzam ci... – Alby brzmiał jakby błagał, niemal histerycznie. – Nie możemy wrócić do miejsca, z którego przyszliśmy. Widziałem je i pamiętam okropne, naprawdę okropne rzeczy. Spaloną ziemię, chorobę zwaną Pożogą. To było potworne, o wiele gorsze od tego, co nam zgotowano tutaj.

– Jeżeli *tutaj* zostaniemy, to umrzemy! – krzyknął Minho. – Co może być gorsze od tego?

Alby wpatrywał się w Minho przez długą chwilę, nim odpowiedział. Thomas zastanawiał się nad słowami, które właśnie wypowiedział. *Pożoga*. Brzmiało dziwnie znajomo i kłębiło się gdzieś na obrzeżach jego umysłu. Był jednak pewien, że nie przypomniał sobie niczego na ten temat w czasie Przemiany.

– Tak – powiedział w końcu Alby. – To jest gorsze. Lepiej umrzeć, niż wracać do domu.

Minho zachichotał i usiadł na krześle.

– Człowieku, ale z ciebie wielki ponurak. Jestem z Thomasem. Na sto procent. Jeżeli mamy zginąć, to zróbmy to walcząc.

– W Labiryncie czy też poza nim – dodał Thomas, odczuwając ulgę, że Minho był zdecydowanie po jego stronie. Następnie zwrócił się do Alby'ego i spojrzał na niego poważnie. – Wciąż żyjemy w świecie, który zapamiętałeś.

Alby ponownie powstał, jego twarz wyrażała porażkę.

– Róbcie co chcecie. – Westchnął. – To nie ma znaczenia. I tak zginiemy. – Powiedziawszy to, podszedł do drzwi i opuścił pokój.

Newt westchnął głęboko i pokręcił głową.

– Od użądlenia nigdy nie był już sobą. To musiało być naprawdę parszywe wspomnienie. Co to, cholera, jest Pożoga?

– Nie obchodzi mnie to – odpowiedział Minho. – Wszystko jest lepsze od zdechnięcia tutaj. Rozprawimy się ze Stwórcami, kiedy już stąd wyjdziemy. Ale teraz musimy zrobić to, co dla nas zaplanowali. Przejść przez Norę Bóldożerców i wydostać się stąd. Jeżeli niektórzy z nas umrą, to trudno.

Patelniak prychnął.

– Doprowadzacie mnie, sztamaki, do obłędu. Nie można wydostać się z Labiryntu i pomysł, aby wbić się na parapetówę do kawalerki Bóldożerców, jest najgłupszym, jaki w życiu słyszałem. Równie dobrze już teraz możemy poderżnąć sobie żyły.

Pozostali Opiekunowie zaczęli się sprzeczać, przekrzykując jeden drugiego. W końcu Newt wrzasnął na nich, aby się zamknęli.

Kiedy się uspokoiło, Thomas przemówił po raz kolejny.

– Przejdę przez Norę albo zginę, próbując. Wygląda na to, że Minho również. Jestem pewien, że Teresa także się pisze. Jeżeli zdołamy odeprzeć atak Bóldożerców tak długo, aby ktoś zdołał wprowadzić kod i ich wyłączyć, to będziemy mogli przejdź przez drzwi, przez które *oni* weszli. Wtedy zdamy test. Wtedy będziemy mogli stanąć twarzą w twarz ze Stwórcami.

Uśmiech Newta pozbawiony był jakiejkolwiek radości.

– Wydaje ci się, że możemy odeprzeć atak Bóldożerców? Nawet jeżeli nas nie pozabijają, to na pewno wszystkich nas użądlą. Wszyscy, co do jednego, mogą na nas czekać, kiedy pójdziemy nad Urwisko – żukolce są tam cały czas. Stwórcy będą wiedzieli, kiedy będziemy chcieli uderzyć.

Obawiał się tego, jednak wiedział, że nadszedł czas, aby zdradzić im ostatnią część jego planu.

– Nie sądzę, aby nas użądlili. Przemiana była Wyzwaniem przeznaczonym na czas naszej obecności tutaj. Jednak ta część będzie już zakończona. W dodatku jeszcze jedna rzecz może przemawiać na naszą korzyść.

– Tak? – zapytał Newt, przewracając oczami. – Już nie mogę się doczekać, aby o tym usłyszeć.

– Stwórcy nic nie zyskają, jeżeli wszyscy zginiemy. Zadanie powinno być ciężkie, ale nie niemożliwe do wykonania. Mamy już pewność, że Bóldożercy zostali tak zaprogramowani, aby zabijać każdego dnia tylko jedno z nas. Tak więc kiedy pobiegniemy do Nory, to któreś z nas może się poświęcić, aby ocalić pozostałych. Wydaje mi się, że tak właśnie powinno być.

W pokoju zapanowała całkowita cisza, dopóki Opiekun Mordowni nie wybuchnął głośnym, rechotliwym śmiechem.

– Że jak? – zapytał Winston. – Proponujesz więc, abyśmy rzucili jakiegoś biednego dzieciaka bestiom na pożarcie, aby pozostali z nas mogli uciec? *To* jest ta twoja *genialna* propozycja?

Thomas nie chciał przyznać przed samym sobą, jak kiepsko to brzmiało, jednak przyszedł mu do głowy pomysł.

– Zgadza się Winston, cieszę się, że potrafisz się choć na chwilę skupić. – Zignorował rzucone w jego stronę gniewne spojrzenie. – To oczywiste, kto powinien być tym biednym dzieciakiem.

– Ach tak? – zapytał Winston. – Kto?

Thomas skrzyżował ramiona.

– Ja.

Spotkanie zostało zagłuszone przez wielką wrzawę. Newt wstał bardzo spokojnie, podszedł do Thomasa i chwycił go za ramię. Następnie pociągnął go w stronę drzwi.

– Wychodzisz i to już.

Thomas był kompletnie zaskoczony.

– Ale jak to? Dlaczego?

– Powiedziałeś już wystarczająco dużo. Musimy się naradzić i zdecydować, co zrobić, bez twojego udziału. – Dotarli do drzwi i Newt łagodnie wypchnął go na zewnątrz. – Czekaj na mnie przy Pudle. Kiedy skończymy, wtedy sobie pogadamy.

Zaczął zawracać, jednak Thomas wyciągnął dłoń i zatrzymał go.

– Musisz mi uwierzyć, Newt. To jedyny sposób, aby się stąd wydostać. Możemy to zrobić. Przysięgam. To nasze *przeznaczenie*.

Newt przysunął się do jego twarzy i odpowiedział zachrypniętym, rozzłoszczonym szeptem.

– Taa, podobał mi się zwłaszcza ten fragment, w którym zgłosiłeś się na ochotnika na pewną śmierć.

– Absolutnie zamierzam to zrobić. – Thomas mówił poważnie, jednak tylko z powodu dręczącego go poczucia winy, że w jakiś sposób przyczynił się do zaprojektowania Labiryntu.

Chociaż gdzieś w głębi miał nadzieję, że będzie w stanie walczyć na tyle długo, aby ktoś zdążył wprowadzić kod i wyłączyć Bóldożerców, zanim ci zdążą go zabić. Że otworzą się drzwi.

– Ach tak? – zapytał Newt, wyglądając na poirytowanego.

– Taki z ciebie Pan Szlachetny?

– Mam swoje powody. W pewnym sensie to moja wina, że w ogóle się tutaj znaleźliśmy. – Przerwał, wziął wdech, aby uporządkować myśli. – Tak czy inaczej, idę tam bez względu na wszystko, więc lepiej tego nie zaprzepaść.

Newt zmarszczył czoło, jego oczy nagle wypełniły się współczuciem.

– Jeżeli naprawdę pomogłeś zaprojektować Labirynt, Tommy, to nie jest to twoja wina. Jesteś *dzieciakiem*, nic nie poradzisz na to, że cię do tego zmusili.

Jednak to, co powiedział Newt, nie miało znaczenia. Thomas nosił w sobie brzemię odpowiedzialności, a i im dłużej o tym myślał, tym coraz cięższe ono się wydawało.

– Po prostu... czuję, jakbym miał was ocalić. Jakbym miał się zrehabilitować.

Newt cofnął się, powoli kręcąc głową.

– Wiesz, co jest zabawne, Tommy?

– Co? – odpowiedział nieufnie Thomas.

– Ja naprawdę ci wierzę. W twoich oczach nie ma ani krztyny kłamstwa. I nie mogę, cholera, uwierzyć, że to powiem. – Zawahał się. – Ale wrócę tam i przekonam tych sztamaków, że powinniśmy iść do Nory Bóldożerców, tak jak powiedziałeś. Równie dobrze możemy z nimi walczyć, zamiast siedzieć bezczynnie na zadkach i pozwolić im na to, aby nas powybijali, jednego po drugim. – Uniósł palec. – Ale posłuchaj mnie, nie chcę już więcej słyszeć o twoim umieraniu i całym tym heroicznym klumpie. Jeżeli mamy to zrobić, to wszyscy podejmiemy ryzyko, każdy z nas. Słyszysz mnie?

Thomas uniósł ręce w górę, w geście ogarniającego go uczucia ulgi.

– Głośno i wyraźnie. Starałem się wam właśnie pokazać, że warto zaryzykować. Jeżeli co noc i tak któreś z nas ma umrzeć, to równie dobrze możemy to wykorzystać.

Newt zmarszczył brwi.

– Czyż to nie jest pocieszające?

Thomas odwrócił się i odszedł, jednak Newt zawołał go.

– Tommy?

– Tak? – Zatrzymał się, jednak się nie odwrócił.

– Jeżeli uda mi się przekonać tych sztamaków, a to już będzie coś, to najlepiej uderzyć w nocy. Miejmy nadzieję, że większość Bóldożerców będzie wtedy w Labiryncie, poza Norą.

– Ogay. – Thomas zgadzał się z nim. Miał jedynie nadzieję, że Newtowi uda się przekonać resztę Opiekunów. Odwrócił się w stronę Newta i skinął głową.

Newt uśmiechnął się. Na jego przepełnionej troską twarzy pojawiła się niemal niewidoczna linia.

– Powinniśmy to zrobić dziś w nocy, zanim ktokolwiek jeszcze zginie. – I zanim Thomas zdążył cokolwiek powiedzieć, Newt zniknął za drzwiami pokoju, w którym odbywało się Zgromadzenie.

Thomas, lekko zszokowany jego ostatnią wypowiedzią, opuścił Bazę, podszedł do starej ławki nieopodal Pudła i usiadł na niej. Jego umysł wirował. Wciąż rozmyślał o tym, co Alby powiedział odnośnie Pożogi i tego, co to mogło oznaczać. Wspominał też o spalonej ziemi. Thomas nie pamiętał niczego takiego, ale jeżeli to była prawda, to świat, do którego starali się dostać z powrotem, nie wyglądał zbyt kolorowo. Ale jaki mieli inny wybór? Poza tym, że Bóldożercy atakowali co noc, ich Strefa została praktycznie wyłączona.

Sfrustrowany, przestraszony i zmęczony swoimi myślami, przywołał Teresę.

– *Słyszysz mnie?*

– *Tak* – odpowiedziała. – *Gdzie jesteś?*

– *Przy Pudle.*

– *Będę tam za chwilę*

Thomas uświadomił sobie, jak bardzo potrzebował jej towarzystwa.

– *Dobrze. Opowiem ci o planie. Myślę, że się na niego zgodzą.*

– *Na czym polega?*

Thomas odchylił się do tyłu i założył nogę na nogę, zastanawiając się, jak Teresa zareaguje na to, co miał jej do powiedzenia.

– *Musimy przejść przez Norę Bóldożerców. Użyć kodu, aby wyłączyć Bóldożerców i otworzyć wyjście.*

Zapanowała cisza.

– *Domyślałam się, że chodzi o coś takiego.*

Thomas namyślał się przez chwilę, po czym dodał:

– *Masz jakiś lepszy pomysł?*

– *Nie. To będzie straszne.*

Uderzył prawą pięścią w drugą dłoń, choć wiedział, że tego nie widziała.

– *Możemy to zrobić.*

– *Mam wątpliwości.*

– *Musimy spróbować.*

Kolejna przerwa, tym razem dłuższa. Czuł, że się zastanawia.

– *Masz rację.*

– *Wydaje mi się, że wyruszymy dziś w nocy. Przyjdź do mnie, to dokładniej o tym porozmawiamy.*

– *Będę tam za parę minut.*

Ścisnęło go w żołądku. Świadomość tego, co zaproponował, plan, do którego Newt stara się przekonać Opiekunów, to wszystko zaczynało do niego docierać. Wiedział, że to było niebezpieczne, jednak myśl o prawdziwej walce z Bóldożercami – nie tylko ucieczce przed nimi – przerażała go. Według absolutnie najlepszego scenariusza wydarzeń, zginie tylko jedno z nich – jednak nawet tego nie mogą być pewni. Może Stwórcy przeprogramują swoje kreatury. I wtedy wszystko się może zdarzyć.

Starał się o tym nie myśleć.

Szybciej, niż się tego spodziewał, przyszła do niego Teresa i usiadła obok. Swoje ciało przycisnęła do jego ciała, pomimo że mieli mnóstwo wolnego miejsca na ławce. Ujęła jego dłoń. Odwzajemnił uścisk tak mocno, że wiedział, iż to musiało ją zaboleć.

– Opowiedz mi – powiedziała.

Thomas powtórzył jej każdy szczegół planu, który przedstawił wcześniej Opiekunom, nie mogąc znieść widoku niepokoju i przerażenia, które wypełniały jej oczy.

– Łatwo było go przedstawić – powiedział, gdy już wyjawił jej wszystko. – Jednak Newt sądzi, że powinniśmy iść *dziś w nocy*. I teraz wcale to nie brzmi już tak dobrze. – Przerażała go zwłaszcza myśl o Chucku i o Teresie w Labiryncie. On miał już za sobą spotkanie z Bóldożercami i wiedział aż nazbyt dobrze, jakie to było uczucie. Chciał uchronić swoich przyjaciół od tych okropnych doświadczeń. Wiedział jednak, że to niemożliwe.

– Możemy to zrobić – powiedziała cichym głosem.

Gdy Thomas usłyszał jej słowa, zaczął się jeszcze bardziej zamartwiać.

– Jasna cholera, boję się.

– Jasna cholera, jesteś tylko człowiekiem. *Powinieneś* się bać.

Thomas nie odpowiedział i przez długi czas po prostu siedzieli na ławce, trzymając się za ręce, nie wypowiadając żadnych słów ani w myślach, ani na głos. Poczuł namiastkę spokoju, choć chwilową, i próbował rozkoszować się nią tak długo, jak tylko było to możliwe.

53

Thomas poczuł niemal smutek, kiedy Zgromadzenie wreszcie dobiegło końca. Gdy Newt wyszedł na zewnątrz, wiedział, że czas odpoczynku się skończył.

Opiekun dostrzegł ich i podbiegł do nich, kuśtykając. Thomas zauważył, że wypuścił dłoń Teresy bez namysłu. Newt stanął w końcu przed nimi i skrzyżował ramiona na piersi, spoglądając na nich z góry, gdy siedzieli na ławce.

– To jest, cholera, jakieś szaleństwo, wiesz o tym? – Z jego twarzy nie można było nic wyczytać, jednak w jego oczach widać było odrobinę zwycięstwa.

Thomas powstał, odczuwając, jak fala podekscytowania przetacza się przez jego ciało.

– Zgodzili się?

Newt przytaknął.

– Wszyscy. Nie było tak trudno, jak się spodziewałem. Te sztamaki widziały, co się dzieje w nocy, kiedy Wrota pozostają otwarte. Nie możemy się wydostać z tego cholernego Labiryntu, więc musimy *czegoś* spróbować. – Odwrócił się i spojrzał na Opiekunów, którzy zaczęli zbierać swoich ludzi. – Teraz tylko musimy przekonać Streferów.

Thomas zdawał sobie sprawę, że to będzie o wiele trudniejsze od przekonania Opiekunów.

– Myślisz, że na to pójdą? – zapytała Teresa i wstała, aby do nich dołączyć.

– Nie wszyscy – odpowiedział jej Newt, a Thomas dostrzegł frustrację w jego oczach. – Niektórzy z nich zostaną i zaryzykują, masz to jak w banku.

Thomas nie miał wątpliwości, że ludzie zbledną na samą myśl o ich planie. Przekonanie ich do walki z Bóldożercami było nie lada wyzwaniem.

– A co z Albym?

– A kto go tam wie – odparł Newt, rozglądając się po Strefie, obserwując Opiekunów i ich grupy. – Jestem pewien, że ten skubaniec o wiele bardziej od samych Bóldożerców boi się wrócić do domu. Ale spokojnie, dopilnuję, aby poszedł z nami.

Thomas żałował, że nie mógł przywołać tych samych wspomnień, które tak bardzo dręczyły Alby'ego.

– Jak zamierzasz go przekonać?

Newt roześmiał się.

– Coś wymyślę. Powiem mu, że zaczniemy nowe życie w innej części świata i będziemy żyli długo i szczęśliwie.

Thomas wzruszył ramionami.

– Może nam się uda. Obiecałem Chuckowi, że sprowadzę go do domu. Albo że przynajmniej znajdę mu dom.

– No cóż – wyszeptała Teresa. – Każde miejsce jest lepsze od tego.

Thomas rozejrzał się po Strefie, przysłuchując się sporom wybuchającym pomiędzy Streferami i ich Opiekunami, którzy robili, co mogli, aby przekonać swoich ludzi do podjęcia ryzyka i walki na drodze do Nory Bóldożerców. Niektórzy Streferzy rozeszli się, jednak część została i zdawała się ich słuchać, i przynajmniej rozważać tę opcję.

– Więc co dalej? – zapytała Teresa.

Newt wziął głęboki oddech.

– Musimy ustalić, kto idzie, a kto zostaje. Przygotować się. Przyszykować jedzenie, broń i całą resztę. Potem wyruszymy. Thomas, skoro to twój pomysł, to gdyby o mnie chodzi-

ło, to dowodziłbyś grupą. Jednak i tak będzie nam wystarczająco ciężko przeciągnąć ludzi na swoją stronę bez świeżucha
jako przywódcy – bez obrazy. Więc trzymaj się z boku, ogay?
Tobie i Teresie pozostawiam kwestię kodu.

Thomas był bardziej niż zadowolony z takiego rozwiązania – wyszukanie stacji komputerowej i wprowadzenie do
niej kodu było dla niego wystarczającym wyzwaniem. Musiał stawić czoła narastającej fali paniki, która go ogarnęła.

– W twoich ustach to naprawdę brzmi jak łatwizna – powiedział w końcu, starając się poprawić wszystkim humor.

Newt ponownie skrzyżował ramiona, przyglądając mu się
uważnie.

– Tak jak powiedziałeś, jeśli zostaniemy, jeden sztamak
ginie. Idziemy, jeden sztamak ginie. Nie ma więc różnicy.
– Wskazał na Thomasa. – *Jeżeli* masz rację.

– Mam. – Thomas wiedział, że nie mylił się co do Nory,
kodu, wyjścia i konieczności walki. Ale kwestia, czy zginie
jeden człowiek, czy też wielu, pozostawała dla niego tajemnicą. Tak czy inaczej, jeżeli jego instynkt cokolwiek mu pod-
powiadał, to właśnie to, aby nie przyznawał się do jakichkolwiek wątpliwości.

Newt poklepał go po plecach.

– Ogay. Bierzmy się do roboty.

Następne kilka godzin było prawdziwym szaleństwem.

Większość Streferów w końcu dała się przekonać. Było
ich o wiele więcej, niż Thomas by sądził. Nawet Alby postanowił się przyłączyć. Choć nikt się do tego nie przyznał,
to Thomas mógłby się założyć, że większość z nich miała
nadzieję, że tylko jedna osoba zginie z łap Bóldożerców, i dlatego wykalkulowali sobie, że to nie oni będą dzisiejszej nocy
szczęśliwym numerkiem w losowaniu parszywych kreatur.
Tych, którzy postanowili pozostać, było niewielu, ale zacho-

wywali się głośno i wydawali się niewzruszeni. Głównie chodzili wokół, strojąc fochy, starając się wszystkim wmówić, jak wielki popełniają błąd. W końcu jednak dali za wygraną i trzymali się od pozostałych z daleka.

Co się tyczyło Thomasa i pozostałych członków komitetu ucieczkowego, to czekało ich naprawdę mnóstwo pracy.

Rozdano plecaki, które zapełniono prowiantem. Patelniak – Newt powiedział Thomasowi, że Kucharz był jednym z ostatnich Opiekunów, który zgodził się iść – był odpowiedzialny za zebranie wszelkiego jedzenia i ustalenie sposobu na jego równe rozdzielenie pomiędzy wszystkich uczestników misji. Zabrali również strzykawki z Serum Bólu, chociaż Thomas nie uważał, aby Bóldożercy mogli ich użądlić. Chuck był odpowiedzialny za napełnienie butelek wodą i rozdawanie ich wszystkim. Pomagała mu Teresa, a Thomas poprosił ją, aby podkolorowała informacje o podróży tak bardzo, jak tylko to było możliwe, nawet jeżeli będzie musiała kłamać jak z nut. Chuck starał się zachowywać dzielnie od czasu, kiedy po raz pierwszy dowiedział się, że wyruszają, jednak jego spocona skóra i przerażenie w oczach zdradzały prawdę.

Minho udał się wraz z grupą Zwiadowców nad Urwisko, zabierając pnącza oraz kamienie, aby po raz ostatni sprawdzić położenie Nory Bóldożerców. Musieli liczyć na to, że kreatury będą się trzymać swojego codziennego grafika i nie wyjdą w ciągu dnia. Thomas rozważał pomysł wskoczenia do Nory od razu, aby wprowadzić szybko kod, jednak nie miał pojęcia, czego może się tam spodziewać lub co mogłoby tam na niego czekać. Newt miał rację – lepiej poczekać do nocy, z nadzieją, że większość Bóldożerców wypełznie do Labiryntu.

Gdy Minho powrócił cały i zdrowy, Thomasowi wydawało się, że Opiekun był naprawdę przekonany co do tego, że znajdowało się tam wyjście. Lub wejście. Zależało, jak na to spojrzeć.

Kiedy Thomas pomagał Newtowi rozdawać broń, przekonał się, że pośród niej znajdowało się wiele niezwykłych, innowacyjnych egzemplarzy, które jeszcze skuteczniej miały im pomóc w walce z Buldożercami. Drewniane drągi zostały przerobione na włócznie lub owinięto je drutem kolczastym, noże naostrzono, a następnie przywiązano do nich mocne gałęzie. Do łopat przymocowano taśmą kawałki potłuczonego szkła. Zanim dzień dobiegł końca, Streferzy przemienili się w małą armię. Bardzo żałosną, fatalnie przygotowaną, jak pomyślał Thomas, ale jednak armię.

Kiedy skończyli, udali się z Teresą do tajemnego miejsca na Grzebarzysku, aby opracować strategię zlokalizowania stanowiska komputerowego wewnątrz Nory Bóldożerców i tego, jak zamierzali wprowadzić do niego kod.

– To my musimy to zrobić – powiedział Thomas, kiedy oparli się plecami o pochyłe drzewa, których niegdyś zielone liście zaczęły już szarzeć z powodu braku sztucznego słońca. – Jeżeli się rozdzielimy, to nadal będziemy w kontakcie i będziemy mogli sobie pomóc.

Teresa podniosła patyk i zaczęła obierać go z kory.

– Potrzebujemy jednak wsparcia na wypadek, gdy coś nam się stało.

– Oczywiście. Minho i Newt znają słowa kodu – powiemy im, że muszą je wprowadzić do komputera, jeżeli coś nam... no, sama wiesz. – Thomas nie chciał myśleć o wszystkich złych rzeczach, które mogły się wydarzyć.

– Zatem ten plan to prościzna. – Teresa ziewnęła, zupełnie jakby życie było zupełnie normalne.

– Pewnie. Pokonać Bóldożerców, wprowadzić kod i uciec przez wyjście. Następnie zajmiemy się Stwórcami – zrobimy wszystko, co będzie trzeba.

– Kod składa się z sześciu słów, a kto wie, ilu tam będzie

Bóldożerców. – Teresa przełamała patyk na pół. – A tak poza tym, to jak myślisz, co oznacza to słowo DRESZCZ?

Thomas poczuł się, jakby ktoś zdzielił go w brzuch. Kiedy nagle usłyszał, jak Teresa wypowiada na głos to słowo, poczuł, jakby coś uruchomiło się w jego umyśle i wszystko ułożyło się od razu w całość. Był zszokowany, że wcześniej nie dostrzegł tego powiązania.

– Ten znak, który widziałem w Labiryncie. Pamiętasz? Metalowy, z wytłoczonymi literami? – Serce Thomasa zaczęło bić gwałtowniej z podekscytowania.

Teresa zmarszczyła na chwilę czoło, jednak wkrótce w jej oczach zamigotało światło.

– Hola. Departament Rozwoju Eksperymentów, Strefa Zamknięta: Czas Zagłady. DRESZCZ. *DRESZCZ jest dobry* – tak napisałam na ramieniu. Co to w ogóle oznacza?

– Nie mam pojęcia. Dlatego też boję się, że wdepniemy w niezłego klumpa, jeżeli zrobimy to, co zamierzamy. To może być prawdziwa jatka.

– Wszyscy wiedzą, na co się piszą. – Teresa wyciągnęła rękę i chwyciła go za dłoń. – Nie mamy nic do stracenia, pamiętasz?

Thomas pamiętał, jednak z jakiegoś powodu jej słowa zionęły pustką. Nie było w nich zbyt wiele nadziei.

– Nic do stracenia – powtórzył.

54

Tuż przed stałą porą zamykania Wrót Patelniak przygotował ostatni posiłek, który miał im pomóc przetrwać noc. Nastroje panujące wśród Streferów nie mogły być już bardziej ponure, bardziej przepełnione strachem. Thomas siedział obok Chucka, z roztargnieniem dłubiąc w jedzeniu.

– Powiedz mi – powiedział chłopak z ustami wypchanymi olbrzymią porcją ubijanych ziemniaków. – Po kim mam imię?

Thomas nie potrafił powstrzymać się od pokręcenia głową – oto niedługo mieli podjąć się najniebezpieczniejszego zadania w ich dotychczasowym życiu, a Chucka zżerała ciekawość odnośnie jego imienia.

– Nie wiem, może na cześć Darwina? To ten koleś od ewolucji.

– Założę się, że nikt wcześniej nie mówił do niego per koleś. – Chuck wsadził do ust kolejną porcję ziemniaków i najwyraźniej sądził, że najlepiej rozmawia się z pełnymi ustami. – Wiesz co, wcale się aż tak nie boję. To znaczy, te ostatnic kilka nocy, kiedy czekaliśmy, aż Bóldożercy przyjdą i zabiorą jednego z nas, to było najgorsze uczucie w moim życiu. Ale teraz przynajmniej coś wreszcie robimy. *Próbujemy.* I przynajmniej...

– Przynajmniej co? – zapytał Thomas. Ani przez chwilę nie uwierzył, że Chuck się nie boi. Jego widok, gdy starał zachować się dzielnie, niemal go ranił.

– Cóż, wszyscy zakładają, że Bóldożercy mogą zabić tylko jedno z nas. Może to brzmi klumpowo, ale napawa mnie to pewną nadzieją. Przynajmniej większości z nas się uda – tylko jeden biedny frajer będzie musiał się poświecić. To lepsze, niż gdybyśmy mieli zginąć wszyscy.

Thomasowi robiło się słabo na myśl o tym, że ludzie uczepili się tej nadziei. Im więcej o tym myślał, tym bardziej uważał, że jest to mało prawdopodobne. Stwórcy znali przecież ten plan, mogą więc przeprogramować Bóldożerców. Jednak nawet fałszywa nadzieja była lepsza od żadnej.

– Może nam wszystkim się uda. Pod warunkiem, że każdy stanie do walki.

Chuck przestał na chwilę faszerować się ziemniakami i spojrzał uważnie na Thomasa.

– Naprawdę tak myślisz, czy tylko starasz się mnie pocieszyć?

– Może nam się udać. – Thomas dokończył ostatni kęs posiłku i wziął wielki haust wody. Nigdy wcześniej nie czuł się tak wielkim kłamcą. Niektórzy polegną. Zamierzał jednak zrobić wszystko, co w jego mocy, aby Chuck nie był jednym z nich. On i Teresa. – Pamiętaj, co ci obiecałem. To wciąż obowiązuje.

Chuck zmarszczył brwi.

– Wielka mi rzecz. Non-stop słyszę, że świat to jeden wielki klump.

– Może i tak, ale odnajdziemy ludzi, którym na nas zależy, zobaczysz.

Chuck wstał.

– Nie chcę teraz o tym myśleć – oznajmił. – Po prostu wyciągnij mnie z Labiryntu, a będę więcej niż zadowolony.

– Ogay – zgodził się Thomas.

Hałas dobiegający z sąsiednich stolików przykuł jego uwagę. Newt i Alby zbierali Streferów, oświadczając, że nadeszła pora, aby wyruszyć. Alby zachowywał się normalnie, jednak

Thomas nadal niepokoił się o jego stan psychiczny. Gdyby to od niego zależało, to dowodziłby Newt, chociaż i on czasami bywał narwany.

Panika i strach, których doświadczał tak często w przeciągu ostatnich kilku dni, ponownie z pełną siłą zawładnęły jego ciałem. To był ten moment. Wyruszali. Starając się o tym nie myśleć, tylko działać, podniósł swój plecak. Chuck zrobił to samo i udali się w stronę Zachodnich Wrót, które prowadziły nad Urwisko.

Thomas dostrzegł rozmawiających ze sobą Teresę i Minho, którzy omawiali opracowany w pośpiechu plan wprowadzenia kodu.

– Jesteście gotowi? – zapytał Minho, kiedy podeszli. – Thomas, to wszystko to był twój pomysł, więc lepiej, aby wypalił. Jeśli nie, to zatłukę cię, zanim zrobią to Bóldożercy.

– Dzięki – odpowiedział Thomas. Nie mógł się jednak pozbyć uczucia ucisku w żołądku. Co, jeżeli jednak był w błędzie? Co, jeżeli jego wspomnienia okażą się nieprawdziwe? *Podsunięte* jakimś cudem? Ta myśl go przeraziła, więc zepchnął ją w najdalszy kąt umysłu. Nie mógł się teraz wycofać.

Spojrzał na Teresę, która przestępowała z nogi na nogę, załamując ręce.

– Wszystko w porządku? – zapytał.

– Nic mi nie jest – odpowiedziała z lekkim uśmiechem, wyraźnie czymś jednak zmartwiona. – Chcę to już mieć po prostu za sobą.

– Amen, siostro – skwitował Minho, który wyglądał na najbardziej spokojnego, pewnego siebie i najmniej ogarniętego strachem z nich wszystkich. Thomas mu zazdrościł.

Kiedy Newtowi udało się w końcu zebrać wszystkich razem, poprosił o ciszę i Thomas odwrócił się w jego stronę, aby wysłuchać, co miał do powiedzenia.

– Jest nas czterdzieści jeden osób. – Zarzucił plecak na ramię i podniósł gruby drewniany drąg owinięty drutem kolczastym. Broń wyglądała na śmiercionośną. – Upewnijcie się, że zabraliście ze sobą broń. Poza tym, to nie mam wiele do powiedzenia i nie będę strzępił cholernego języka, wszyscy znacie plan. Będziemy się trzaskać z Bóldożercami, aby przedostać się do ich Nory, następnie Tommy wprowadzi swój magiczny kod i odegramy się na Stwórcach. Proste jak budowa cepa.

Jego słowa ledwo docierały do uszu Thomasa, zaabsorbowanego widokiem nadąsanego Alby'ego, który naciągał cięciwę swojego łuku, wbijając wzrok w ziemię. Kołczan strzał spoczywał przewieszony na jego ramieniu. Thomas odczuł wzbierającą w nim falę niepokoju, że Alby w pewnym sensie może być jednak niezrównoważony, że w jakiś sposób może to wszystko zepsuć. Postanowił mieć go odtąd na oku.

– Czy ktoś czasem nie powinien wygłosić jakiejś mowy zagrzewającej do boju, czy coś? – zapytał Minho, odwracając uwagę Thomasa od Alby'ego.

– Śmiało – odpowiedział Newt.

Minho skinął głową i odwrócił się twarzą w stronę tłumu.

– Uważajcie na siebie – powiedział oschle. – I nie dajcie się zabić.

Thomas zaśmiałby się, gdyby mógł, jednak był na to zbyt przerażony.

– Świetnie, no to żeś nas zagrzał – odpowiedział Newt, następnie wskazał ręką w stronę Labiryntu. – Wszyscy znacie plan. Po dwóch latach bycia traktowanym niczym króliki doświadczalne, dziś w nocy zakończymy to wszystko. Dziś w nocy stawimy czoła Stwórcom, bez względu na to, przez co będziemy musieli przejść, aby się tam dostać. Dziś w nocy Bóldożercy mają prawo się bać.

Ktoś wydał okrzyk, a po chwili kolejny. Wkrótce wrzawa i bojowe nawoływania rozległy się, przeszywając powietrze niczym grzmot. Thomas poczuł w sobie namiastkę odwagi – uchwycił się jej kurczowo, nie wypuszczając, pragnąc, by wzrosła. Newt miał rację. Dzisiejszej nocy stoczą bój. Dzisiejszej nocy zakończą to wszystko na dobre.

Thomas był gotów. Ryknął wraz z pozostałymi Streferami. Wiedział, że powinni zachować ciszę, nie ściągać na siebie jeszcze większej uwagi, ale nie przejmował się tym. Zabawa właśnie się rozpoczęła.

Newt wyrzucił swoją broń w górę i krzyknął:

– Słyszycie, Stwórcy?! Idziemy po was!

Powiedziawszy to, odwrócił się i wbiegł do Labiryntu, niemal nie utykając. Zanurzył się w szarej mgle, która była jeszcze ciemniejsza od Strefy, pełnej cieni i mroku. Streferzy wokół Thomasa, wciąż wiwatując, podnieśli swoją broń i pobiegli za Newtem, a wraz z nimi Alby. Thomas podążył za nimi, biegnąc pomiędzy Teresą a Chuckiem, unosząc wielką drewnianą włócznię z nożem przywiązanym do jej czubka. Ogarnęło go niespodziewane poczucie odpowiedzialności za jego przyjaciół, które niemal go przytłoczyło, sprawiając, że z trudem przebierał nogami. Jednak nie zatrzymywał się, zdeterminowany, by wygrać.

Uda mi się, pomyślał. Muszę tylko dotrzeć do Nory.

55

Thomas utrzymywał stałe tempo, biegnąc z pozostałymi Streferami wzdłuż kamiennych ścieżek, w stronę Urwiska. Był przyzwyczajony do biegania po Labiryncie, jednak to było coś zupełnie innego. Odgłosy uderzających o ziemię stóp rozbrzmiewały echem, odbijając się od ścian, a czerwone światełka żukolców migotały w bluszczu jeszcze bardziej przeraźliwie niż zwykle – Stwórcy z pewnością ich obserwowali. Przygotowywali się do walki.

– Boisz się? – zapytała go Teresa.

– Gdzież tam, uwielbiam wszystko, co zwaliste i metalowe. Już nie mogę się ich doczekać. – Nie miał powodów do wesołości i zastanawiał się, czy kiedykolwiek jeszcze się to zmieni.

– Dowcipniś – odpowiedziała.

Była tuż obok niego, jednak patrzyła na rozpościerającą się przed nimi przestrzeń.

– Nic nam nie będzie. Po prostu trzymaj się blisko mnie i Minho.

– Ach, mój ty Rycerzu w Lśniącej Zbroi. Myślisz, że nie potrafię się o siebie zatroszczyć?

Tak naprawdę, to wiedział, że nie musi jej chronić. Teresa była równie twarda, jak cała reszta.

– Nie, staram się po prostu być miły.

Grupa rozproszyła się na całą szerokość korytarza, biegnąc stałym, acz szybkim tempem, co sprawiło, że Thomas zaczął się zastanawiać, jak długo wytrzymają ci, którzy nie byli przyzwyczajeni do biegania po Labiryncie. Jak gdyby w odpowiedzi na jego myśl, Newt cofnął się w końcu, klepiąc Minho w ramię.

– Teraz ty prowadzisz – usłyszał Thomas.

Minho przytaknął i pobiegł do przodu, prowadząc Streferów przez kolejne zakręty. Każdy krok był dla Thomasa męczarnią. Cała odwaga, którą w sobie zebrał, obróciła się w strach i zastanawiał się, kiedy Bóldożercy w końcu za nimi ruszą. Zastanawiał się, kiedy rozpocznie się walka.

Biegli dalej przed siebie, a Streferzy, nieprzywykli do pokonywania takich odległości, łapali z trudem wielkie hausty powietrza. Nikt jednak nie zrezygnował. Pokonywali kolejne metry, ale po Bóldożercach nie było śladu. Thomas poczuł, jak maleńka iskierka nadziei rozpala jego ciało – może uda im się dotrzeć, zanim zaatakują. Może.

W końcu po upływie godziny – a była to najdłuższa godzina w życiu Thomasa – dotarli do alei prowadzącej do ostatniego zakrętu przed Urwiskiem, krótkiego korytarza z prawej strony, który odchodził od niej niczym laseczka litery *T*.

Thomas, z walącym sercem i z opływającym potem ciałem, przyśpieszył i znalazł się tuż za Minho. Teresa była przy nim. Minho zwolnił przed zakrętem, po czym zatrzymał się, unosząc rękę w górę, dając reszcie znak, by zrobili to samo. Następnie odwrócił się i spojrzał na Thomasa przerażonymi oczyma.

– Słyszałeś to? – wyszeptał.

Thomas pokręcił głową, starając się stłumić w sobie uczucie, jakie wywołał w nim przerażony wyraz twarzy Minho.

Minho podkradł się do przodu i wyjrzał zza ostrej krawędzi muru, spoglądając w stronę Urwiska. Thomas widział już wcześniej, jak to robił, kiedy śledzili Bóldożercę. Tak jak wtedy, Minho gwałtownie odskoczył i odwrócił się twarzą w jego stronę.

– O nie – jęknął Opiekun. – Tylko nie to.

Teraz Thomas usłyszał to, o czym chwilę wcześniej mówił Minho. Odgłosy Bóldożerców. Zupełnie jakby ukrywali się, czekając na nich, a teraz zaczęli budzić się do życia. Nie musiał nawet patrzeć – wiedział, co Minho zamierzał powiedzieć, zanim ten zdążył jeszcze otworzyć usta.

– Jest ich przynajmniej tuzin. Może piętnastu. – Wyciągnął ręce i przetarł oczy dłonią. – Czekają na nas!

Lodowaty dreszcz strachu przeszył Thomasa głębiej niż kiedykolwiek wcześniej. Spojrzał na Teresę, chcąc coś powiedzieć, jednak powstrzymał się, kiedy spojrzał na jej bladą twarz. Nigdy wcześniej nie widział u nikogo tak wielkiego przerażenia.

Newt i Alby dołączyli do Thomasa i reszty. Najwyraźniej słowa Minho rozeszły się szeptem wśród zgromadzonych Streferów, ponieważ Newt, podchodząc do nich, powiedział:

– Przecież od samego początku wiedzieliśmy, że będziemy musieli z nimi walczyć. – Jednak drżenie jego głosu go zdradziło. Starał się jedynie powiedzieć to, co trzeba.

Thomas odczuł to samo. Łatwo było mówić o walce, w której nie mieli nic do stracenia, o nadziei, że tylko jeden z nich polegnie, o szansie na to, aby w końcu uciec. Ale kiedy ma do tego dojść, kiedy wróg był dosłownie za rogiem, jego serce i umysł ogarnęły wątpliwości, czy podoła zadaniu. Zastanawiał się, dlaczego Bóldożercy bezczynnie czekali. Żukolce z pewnością poinformowały ich o tym, że się zbliżają. Czy Stwórcy zabawiali się ich kosztem?

Coś zaświtało mu w głowie.

Może zabrali już kogoś ze Strefy, pomyślał. Może uda nam się przez nich przejść, w przeciwnym razie, dlaczego tak po prostu by tam...

Głośny hałas zza jego pleców wyrwał go z zadumy. Odwrócił się, by dostrzec kolejnych Bóldożerców z wysuniętymi kolcami i wijącymi się metalowymi odnóżami, zmierzających korytarzem od strony Strefy wprost na nich. Thomas otworzył usta, by coś powiedzieć, kiedy do jego uszu dobiegły kolejne odgłosy, z drugiej strony długiej alei – odwrócił się i ujrzał zgraję kolejnych Bóldożerców.

Wróg otaczał ich ze wszystkich stron, odcinając im całkowicie drogę ucieczki.

Streferzy ruszyli w kierunku Thomasa, formując zwarty szyk, zmuszając go do cofnięcia się na otwartą przestrzeń, gdzie korytarz prowadzący do Urwiska przecinał długą aleję. Jego oczom ukazała się horda najeżonych kolcami Bóldożerców, których wilgotne i oślizgłe ciała poruszały się w rytmie nabieranego i wypuszczanego powietrza. Czekali w napięciu. Pozostałe dwie grupy Bóldożerców utworzyły zwarty krąg, zatrzymując się zaledwie kilka metrów od nich.

Thomas, przezwyciężając strach, który nim zawładnął, gdy do jego świadomości dotarła groza sytuacji, powoli obrócił się w miejscu. Byli otoczeni. Nie mieli teraz wyboru, nie mieli dokąd uciec. Ostry, przeszywający ból siał spustoszenie w jego głowie.

Streferzy ścieśnili się jeszcze bardziej, tworząc zwartą grupę wokół niego. Każdy z nich zwrócony twarzą na zewnątrz, stłoczeni na samym środku skrzyżowania w kształcie litery *T*. Thomas został wciśnięty pomiędzy Newta i Teresę. Dosłownie czuł drżenie Newta. Nikt nie odezwał się nawet słowem. Jedynymi dźwiękami dobiegającymi do ich uszu były upiorne jęki i warkot maszyn pochodzący od Bóldożerców, stojących nieruchomo, zupełnie jakby napawali się widokiem pułapki, którą na nich zastawili. Ich obrzydliwe cielska podnosiły się i opadały w rytm mechanicznych, charczących oddechów.

– Co oni robią? – krzyknął do Teresy. – Na co oni czekają?

Nie odpowiedziała mu, co go zaniepokoiło. Wyciągnął rękę i uścisnął jej dłoń. Streferzy wokół niego stali w milczeniu, ściskając kurczowo swoją prowizoryczną broń.

Thomas spojrzał na Newta.

– Masz jakiś pomysł?

– Nie – odpowiedział lekko drżącym głosem. – Nie rozumiem, na co oni, cholera, czekają.

– Nie powinniśmy byli tu przychodzić – powiedział Alby. Było tak cicho, że jego głos zabrzmiał niemal dziwnie, zważywszy na głuche echo wytworzone przez ściany Labiryntu.

Thomas nie był w nastroju na wysłuchiwanie lamentów. Musieli coś *zrobić*.

– W Bazie wcale nie byłoby lepiej. – Przykro mi, że to mówię, jednak lepiej będzie, jeśli umrze jedno z nas niż wszyscy. – Naprawdę miał nadzieję, że *obietnica* odebrania tylko jednego życia każdej nocy okaże się teraz prawdą. Widok całej hordy Bóldożerców z tak bliska poraził go dogłębnie swoją rzeczywistością. Czy oni naprawdę mogli się łudzić, że zdołają pokonać te wszystkie kreatury?

Po długiej ciszy, Alby w końcu odpowiedział:

– Może powinienem... – Urwał i zaczął iść w ich kierunku, w stronę Urwiska, powoli, jakby był w transie. Thomas przyglądał się temu z podziwem. Nie mógł uwierzyć własnym oczom.

– Alby! – zawołał Newt. – Wracaj tu natychmiast!

Zamiast odpowiedzieć, Alby zerwał się do biegu. Ruszył wprost na hordę Bóldożerców, która stała pomiędzy nim a Urwiskiem.

– Alby! – wrzasnął Newt.

Thomas również wydał z siebie zduszony krzyk, jednak Alby zdążył już dobiec do watahy potworów, wskakując na jednego z nich. Newt odsunął się od Thomasa i ruszył w jego stronę. W tym momencie pięciu lub sześciu Bóldożerców nagle ożyło i zaatakowało przywódcę Streferów, przygniatając jego ciało masą oślizgłej skóry i metalu. Thomas wyciągnął ręce, szarpnął Newta i przyciągnął go do tyłu.

– Puszczaj! – wrzasnął Newt, wyrywając się z uścisku.

– Oszalałeś! – krzyknął Thomas. – Nic nie możesz zrobić!

Kolejnych dwóch Bóldożerców odłączyło się od watahy i rzuciło się na Alby'ego, włażąc jeden na drugiego, chwytając kleszczami i atakując chłopaka, zupełnie jak gdyby chcieli rozerwać go na strzępy i zademonstrować swoje bezwzględne okrucieństwo. Z jakiegoś powodu Alby w ogóle nie krzyczał. Thomas zupełnie stracił go z oczu. Gdy nadal usiłował powstrzymać Newta, w duchu dziękował, że nie musi tego oglądać. Newt w końcu ustąpił, upadając na plecy w geście rezygnacji.

Alby odszedł na dobre, pomyślał Thomas, próbując zwalczyć odruch zwrócenia zawartości swojego żołądka. Ich przywódca tak bardzo bał się powrócić do miejsca, które widział w swoich koszmarach, że zamiast tego postanowił się poświęcić dla nich. Zginął. Odszedł na zawsze.

Thomas pomógł Newtowi się podnieść. Nie mógł przestać wpatrywać się w miejsce, w którym zniknął jego przyjaciel.

– Nie mogę w to uwierzyć – wyszeptał Newt. – Nie mogę uwierzyć w to, co właśnie zrobił.

Thomas pokręcił jedynie głową. Widok Alby'ego ponoszącego taką śmierć wywołał u niego zupełnie nieznane mu dotąd impulsy bólu – przenikliwego, poruszającego bólu świadomości, który był o wiele gorszy od tego fizycznego. Nawet nie wiedział, czy miało to w ogóle cokolwiek wspólnego z Albym – w końcu nigdy za nim nie przepadał. Jednak myśl, że to, co właśnie zobaczył, może spotkać Chucka albo Teresę...

Minho podszedł do nich, ściskając Newta za ramię.

– Nie możemy pozwolić, aby jego ofiara poszła marne.

– Odwrócił się do Thomasa. – Będziemy z nimi walczyć, jeśli zajdzie potrzeba, robiąc wyrwę w ich szeregach abyś razem z Teresą zdołał dotrzeć nad Urwisko, wlazł do Nory i zrobił to, co należy. Będziemy ich powstrzymywać, dopóki nie krzykniesz, abyśmy za wami ruszyli.

Thomas spojrzał na każdą z trzech grup Bóldożerców – ani jedna nie ruszyła się jeszcze w ich stronę – i przytaknął.

– Miejmy nadzieję, że jeszcze przez jakiś czas się nie wybudzą. Na wprowadzenie kodu będziemy zapewne potrzebowali około minuty.

– Jak możecie być tacy okrutni? – wyszeptał Newt, a Thomasa zaskoczyło obrzydzenie w głosie.

– A czego się spodziewałeś? – odpowiedział Minho. – Mamy się wystroić i urządzić teraz pogrzeb?

Newt nie odpowiedział, nadal wpatrując się w miejsce, w którym Bóldożercy zdawali się *pożywiać* ciałem Alby'ego. Thomas nie mógł się powstrzymać od spojrzenia w tamtą stronę. Dostrzegł jaskrawoczerwoną plamę na cielsku jednej z kreatur. Znów przewróciło mu się w żołądku i szybko odwrócił wzrok.

Minho mówił dalej:

– Alby nie chciał wracać do swojego dawnego życia. On się dla nas *poświęcił*, do cholery, a oni nie atakują, więc może to podziałało. *Będziemy* okrutni, jeżeli pozwolimy, by jego ofiara poszła na marne.

Newt jedynie wzruszył ramionami i zamknął oczy.

Minho odwrócił się i spojrzał na stłoczoną grupę Streferów.

– Posłuchajcie mnie! Naszym priorytetem jest ochrona Thomasa i Teresy. Musimy pomóc im dostać się nad Urwisko i do Nory, aby...

Przerwały mu odgłosy Bóldożerców budzących się do życia. Thomas spojrzał przerażony w ich stronę. Kreatury po obu stronach ponownie zaczęły ich dostrzegać. Kolce wystrzeliwały z ich tłustej skóry. Ich cielska drżały i dygotały. Następnie wszystkie potwory ruszyły naprzód, powoli rozkładając śmiertelne narzędzia tortur, celując w Thomasa i pozostałych Streferów. Gotowi, by zabić. Zacieśniając swój bojowy szyk, niczym pętlę wokół szyi skazańca, Bóldożercy miarowo sunęli w ich stronę.

Ofiara Alby'ego okazała się całkowicie bezsensowna.

56

Thomas chwycił Minho za ramię.

– Muszę się jakoś przez nich przedostać! – Skinął głową w stronę toczącej się między nimi a Urwiskiem grupy Bóldożerców. Wyglądali niczym wielka dudniąca masa najeżona kolcami i mieniąca się błyskiem stali. W niewyraźnej szarej poświacie wyglądali jeszcze groźniej.

Thomas czekał na odpowiedź, podczas gdy Minho i Newt wymienili długie spojrzenie. Wyczekiwanie na walkę było gorsze od samego strachu przed nią.

– Zbliżają się!– krzyknęła Teresa. – Musimy coś zrobić!

– Dowodzisz – powiedział w końcu Newt do Minho, głosem niewiele głośniejszym od szeptu. – Utwórz przejście dla Tommy'ego i dziewczyny. Zrób to.

Minho skinął głową. Determinacja jarząca się w stalowym spojrzeniu uwydatniła jego rysy. Następnie odwrócił się twarzą do Streferów.

– Idziemy prosto nad Urwisko! Napierajcie w sam środek, zepchnijcie te cholerne pokraki pod ściany. Najważniejsze, aby Thomas i Teresa dostali się do Nory Bóldożerców!

Thomas odwrócił od niego wzrok, spoglądając z powrotem na nadciągające kreatury. Znajdowały się już o kilka metrów od nich. Chwycił za marną imitację włóczni.

– Musimy trzymać się blisko siebie – powiedział do Teresy. – Niech oni zajmą się walką, my musimy dostać się do tej Nory. – Poczuł się jak tchórz, jednak wiedział, że jakiekolwiek starcie – i śmierć – pójdzie na marne, jeżeli nie wprowadzą kodu i nie otworzą wyjścia prowadzącego do Stwórców.

– Wiem – odpowiedziała. – Musimy trzymać się razem.

– Gotowi?! – krzyknął Minho tuż obok Thomasa, unosząc w jednej ręce owiniętą drutem kolczastym maczugę, a długi srebrny nóż w drugiej. Wycelował nóż w hordę Bóldożerców. Ostrze rozbłysło lustrzanym blaskiem. – Teraz!

Opiekun Zwiadowców rzucił się do przodu, nie czekając na odzew. Newt ruszył tuż za nim, razem z pozostałymi Streferami, tworząc zwartą grupę wrzeszczących chłopców, nacierających z bronią w dłoni w sam środek hordy krwiożerczych potworów. Thomas chwycił dłoń Teresy, czekając, aż wszyscy ich miną, czując obijające się o niego ciała, ich pot oraz przeraźliwy strach, wyczekując okazji, kiedy sam będzie mógł rzucić się do biegu.

W chwili, kiedy rozbrzmiały pierwsze odgłosy wpadających na Bóldożerców chłopców – przerywany wrzaskami dźwięk drzewa roztrzaskującego się o stal – Chuck przebiegł obok Thomasa, który szybko wyciągnął rękę i chwycił go za ramię.

Chuck potknął się, po czym spojrzał na Thomasa wzrokiem tak przerażonym, że Thomas poczuł, jak coś pękło mu w sercu. W ułamku sekundy podjął decyzję.

– Trzymaj się Teresy i mnie – powiedział zdecydowanie, nie pozostawiając cienia wątpliwości.

Chuck spojrzał przed siebie na rozgorzałą bitwę.

– Ale... – Zamilkł i Thomas wiedział, że chłopiec ucieszył się na samą myśl o tym, choć wstydził się do tego przyznać.

Thomas usiłował ocalić jego godność.

– Potrzebujemy twojej pomocy w Norze Bóldożerców, na wypadek, gdyby jedno z tych paskudztw tam na nas czekało.

Chuck szybko przytaknął. Za szybko. Ponownie Thomas poczuł ukłucie smutku w sercu i potrzebę zaprowadzenia

Chucka bezpiecznie do domu, mocniejszą niż kiedykolwiek przedtem.

– No to ustalone – powiedział Thomas. – Chwyć Teresę za drugą rękę. Idziemy.

Chuck zrobił, co mu powiedziano, starając się ze wszystkich sił zachowywać dzielnie. I, co Thomas również zauważył, nie odzywając się ani słowem, prawdopodobnie po raz pierwszy w życiu.

– *Zrobili wyrwę!* – krzyknęła w myślach Teresa do Thomasa, powodując krótkie ukłucie bólu, które przeszyło jego czaszkę. Wskazała przed siebie i Thomas dostrzegł wąskie przejście formujące się pośrodku korytarza oraz zaciekle walczących Streferów, którzy starali się zepchnąć Bóldożerców pod ściany.

– Teraz! – krzyknął Thomas.

Pognał naprzód, ciągnąc Teresę oraz Chucka, biegnąc jak najszybciej, z włóczniami i nożami przygotowanymi do walki, wprost w sam środek obryzganego krwią, wypełnionego krzykiem kamiennego korytarza. W stronę Urwiska.

Wokół nich szalała bitwa. Streferzy walczyli, niesieni podsycaną strachem adrenaliną. Odgłosy odbijające się echem od ścian były kakofonią przerażenia – ludzkie krzyki, brzęk metalu uderzającego o metal, ryk silnika, upiorne wrzaski Bóldożerców, warkot piły, trzask kleszczy, krzyk wołających o pomoc chłopców. Wszystko było rozmyte, spowite krwią, szarością i błyskiem stali. Thomas starał się nie rozglądać na boki, tylko przed siebie, biegnąc przez wąską szparę uformowaną przez jego towarzyszy broni.

Nawet kiedy biegli, Thomas powtarzał w myślach słowa kodu. CHWYTAJ, ZADANIE, KREW, ZGON, TRUP, GUZIK. Musieli dobiec do celu, jeszcze tylko kilka metrów.

– *Coś właśnie rozcięło mi ramię!* – krzyknęła Teresa.

W chwili, w której to powiedziała, Thomas poczuł ostre ukłucie w nodze. Nie odwracał się za siebie ani jej nie odpowiedział. Wszechogarniające poczucie beznadziejności sytuacji było niczym wzburzony potop czarnej wody, który zalewał ich ze wszystkich stron, zmuszając do poddania się. Zwalczył je, napierając wciąż do przodu.

W końcu dostrzegł Urwisko, otwierające się szaro-ciemne niebo, jakieś pięć metrów od nich. Ruszył naprzód, ciągnąc za sobą przyjaciół.

Walka rozgrywała się po ich obu stronach. Thomas postanowił na to nie patrzeć, nie mógł też pomagać. Bóldożerca wtoczył się na jego drogę. Jakiś chłopiec, którego twarzy nie widział, pojmany przez metalowe kleszcze, dźgał zaciekle grubą, tłustą skórę, próbując uciec z morderczego uścisku. Thomas uchylił się w lewo, nie zatrzymując się. Przebiegając obok, usłyszał wrzask – rozdzierający gardło skowyt, który mógł jedynie oznaczać porażkę Strefera i jego straszliwy koniec. Krzyk niósł się dalej, przeszywając powietrze, przytłaczając pozostałe dźwięki walki, aż w końcu ucichł wraz ze śmiercią chłopca. Thomas poczuł, jak zadrżało mu serce, mając nadzieję, że nie był to nikt, kogo znał.

– *Nie zatrzymuj się!* – powiedziała Teresa.

– Wiem! – odkrzyknął Thomas na głos.

Ktoś minął go w pędzie. Bóldożerca natarł z prawej strony, wymachując ostrzami. Nadbiegający Strefer odciął je, atakując go dwoma długimi mieczami. Trzask i szczęk metalu rozbrzmiewał w ich walce. Do uszu Thomasa dobiegł odległy głos, wykrzykując w kółko wciąż te same słowa. Mówił o jego ochronie. To był Minho, a rozpacz i zmęczenie przepełniały jego krzyk.

Thomas wciąż biegł.

– *Jeden o mało co nie dopadł Chucka!* – usłyszał głos Teresy, który rozbrzmiał tubalnym echem w jego głowie.

Jeszcze więcej Bóldożerców ruszyło na nich, jeszcze więcej Streferów przyszło im z pomocą. Winston podniósł łuk i strzały Alby'ego i zaczął ciskać zakończone stalą drzewce we wszystko, co się ruszało i nie przypominało człowieka, chybiając częściej, aniżeli trafiając do celu. Chłopcy, których Thomas nie znał, biegli obok niego, grzmocąc swoją prowizoryczną bronią w śmiercionośne narzędzia Bóldożerców, wskakując na nich, atakując zaciekle. Odgłosy – brzęki, szczęki, krzyki, jęki i zawodzenie, ryk silników, warkot pił, trzask łamiących się ostrzy, pisk kolców szorujących o podłogę, przyprawiające o ciarki na plecach błagalne prośby o pomoc – wszystko to osiągnęło szczytowe natężenie, stając się dla Thomasa kakofonią nie do wytrzymania.

Thomas zaczął krzyczeć, jednak nie przestawał biec przed siebie, dopóki nie dotarli do Urwiska. Zatrzymał się gwałtownie tuż przy krawędzi. Teresa i Chuck wpadli na niego, niemal posyłając całą ich trójkę w bezkresną otchłań. W ułamku sekundy Thomas odszukał wzrokiem miejsce, w którym znajdowała się Nora Bóldożerców. W powietrzu, zawieszone niczym w próżni, unosiły się pnącza winorośli, których końce zatapiały się w głębi nicości.

Wcześniej Minho i kilku Zwiadowców wyciągnęli liny z bluszczu i przywiązali je do pnącza przylegającego do kamiennych murów. Następnie przerzucali luźne końce nad Urwiskiem, dopóki nie trafili w Norę Bóldożerców. Teraz sześć lub siedem lin ciągnęło się od kamiennej krawędzi do niewidzialnego kwadratu, unosząc się w powietrzu i rozpływając w nicości.

Nadeszła pora, aby skoczyć. Thomas zawahał się, odczuwając ostatni uścisk panicznego przerażenia. Za sobą słyszał okropne odgłosy bitwy, przed sobą miał iluzję. Musiał się otrząsnąć.

– Ty pierwsza. – Chciał iść na końcu, aby mieć pewność, że Bóldożerca nie dopadnie jej albo Chucka.

Ku jego zdziwieniu, Teresa nie zawahała się ani przez chwilę. Ścisnąwszy jego dłoń, a następnie ramię Chucka, zeskoczyła z krawędzi, natychmiast prostując nogi, z rękoma przy ciele. Thomas wstrzymał oddech, dopóki nie wślizgnęła się do miejsca pomiędzy uciętymi linami bluszczu i zniknęła. Wyglądało to, jakby jej istnienie zostało wymazane jednym szybkim ruchem.

– Wow! – krzyknął Chuck, ujawniając namiastkę dawnego siebie.

– Tak, masz rację – powiedział Thomas. – Twoja kolej.

Zanim chłopak zdołał się sprzeciwić, Thomas złapał go pod pachy i ścisnął jego tors.

– Odepchnij się nogami, a ja cię podrzucę. Gotowy? Raz, dwa, trzy! – Stęknął z wysiłku, podnosząc go i przerzucając w stronę Nory.

Chuck wrzasnął, lecąc w powietrzu, i niemal nie trafił do celu, jednak jego nogi zdołały się prześlizgnąć. Następnie jego brzuch i ramiona trzasnęły o krawędzie niewidzialnej dziury, zanim całe jego ciało rozpłynęło się w powietrzu. Odwaga chłopca poruszyła jego serce. Kochał tego dzieciaka. Kochał go jak własnego brata.

Thomas napiął pasy plecaka i ścisnął mocno prowizoryczną włócznię w prawej dłoni. Odgłosy dobiegające zza jego pleców były straszne, były potworne i Thomas czuł się winny, nie pomagając kompanom.

– Skup się na swoim zdaniu – powiedział jednak do siebie.

Przygotowując się na nieuniknione, stuknął włócznią w kamienną posadzkę, a następnie odbił się lewą nogą od krawędzi Urwiska i skoczył, wylatując w mroczne powietrze. Przyciągnął włócznię do klatki piersiowej, kierując palce ku dołowi i zastygając w bezruchu.

Potem wpadł do Nory.

57

Gdy tylko znalazł się w Norze Bóldożerców, lodowaty dreszcz przeszył jego skórę, poczynając od palców u stóp, a następnie przechodząc w górę, przez całego jego ciało, zupełnie jak gdyby wskoczył do lodowatej wody. Świat wokół wydawał się jeszcze mroczniejszy. Kiedy wylądował, jego stopy uderzyły o śliską powierzchnię i ugięły się pod nim. Thomas upadł na plecy, wpadając wprost na Teresę. Razem z Chuckiem pomogli mu się podnieść. To był cud, że nie wybił komuś włócznią oka.

Nora Bóldożerców byłaby ciemna jak smoła, gdyby nie promień światła z latarki Teresy, który rozpraszał tę ciemność. Rozglądając się dookoła, Thomas zorientował się, że stali w kamiennym cylindrze, wysokim na trzy metry. Był wilgotny i pokryty błyszczącą, brudną mazią. Przed nimi rozciągał się wielki tunel. Miał kilkadziesiąt metrów długości, zanim znikał z pola widzenia, zatapiając się w mroku. Thomas spojrzał na dziurę, przez którą przeskoczyli. Wyglądała jak kwadratowe okno zawieszone w głębokiej, bezgwiezdnej przestrzeni.

– Komputer jest tam – powiedziała Teresa, przyciągając jego uwagę.

Skierowała światło latarki w głąb tunelu, na mały kwadrat pokrytego brudem szkła, z którego wyłaniało się ciemnozielone światło. Poniżej znajdowała się klawiatura przytwierdzona do ściany pod takim kątem, że stojąc, można było z łatwością na niej pisać. Oto był, czekając, aż ktoś wprowadzi do niego kod. Thomas nie mógł powstrzymać się od myśli, że to było zbyt proste, zbyt piękne, aby mogło okazać się prawdą.

– Wpisuj słowa! – krzyknął Chuck, klepiąc Thomasa w ramię. – Szybko!

Thomas skinął na Teresę, aby to zrobiła.

– Chuck i ja będziemy pilnować, aby żaden Bóldożerca się tu nie przedarł. – Miał nadzieję, że Streferzy odwrócili ich uwagę i zdołają utrzymać kreatury z dala od Urwiska.

– Okay – odpowiedziała Teresa – Thomas wiedział, że była zbyt rozsądna, aby niepotrzebnie tracić czas na kłótnie. Podeszła do monitora i klawiatury, i zaczęła coś wpisywać.

– *Czekaj!* – zawołał do niej w myślach. – *Jesteś pewna, że pamiętasz słowa?*

Odwróciła się do niego i spojrzała urażona.

– Nie jestem idiotką, Tom. Tak, potrafię zapamiętać...

Głośny huk dobiegający z góry i zza ich pleców przerwał jej i sprawił, że Thomas nagle podskoczył. Odwrócił się szybko i dostrzegł wpadającego do Nory Bóldożercę, który niemal w magiczny sposób zstąpił ze spowitego czernią sklepienia. Wkraczając, potwór schował swoje kolce i odnóża, wylądował z chlupoczącym hukiem, tuzin ostrych i przerażających narzędzi pojawiło się z powrotem, stwarzając wokół niego śmiercionośną aurę.

Thomas pchnął Chucka za siebie i stanął przed kreaturą, wyciągając włócznię, zupełnie jakby swoją postawą mógł ją przestraszyć.

– Po prostu wpisz kod! – krzyknął.

Cienki metaliczny pręt wyskoczył z wilgotnej skóry Bóldożercy. Thomas dostrzegł, że było to dodatkowe ramię zakończone trzema obrotowymi ostrzami. Zmierzało w kierunku jego twarzy.

Chwycił oburącz zakończenie włóczni, ściskając ją mocno i kierując grot w ziemię tuż przed sobą. Zakończone ostrzami ramię zbliżyło się do niego na odległość pół metra, gotowe, by pociąć jego skórę na kawałki. Gdy było już zaledwie o kilkanaście centymetrów od niego, Thomas napiął mięśnie i zamachnął się włócznią, starając się ze wszystkich sił zadać cios. Uderzył w metalowe odnóże, które z trzaskiem pofrunęło w górę, po czym zaczęło szybko spadać, aż w końcu zatopiło swe ostrza w cielsku Bóldożercy. Potwór wydał z siebie wściekły wrzask i cofnął się o kilka kroków w tył, chowając z powrotem kolce. Thomas z trudem łapał i wypuszczał powietrze.

– *Może uda mi się go powstrzymać* – powiedział pospiesznie do Teresy. – *Tylko się pośpiesz!*

– *Prawie skończyłam* – odpowiedziała.

Bóldożerca ponownie pokazał im swoją broń. Ruszył z furią do przodu, wyciągając z cielska kolejne odnóże i wystrzeliwując je przed siebie. Tym razem były to ogromne kleszcze, które kłapały, usiłując uchwycić włócznię. Thomas zamachnął się, wywijając włócznią nad głową, wkładając w atak wszystkie swoje siły. Włócznia zderzyła się z podstawą kleszczy. Usłyszał grzmot i dźwięk zgniatania, po czym ujrzał, jak całe odnóże odrywa się od stawu i ląduje na ziemi. Następnie z czegoś, co przypominało pysk, Bóldożerca wydał długi, przeszywający wrzask i ponownie się wycofał. Kolce znów zniknęły.

– To coś można pokonać! – krzyknął Thomas.

– *Nie pozwala mi wprowadzić ostatniego słowa!* – powiedziała do niego Teresa w myślach.

Nie do końca ją słysząc i rozumiejąc, Thomas wydał z siebie ryk i rzucił się do przodu, wykorzystując chwilę słabości Bóldożercy. Wymachując włócznią na prawo i lewo, wskoczył na przysadziste cielsko kreatury, grzmocąc w dwa metalowe, atakujące go odnóża. Uniósł włócznię nad głowę, zaparł się nogami, czując, jak grzęzną w obrzydliwym cielsku, po czym pchnął włócznię, zatapiając drąg we wnętrznościach kreatury tak głęboko, jak tylko potrafił. Żółta mazista breja wylała się z jego ciała, rozpryskując się na nogi Thomasa. Następnie wypuścił z uścisku rękojeść broni i odskoczył, cofając się w stronę Chucka i Teresy.

Thomas przyglądał się z chorą fascynacją, jak Bóldożerca wierzga spazmatycznie, plując żółtą ropą na wszystkie strony. Kolce wysuwały się w górę i chowały z powrotem w skórze. Jego pozostałe odnóża miotały się w powietrzu w całkowitym chaosie, czasami dźgając własne ciało. Wkrótce zaczął spowalniać, tracąc energię z każdą straconą kroplą krwi – lub paliwa.

Kilka sekund później zupełnie przestał się poruszać. Thomas nie mógł w to uwierzyć. Naprawdę nie mógł w to uwierzyć. Właśnie pokonał Bóldożercę, jednego z potworów, które od ponad dwóch lat terroryzowały mieszkańców Strefy.

Spojrzał na Chucka, który obserwował całe zajście z wybałuszonymi oczami.

– Zabiłeś go – powiedział chłopiec. Roześmiał się, jak gdyby ten jeden czyn rozwiązywał wszystkie ich problemy.

– To nie było takie trudne – wymamrotał Thomas, następnie odwrócił się w stronę Teresy, która rozpaczliwie wystukiwała słowa na klawiaturze. W jednej chwili wiedział, że coś było nie tak.

– O co chodzi? – zapytał, niemal krzycząc. Podbiegł do niej i, zaglądając przez jej ramię, zobaczył, że nieustannie wpisywała słowo *GUZIK*, jednak na ekranie nic się nie pojawiało.

Wskazała na brudny kawałek szkła, otoczonego zielonkawą poświatą.

– Wpisałam wszystkie słowa i każde, jedno za drugim, pojawiło się na ekranie. Następnie coś zabrzęczało i zniknęły. Teraz nie pozwala mi wprowadzić ostatniego słowa. Nic się nie dzieje!

Kiedy w końcu słowa Teresy dotarły do jego świadomości,

Thomas poczuł, jak krew zastyga mu żyłach.

– Ale... dlaczego?

– Nie wiem! – Spróbowała ponownie. Potem jeszcze raz. Ekran monitora pozostawał niewzruszony.

– Thomas! – krzyknął Chuck za ich plecami. Thomas odwrócił się i zobaczył, jak Chuck wskazuje na wejście do Nory. Kolejna kreatura wdzierała się do środka. Obserwował, jak Bóldożerca opada z pluskiem na martwe ciało swojego pobratymca, podczas gdy kolejny stwór już podążał za nim.

– Co tak długo?! – krzyknął przeraźliwie Chuck. – Powiedziałeś, że się wyłączą, kiedy wprowadzisz kod!

Obaj Bóldożercy wyprostowali się, wysunęli swoje kolce i ruszyli wprost na nich.

– Nie pozwala nam wprowadzić słowa *GUZIK* – powiedział Thomas w zamyśleniu, nie zwracając się tak naprawdę do Chucka. Zastanawiał się nad rozwiązaniem...

– *Nie rozumiem* – powiedziała Teresa.

Bóldożercy zbliżali się, byli o zaledwie kilka kroków od nich. Czując, jak jego determinacja rozpływa się w ciemności, Thomas zaparł się nogami i uniósł pięści bez przekonania. Powinno przecież zadziałać. Kod powinien...

– Może po prostu powinniście nacisnąć na ten guzik – powiedział Chuck.

Thomas był tak zaskoczony przypadkowym stwierdzeniem, że odwrócił się od Bóldożerców i spojrzał na chłopca. Chuck wskazywał na miejsce nieopodal podłogi, tuż pod ekranem i klawiaturą.

Zanim zdążył się poruszyć, Teresa opadła na kolana. Zżerany ciekawością i przelotną nadzieją, Thomas dołączył do niej. Usłyszał jęk i ryk Bóldożercy tuż za swoimi plecami. Ostre kleszcze chwyciły jego koszulkę. Wtedy poczuł ukłucie bólu, jednak wpatrywał się tylko przed siebie.

Kilka centymetrów nad podłogą, na ścianie umieszczony był mały, czerwony przycisk. Widniały na nim dwa czarne słowa, tak oczywiste, że nie mógł uwierzyć, że wcześniej je przeoczył. **Wyłącz Labirynt.**

Kolejna fala bólu wyrwała Thomasa z osłupienia. Bóldożerca pochwycił go szczypcami i zaczął ciągnąć do tyłu. Drugi z nich ruszył za Chuckiem i właśnie zamachiwał się na niego długim ostrzem.

Guzik.

– *Naciśnij!* – krzyknął Thomas

Teresa nacisnęła.

Wcisnęła przycisk i nastała absolutna cisza. Następnie z głębi mrocznego tunelu doszedł ich dźwięk otwierających się drzwi.

Niemal w jednej chwili Bóldożercy zamarli, ich złowieszcze narzędzia zostały wciągnięte z powrotem przez tłuste cielska, ich światła zgasły, maszyneria wewnątrz ucichła. A drzwi...

Thomas upadł na ziemię, wypuszczony z uścisku oprawcy, i pomimo bólu dobiegającego z kilku szarpanych ran na plecach i ramionach, odczuł nagły przypływ euforii. Z trudem łapał powietrze, następnie roześmiał się, po czym załkał, nim znowu wybuchnął śmiechem.

Chuck szybko odsunął się od Bóldożercy i wpadł w ramiona Teresy. Objęła go, przyciskając mocno do siebie.

– Dokonałeś tego, Chuck – powiedziała Teresa. – Byliśmy tak bardzo przejęci tym głupim kodem, że nie przyszło nam do głowy, aby się rozejrzeć za jakimś *guzikiem*, za ostatnim słowem, ostatnim elementem układanki.

Thomas ponownie się roześmiał. Nie mógł uwierzyć, że po tym wszystkim, przez co przeszli, tak szybko udało im się wykonać zadanie.

– Ona ma rację, Chuck. Ocaliłeś nas, stary! Mówiłem ci, że jesteś nam potrzebny! – Thomas zerwał się na równe nogi i dołączył do pozostałej dwójki w grupowym uścisku, niemal oszalały z radości. – Chuck jest naszym cholernym bohaterem!

– A co z resztą? – powiedziała Teresa, kiwając głową w stronę wyjścia. Thomas poczuł, jak jego radość rozpływa się. Cofnął się i spojrzał w górę.

Jak gdyby w odpowiedzi na jej pytanie, ktoś wpadł właśnie przez czarny kwadrat w suficie. Niemal całe jego ciało pokryte było ranami i zadrapaniami.

– Minho! – krzyknął Thomas, odetchnąwszy z ulgą. – Nic ci nie jest? Co z pozostałymi?

Minho, potykając się, ruszył w stronę zaokrąglonej ściany tunelu, następnie oparł się o nią, z trudem łapiąc powietrze.

– Straciliśmy mnóstwo ludzi... Wszędzie pełno krwi... A potem po prostu przestali się ruszać. – Przerwał, biorąc naprawdę głęboki oddech i wypuszczając z płuc chmurę powietrza. – Udało wam się. Nie mogę uwierzyć, że to naprawdę zadziałało.

Następnie pojawił się Newt, a po nim Patelniak. Później Winston i pozostali. Wkrótce, osiemnastu chłopców dołączyło do Thomasa i jego przyjaciół w tunelu, tworząc w sumie grupę dwudziestu jeden Streferów. Wszyscy pokryci byli szlamem kreatur i ludzką krwią, a z ich ubrań pozostały zaledwie strzępy.

– A co z pozostałymi? – zapytał Thomas, przerażony tym, co może za chwilę usłyszeć.

– Połowa z nas – oznajmił Newt drżącym głosem – nie żyje.

Nikt nie odezwał się już słowem. Milczenie trwało przez dłuższą chwilę.

– Wiecie co? – powiedział Minho, prostując się nieco. – Może i połowa z nas zginęła, ale za to połowa z nas, purwa, przeżyła. I nikt nie został użądlony – dokładnie tak, jak sądził Thomas. Musimy się stąd wydostać.

Zbyt wielu, pomyślał Thomas. Stanowczo zbyt wielu. Radość opuściła go, zamieniając się w przygniatającą go żałobę po stracie dwudziestu ludzi, którzy oddali swoje życie w imię wolności. Pomimo świadomości, że gdyby nie spróbowali uciec, to *wszyscy* z nich mogli być niebawem martwi, wciąż bolała go śmierć jego towarzyszy, nawet jeżeli nie znał wszystkich zbyt dobrze. Tyle osób odeszło. Czy można to nazwać zwycięstwem?

– Wynośmy się stąd – stwierdził Newt. – I to teraz.

– Dokąd idziemy? – zapytał Minho.

Thomas wskazał w stronę długiego korytarza.

– Usłyszałem dźwięk otwierających się drzwi.

Próbował odepchnąć od siebie koszmarne wizje wygranej właśnie batalii. Nie chciał teraz myśleć o tych wszystkich poniesionych stratach. Wiedział, że jeszcze nie byli bezpieczni.

– Chodźmy więc – zdecydował Minho, po czym odwrócił się i ruszył wzdłuż tunelu, nie czekając na odpowiedź.

Newt przytaknął, przepuszczając pozostałych Streferów przodem. Ruszyli za Minho, jeden po drugim, dopóki oprócz niego nie zostali już tylko Thomas, Teresa i Chuck.

– Pójdę na końcu – powiedział Thomas.

Nikt się nie sprzeciwiał. Newt jako pierwszy, następnie Chuck, później Teresa, zapuścili się w głębię mrocznego tunelu. Ciemność zdawała się pochłaniać nawet światło latarek. Thomas podążył za przyjaciółmi, nie odwracając się nawet, by spojrzeć na martwe cielska Bóldożerców.

Po jakiejś minucie usłyszał wrzask dobiegający z przodu, po którym nastąpił kolejny i jeszcze jeden. Krzyki zaczęły cichnąć, jak gdyby ludzie, którzy je wydawali, spadali w dół...

Zaczęli szeptać między sobą, idąc w kierunku usłyszanych odgłosów, kiedy Teresa w końcu odwróciła się do Thomasa.

– Wygląda na to, że tutaj tunel ostro opada w dół.

Thomas poczuł uścisk w żołądku na samą myśl o tym. Wyglądało to na jakąś grę – przynajmniej dla kogoś, kto stworzył to miejsce.

Słyszał słabnące w oddali krzyki Streferów, aż wreszcie przyszła kolej na Newta, a później na Chucka. Teresa poświeciła latarką w dół, na stromo opadającą, czarną, gładką metalową zsuwnię.

– *Chyba nie mamy wyboru* – powiedziała do niego w myślach.

– *Chyba nie.* – Thomas miał silne przeczucie, że to nie była droga do wyjścia z ich koszmaru. Miał jedynie nadzieję, że nie prowadziła do kolejnej hordy Bóldożerców.

Teresa zjechała w dół z niemal radosnym wrzaskiem, a Thomas podążył za nią, zanim zdążył się rozmyślić. Wszystko było lepsze od Labiryntu.

Jego ciało opadło stromo w dół, pędząc po śliskiej, oleistej brei, która wydzielała z siebie paskudny odór przypominający spalony plastik i smród wydającego z siebie ostatnie tchnienie silnika maszyny. Kręcił się w kółko, dopóki nie udało mu się wyciągnąć nóg przed siebie. Usiłował oprzeć dłonie o podłoże, aby spowolnić siłę pędu. To było bezcelowe – tłusta breja pokrywała każdy centymetr tunelu. Nie miał się czego chwycić.

Krzyki pozostałych Streferów rozbrzmiewały w tunelu, odbijając się echem od ścian, podczas gdy oni ześlizgiwali się po ociekającym tłuszczem torze. Panika ścisnęła go za serce. Nie mógł pozbyć się wrażenia, że zostali połknięci przez jakąś gigantyczną bestię, i że zjeżdżali właśnie w dół jej długiego przełyku tylko po to, aby wylądować lada moment w jej trawionym kwasami żołądku. Zupełnie jakby jego myśli właśnie się urzeczywistniały, zapach dobiegający do jego nozdrzy uległ zmianie, przechodząc w coś, co przypominało teraz smród stęchlizny. Zaczął się krztusić. Ze wszystkich sił starał się na siebie nie zwymiotować.

Tunel zaczynał zakręcać, przechodząc w spirale na tyle wyboiste, że udało im się zwolnić. Thomas wjechał stopami wprost w Teresę, uderzając ją w głowę. Cofnął się i momentalnie ogarnęło go uczucie całkowitej boleści. Wciąż spadali, a czas ciągnął się w nieskończoność.

Zjeżdżali wciąż w kółko wzdłuż rury. Nudności napierały z wnętrza jego żołądka, napędzane przez odgłos pluskającej o jego ciało brei, odór i nieustanny ruch w kółko. Miał właśnie wystawić głowę na bok i zwymiotować, kiedy Teresa wydała z siebie ostry krzyk. Tym razem nie rozbrzmiało żadne echo. Chwilę później Thomas wyleciał z tunelu i wylądował wprost na niej.

Ciała walały się wszędzie, jedni leżeli na drugich, jęcząc i wijąc się w zamieszaniu, starając się nawzajem odepchnąć. Thomas wierzgnął rękoma i nogami, aby zsunąć się z Teresy, po czym odczołgał się kawałek dalej, aby zwymiotować.

Wciąż drżąc z przejęcia, wytarł usta dłonią i zorientował się, że cały pokryty był mazistym brudem. Usiadł, wycierając obie dłonie o ziemię i przyjrzał się miejscu, w którym się znaleźli. Dostrzegł też, że pozostali zebrali się w grupę, przyglądając się nowemu otoczeniu. Thomas widział przebłyski tego miejsca w trakcie Przemiany, jednak tak naprawdę to nie pamiętał o nim aż do teraz.

Znajdowali się w olbrzymiej podziemnej komorze, wystarczająco wielkiej, aby pomieścić dziewięć lub dziesięć budynków wielkości Bazy. Od podłogi aż po sklepienie, od jednej strony aż do drugiej, całość pokryta była różnego rodzaju maszynami, kablami, przewodami i komputerami. Z jednej strony pomieszczenia – po jego prawej stronie – znajdował się rząd około czterdziestu wielkich, białych kapsuł, które wyglądały jak olbrzymie trumny. Naprzeciw nich, po drugiej stronie, znajdowały się wielkie szklane drzwi, choć oświetlenie sprawiało, że nie można było dostrzec, co znajdowało się po ich drugiej stronie.

– Patrzcie! – rozległ się czyjś krzyk, jednak Thomas zdążył już to sam dostrzec i wstrzymał oddech. Przeszedł go dreszcz, niczym pełzający po jego ciele pająk, przyprawiając go o gęsią skórkę.

Na wprost nich znajdował się rząd około dwudziestu okien z przyciemnianymi szybami, jedno przy drugim. Za każdym z nich znajdowała się jakaś osoba – mężczyźni, kobiety, wszyscy bladzi i szczupli, siedzieli i obserwowali Streferów, spoglądając przez szybę ze zmrużonymi oczami. Thomas wzdrygnął się przerażony – wszyscy wyglądali niczym duchy. Wściekłe, żądne pożywienia, złowrogie zjawy, które nigdy nie zaznały szczęścia za życia, a co dopiero, kiedy były już martwe.

Thomas wiedział oczywiście, że to nie były duchy. To byli ludzie, którzy zesłali ich do Strefy. Ludzie, którzy odebrali im ich życie.

Stwórcy.

Thomas cofnął się o krok i zauważył, że pozostali zrobili to samo. Kiedy Streferzy wpatrywali się w rząd okien, w stojących za nimi obserwatorów, pomieszczenie wypełniła grobowa cisza. Thomas zauważył, że jeden z obserwatorów spojrzał w dół i coś zapisał, inny wyciągnął rękę i założył okulary. Wszyscy mieli na sobie czarne płaszcze. Pod płaszczami mieli białe koszule, na których z prawej strony, na piersi, wyszyte były jakieś słowa. Ich twarze były ziemiste i wyniszczone do tego stopnia, że aż przykro było na nie patrzeć.

Wciąż nie odrywali wzroku od Streferów. Jakiś mężczyzna pokręcił głową, jakaś kobieta skinęła. Kolejny mężczyzna wyciągnął rękę i podrapał się po nosie – najbardziej ludzki odruch, jaki Thomas u nich dostrzegł.

– Co to za ludzie? – wyszeptał Chuck, jednak jego głos rozniósł się echem po komorze, odbijając się ze zgrzytem od jej krawędzi.

– To Stwórcy – odpowiedział Minho, następnie splunął na podłogę. – Zrobię wam z pysków origami! – krzyknął tak głośno, że Thomas o mało nie zakrył uszu dłońmi.

– Co robimy? – zapytał Thomas. – Na co oni czekają?

– Pewnie posłali po wsparcie Bóldożerców – powiedział Newt. – Pewnie już tu...

Przerwał mu głośny, powolny, akustyczny sygnał, niczym klakson olbrzymiej, cofającej się ciężarówki, jednak ten był o wiele bardziej doniosły. Dochodził ze wszystkich stron, hucząc i rozbrzmiewając echem po całej komorze.

– Co znowu? – zapytał Chuck, nie ukrywając niepokoju w głosie.

Z jakiegoś powodu wszyscy spojrzeli na Thomasa, który w odpowiedzi wzruszył ramionami. Nic więcej nie pamiętał i teraz wiedział tyle samo co inni. Był przerażony. Wyciągnął szyję, badając całe pomieszczenie w poszukiwaniu źródła dźwięku. Nic się jednak nie zmieniło. Następnie, kątem oka dostrzegł, że pozostali Streferzy spoglądają w stronę szklanych drzwi. Zrobił to samo. Serce zabiło mu szybciej, gdy ujrzał, że drzwi są otwarte.

Sygnał ucichł i w komorze znów zapanowała martwa cisza, jak gdyby znajdowali się w przestrzeni kosmicznej. Thomas wstrzymał oddech i wyczekiwał przerażony, przygotowany w każdej chwili na okropności, jakie lada chwila miały się pojawić.

Zamiast tego do pomieszczenia weszły dwie osoby.

Jedną z nich była kobieta. Dorosła. Sprawiała wrażenie zupełnie zwyczajnej. Miała na sobie czarne spodnie i białą koszulę z przypinanymi rogami kołnierzyka i z logo na piersi – słowem DRESZCZ wypisanym dużymi, niebieskimi literami. Jej brązowe włosy sięgały do ramion. Miała pociągłą twarz i ciemne oczy. Idąc w stronę grupy, ani się nie uśmiechała, ani nie krzywiła, jak gdyby zupełnie nie zauważyła lub nie przejmowała się tym, że tam stali.

Znam ją – pomyślał Thomas. Jednak było to bardzo niewyraźne wspomnienie. Nie potrafił sobie przypomnieć, jak się nazywała ani co miała wspólnego z Labiryntem, jednak wydawała mu się znajoma. Nie chodziło wyłącznie o jej wygląd, ale o sposób, w jaki się poruszała – sztywno, bez krztyny radości. Zatrzymała się kilka kroków przed Streferami i powoli zlustrowała ich wszystkich wzrokiem, spoglądając od lewej do prawej strony.

Drugą osobą, która stała obok niej, był chłopiec ubrany w za dużą bluzę, z zaciągniętym na głowę kapturem, skrywającym jego twarz.

– Witam z powrotem – odezwała się w końcu kobieta. – Ponad dwa lata i tylko kilku martwych. Zdumiewające.

Thomas rozdziawił usta ze zdumienia. Poczuł, jak złość zalewa czerwienią jego twarz.

– Słucham? – zapytał Newt.

Jej oczy wpatrywały się uważnie w tłum, nim spoczęły na Newcie.

– Wszystko przebiegło zgodnie z planem, Panie Newton. Choć muszę przyznać, iż zakładaliśmy, że trochę więcej z was podda się po drodze.

Zerknęła na swojego towarzysza, następnie wyciągnęła dłoń i zdjęła kaptur z jego głowy. Podniósł wzrok, jego oczy zalewały się łzami. Każdy Strefer w pomieszczeniu wciągnął powietrze ze zdumienia. Thomas poczuł, jak uginają się pod nim kolana.

To był Gally.

Thomas zamrugał, następnie przetarł oczy, jakby spoglądał na zjawę. Zżerało go przerażenie i wściekłość.

To był *Gally*.

– Co *on* tu robi! – wrzasnął Minho.

– Jesteś już bezpieczny – odpowiedziała kobieta, jak gdyby go nie usłyszała. – Proszę, uspokój się.

– Uspokój się?! – warknął Minho. – Kim ty jesteś, żeby nam mówić, iż mamy się uspokoić? Chcemy zobaczyć się z policją, z burmistrzem, z prezydentem, z kimkolwiek! – Thomas obawiał się tego, co może zrobić Minho, jednak z drugiej strony chciał, aby uderzył ją w twarz.

Zmrużyła oczy, spoglądając na Minho.

– Nie masz pojęcia, o czym mówisz, chłopcze. Oczekiwałam więcej dojrzałości po kimś, kto właśnie przeszedł pomyślnie przez Próby Labiryntu. – Jej protekcjonalny ton zszokował Thomasa.

Minho chciał jej już odpowiedzieć, jednak Newt szturchnął go łokciem.

– Gally – rzucił Newt. – O co tu chodzi?

Ciemnowłosy chłopiec spojrzał na niego. Jego oczy rozbłysły na chwilę, po czym nieznacznie pokręcił głową. Nie odpowiedział.

Coś jest z nim nie tak – pomyślał Thomas. Świetnie, z deszczu pod rynnę.

Kobieta skinęła głową, jak gdyby była z niego dumna.

– Któregoś dnia będziecie mu wdzięczni za to, co dla was zrobił. I mogę wam to jedynie obiecać i ufać, że się z tym pogodzicie. Jeżeli nie, wtedy to wszystko okaże się jedną wielką pomyłką. Nastały mroczne czasy, Panie Newton. Mroczne czasy. – Zawahała się. – Jest, oczywiście, jeszcze jedno, ostateczne Wyzwanie. – Odsunęła się.

Thomas skupił wzrok na Gallym. Chłopiec cały się trząsł, jego twarz była trupio blada, przez co jego zapłakane, przekrwione oczy wyróżniały się na jej tle niczym plamy krwi na białej kartce papieru. Jego usta były zaciśnięte; mięśnie wokół nich drżały, zupełnie jakby chciał coś powiedzieć, lecz nie mógł.

– Gally? – zapytał Thomas, próbując przezwyciężyć w sobie nienawiść, jaką go darzył. Słowa wyrwały się z ust Gally'ego.

– Oni... potrafią mnie kontrolować... Ja nie... – Wybałuszył oczy, jego własna ręka doskoczyła do jego gardła, jakby się dusił. – Ja... muszę... to... – każde słowo było chrapliwym kaszlem. Następnie znieruchomiał, na jego twarzy pojawił się spokój, a ciało zaczęło się rozluźniać.

Wyglądał zupełnie jak Alby, kiedy leżał w łóżku, po tym jak przeszedł przez Przemianę. To samo przytrafiło się jemu. Co sprawiło, że...

Jednak Thomas nie miał czasu, aby dokończyć tę myśl. Gally sięgnął za siebie i wyciągnął z tylnej kieszeni jakiś długi, błyszczący przedmiot. Światła komory odbijały się od jego srebrnej powierzchni. To był sztylet, mocno ściśnięty w jego dłoni. Z niespodziewaną szybkością, zamachnął się i rzucił nożem w Thomasa. Gdy tylko to zrobił, Thomas usłyszał po swojej prawej stronie krzyk, wyczuł jakiś ruch zmierzający w jego stronę.

Ostrze obróciło się w powietrzu. Thomas dostrzegł każdy jego ruch, zupełnie jakby świat zamarł, a on przyglądał się wszystkiemu w zwolnionym tempie, jedynie po to, by w pełni móc poczuć ogarniające go przerażenie. Nóż leciał, obracając się nieprzerwanie, wprost na niego. Zduszony krzyk formował się w jego gardle. Chciał zrobić unik, jednak nie potrafił ruszyć się z miejsca.

Wtedy, w niewytłumaczalny sposób, pojawił się Chuck, nurkując w powietrzu, tuż przed nim. Thomas poczuł, jakby jego stopy utkwiły w bryle lodu. Mógł się jedynie przyglądać, całkowicie bezradny, przerażającej scenie, która rozgrywała się przed jego oczami.

Z odrażającym, mokrym, tępym odgłosem, sztylet ugrzązł w piersi Chucka, zatapiając się aż po rękojeść. Chłopiec wrzasnął, upadł na podłogę, jego ciało zadrżało w konwulsjach. Krew tryskała z rany ciemnym szkarłatem. Jego nogi uderzyły o podłogę, stopy wierzgały na prawo i lewo w agonii. Czerwona ślina wyciekała z jego ust. Thomas poczuł, jakby świat wokół się zawalił, miażdżąc mu serce.

Upadł na ziemię, i chwycił rozedrgane ciało Chucka w ramiona.

– Chuck! – krzyknął. Jego głos był niczym kwas pustoszący jego gardło. – Chuck!

Chłopiec trząsł się spazmatycznie, krew zalewała dłonie Thomasa, tworząc wokół wielką kałużę szkarłatu. Jego oczy wywróciły się białkami na wierzch. Krew wypływała strużkami z jego nosa i ust.

– Chuck... – powiedział Thomas, tym razem szeptem. Musiało być coś, co mogli zrobić. Oni mogli go uratować. Oni...

Chłopak przestał wierzgać, znieruchomiał. Jego oczy powróciły do normalnego położenia, wpatrywał się w Thomasa, kurczowo trzymając się życia.

– Thom... mas. – Jedno słowo, ledwo słyszalne.

– Trzymaj się, Chuck – powiedział Thomas. – Nie umieraj, walcz. Niech ktoś sprowadzi pomoc!

Nikt się nie ruszył i głęboko w środku Thomas wiedział dlaczego. Nic nie mogło mu już teraz pomóc. To koniec. Oczy Thomasa zaszły czarnymi plamami. Sala przechylała się i kołysała.

Nie, pomyślał. Nie Chuck. Tylko nie on. Każdy, tylko nie Chuck.

– Thomas – wyszeptał Chuck. – Odszukaj... moją mamę. – Z jego płuc wybuchnął przejmujący kaszel, rozpryskując krew dookoła. – Powiedz jej...

Nie dokończył. Zamknął oczy, a jego ciało opadło bezwładnie, wydając z płuc ostatnie tchnienie.

Thomas wpatrywał się w martwego przyjaciela.

Coś się w nim zmieniło. Głęboko w jego piersi zrodziło się ziarno wściekłości. Żądza zemsty. Nienawiść. Coś mrocznego i przerażającego. A następnie eksplodowało, przedzierając się przez płuca, szyję, ramiona i nogi. Przez jego umysł.

Wypuścił ciało przyjaciela, wstał i z drżeniem odwrócił się w stronę przybyszów.

Stracił nad sobą panowanie. Całkowicie i zupełnie stracił nad sobą panowanie.

Ruszył do przodu, rzucił się na Gally'ego, chwytając go palcami, jakby to były szpony. Dopadł do jego gardła, ścisnął je, i upadł na ziemię, leżąc na nim. Usiadł okrakiem na jego piersi, przycisnął go nogami, aby nie mógł uciec, i zaczął go okładać pięściami.

Przytrzymał Gally'ego lewą ręką, napierając na jego szyję, a prawą pięścią okładał jego twarz. Zadawał cios za ciosem. W dół, i w dół, i w dół, uderzał go gołymi, zaciśniętymi pięściami w policzek i nos. Był chrzęst kości, była krew, były potworne wrzaski. Thomas nie wiedział, które były głośniejsze – Gally'ego czy też jego własne. Bił go, uderzał, dając upust każdemu promilowi wściekłości, który pulsował w jego żyłach.

W końcu Minho i Newt odciągnęli Thomasa, choć jego ręce wciąż zadawały ciosy, nawet jeśli trafiały tylko w powietrze. Ciągnęli go po podłodze. Walczył z nimi, wił się i rzucał, wrzeszczał, aby go zostawili w spokoju. Jego oczy były wbite w Gally'ego, który leżał nieruchomo na podłodze. Thomas czuł wylewającą się z niego nienawiść, zupełnie jakby połączyła ich widoczna linia ognistej czerwieni.

I wtedy, tak po prostu, wszystko zniknęło. Pozostały jedynie wspomnienia o Chucku.

Wyrwał się z uścisku Minho i Newta i podbiegł do bezwładnego, martwego ciała przyjaciela. Chwycił go ponownie w ramiona, nie zwracając uwagi na krew, nie zwracając uwagi na zastygłą twarz chłopca.

– Nie! – załkał Thomas, zżerany smutkiem. – Nie!

Teresa położyła dłoń na jego ramieniu. Odrzucił ją.

– Dałem mu słowo! – wrzasnął, zdając sobie sprawę, że w jego głosie było coś dziwnego. Niemal obłęd. – Dałem mu słowo, że go ocalę, że zabiorę go do domu! Dałem mu słowo!

Teresa nie odpowiedziała, jedynie skinęła głową, wbijając wzrok w podłogę.

Thomas przytulił ciało Chucka do piersi, przycisnął je tak mocno, jak tylko mógł, jak gdyby to mogło w jakiś sposób przywrócić mu życie lub pokazać, jak bardzo był mu wdzięczny za ocalenie, za to, że był jego przyjacielem, kiedy nikt inny nie chciał nim być.

Thomas wciąż płakał. Z oczu wylewały mu się łzy. Głęboki, przejmujący szloch rozbrzmiewał po sali, wywołując niemal fizyczny ból.

W końcu schował cały swój smutek głęboko w sercu, usiłując zdusić w sobie bolesny przypływ cierpienia. W Strefie Chuck stał się dla niego symbolem – światłem przewodnim dającym mu nadzieję, że w jakiś sposób uda im się z powrotem wszystko na świecie naprawić. Spać w łóżkach. Dostawać całusa na dobranoc. Jeść bekon i jajka na śniadanie, chodzić do prawdziwej szkoły. Być szczęśliwym.

Ale Chuck już nie żył. Jego bezwładne ciało, które Thomas wciąż kurczowo trzymał przy piersi, wydawało się teraz zimnym talizmanem – złowrogą zapowiedzią, że nie tylko ich marzenia nigdy się nie spełnią, ale także przypomnieniem, że może w ich życiu nigdy nie było nadziei; że nawet pomimo ucieczki czekały ich wyłącznie ponure dni i życie przepełnione smutkiem.

Powracające do niego wspomnienia były bardzo mgliste. A do świata spowitego mgłą światło nie dociera.

Thomas starał się nie dopuszczać do świadomości tego, co teraz czuł. Zrobił to dla Teresy. Dla Newta i Minho. Z czymkolwiek przyjdzie im się zmierzyć, będą razem, i tylko to miało teraz dla niego znaczenie.

Wypuścił ciało Chucka i osunął się do tyłu, usiłując nie patrzeć na jego koszulkę, niemal czarną od krwi. Gdy ocierał łzy z twarzy i policzków, pomyślał, że powinien być zawstydzony swoim nagłym wybuchem słabości, jednak czuł zupełnie inaczej. W końcu podniósł wzrok. Spojrzał na Teresę i w jej ogromne niebieskie oczy przepełnione smutkiem. Był pewien, że tak samo współczuje jemu, jak cierpi z powodu Chucka.

Wyciągnęła rękę, ujęła jego dłoń i pomogła mu wstać. Gdy się wyprostował, nie zwolniła uścisku, a on wcale nie protestował. Ścisnął ją mocniej, starając się jej powiedzieć w ten sposób to, co teraz czuł. Nikt nie odezwał się słowem, większość wpatrywała się w ciało Chucka bez emocji, zupełnie jakby pozbawieni byli uczuć. Nikt nie spojrzał na Gally'ego, który oddychał, choć wciąż leżał nieruchomo.

Kobieta z DRESZCZem na koszuli przerwała ciszę.

– Wszystko dzieje się z jakiegoś powodu – powiedziała. Wszelkie ślady złośliwości zniknęły z jej głosu. – Musisz to zrozumieć.

Thomas popatrzył na nią, usiłując w swoim spojrzeniu przekazać całą wezbraną w nim nienawiść. Nie uczynił jednak żadnego gestu.

Teresa położyła drugą dłoń na jego ręce, chwytając go za ramię.

– *Co teraz?* – zapytała.

– *Nie wiem* – odpowiedział. – *Nie potrafię...*

Jego zdanie zostało przerwane przez serię krzyków i hałas przed wejściem. Do środka weszła kobieta. Była wyraźnie spanikowana, krew odpłynęła z jej twarzy. Odwróciła się w stronę drzwi. Thomas podążył za jej spojrzeniem.

Kilku mężczyzn i kilka kobiet ubranych w usmolone jeansy i całkowicie przemoczone kurtki wtargnęło z uniesioną bronią, wydzierając się i przekrzykując wzajemnie. Nie można było zrozumieć, co takiego mówili. Ich broń – niektórzy mieli karabiny, inni pistolety – wyglądała na archaiczną, przestarzałą. Niemal jak zabawki porzucone kilka lat wcześniej w lesie, przypadkowo odkryte ostatnio przez następne pokolenie dzieciaków, które chciały się pobawić w wojnę.

Thomas przypatrywał się zszokowany, jak dwóch nowo przybyłych powaliło kobietę DRESZCZ na podłogę. Następnie jeden z nich cofnął się i podniósł broń, mierząc do celu.

– *Niemożliwe* – pomyślał Thomas. – *Nie...*

Błyski rozświetliły powietrze, kiedy z broni wyleciało kilka kul, które uderzyły z hukiem w ciało kobiety. Była martwa.

Thomas wykonał kilka kroków w tył, niemal się potykając.

Jakiś mężczyzna podszedł do Streferów, kiedy pozostali członkowie jego grupy ustawili się wokół nich i wymachując bronią na prawo i lewo, zaczęli strzelać w okna obserwacyjne, roztrzaskując je na kawałki. Thomas usłyszał krzyki, zobaczył krew. Odwrócił wzrok i skupił się na mężczyźnie, który do nich podszedł. Miał ciemne włosy, młodą twarz, aczkolwiek pokrytą zmarszczkami wokół oczu, zupełnie jakby każdy dzień swojego życia spędził, zamartwiając się tym, jak przetrwać do dnia następnego.

– Nie mamy czasu na wyjaśnienia – powiedział mężczyzna głosem pełnym napięcia. – Po prostu podążajcie za mną i biegnijcie tak szybko, jak gdyby od tego zależało wasze życie. Bo tak jest.

Powiedziawszy to, mężczyzna skinął kilka razy w stronę swoich kompanów, po czym odwrócił się i wybiegł przez wielkie szklane drzwi, trzymając broń sztywno przed sobą. Wystrzały i krzyki agonii wciąż odbijały się echem od ścian komory, jednak Thomas robił, co mógł, aby nie zwracać na nie uwagi i skupić się na wykonaniu polecenia.

– Jazda! – krzyknął jeden z wybawców. Tylko w ten sposób Thomas mógł o nich myśleć.

Po krótkim wahaniu Streferzy wykonali polecenie, niemal wpadając na siebie nawzajem w pośpiechu, aby czym prędzej opuścić komorę, uciec od Bóldożerców i Labiryntu tak daleko, jak tylko to było możliwe. Thomas, nadal trzymając

Teresę za rękę, pobiegł z nimi, dołączając do grupy. Nie mieli innego wyjścia – musieli zostawić ciało Chucka.

Thomas czuł pustkę, był całkowicie otępiały. Przebiegł wzdłuż długiego korytarza do słabo oświetlonego tunelu, potem krętymi schodami na górę. Wszędzie panowała ciemność i zewsząd dochodził zapach elektroniki. Biegnąc, zobaczył następny korytarz, potem kolejne schody i znów korytarz. Pragnął odczuwać ból po stracie Chucka, entuzjazm z powodu ich ucieczki, radość, że Teresa była razem z nim. Jednak widział zbyt wiele i teraz nie pozostało w nim nic, jedynie emocjonalna pustka. Nie zatrzymywał się.

Niektórzy z mężczyzn i kobiet biegli na przedzie i prowadzili ich, inni, z tyłu, pokrzykiwali, zmuszając do mobilizacji i szybszego biegu.

Dotarli do kolejnej pary szklanych drzwi. Przebiegli przez nie, wprost w potężną ulewę, która runęła na nich z czarnego nieba. Nie było widać nic oprócz przyćmionego światła, które gasło we wciąż napierających strumieniach wody.

Przywódca mężczyzn nie zatrzymał się, dopóki nie dobiegli do wielkiego autobusu, którego boki były wgniecione i porysowane, a większość szyb popękana. Deszcz zalewał wszystko, sprawiając, że pojazd wydał się Thomasowi olbrzymią bestią, która wyłaniała się z głębi oceanu.

– Do środka! – zawołał mężczyzna. – Szybko!

Posłuchali, formując zwartą grupę przed drzwiami, gdy wsiadali, jedno po drugim. Streferzy przepychali się i szamotali, pokonując trzy stopnie w górę i zajmując miejsca.

Thomas stał na końcu, Teresa tuż przed nim. Spojrzał w niebo, poczuł uderzenie kropli na twarzy – były ciepłe, niemal gorące i miały dziwną gęstość. Co dziwne, wywołały w nim niepokój, sprawiły, że zaczął ponownie zwracać uwagę na otoczenie. Może to z powodu intensywności ulewy.

Skoncentrował się na autobusie, na Teresie i na ucieczce.

Byli niemal przy drzwiach, kiedy niespodziewanie czyjaś ręka uderzyła go w ramię, chwytając go za koszulę. Thomas krzyknął, gdy ktoś szarpnął go w tył, wyrywając go z uścisku Teresy, która odwróciła się w momencie, gdy Thomas uderzył o ziemię, rozpryskując wokół mgiełkę drobnych kropel. Ostry ból przeszył jego kark, a po chwili zobaczył kobiecą głowę pochylającą się tuż nad nim, i zasłaniającą mu Teresę.

Jej tłuste włosy dotykały jego głowy. W ciemności nie widział jej twarzy. Do jego nosa doszedł okropny zapach przypominający odór zgniłych jaj i skwaśniałego mleka. Kobieta cofnęła się przed światłem czyjejś latarki na tyle, aby ujawnić swoje rysy. Jej blada, pomarszczona skóra była pokryta obrzydliwymi ranami, z których wydzielała się ropa. Ogarnęło go śmiertelne, paraliżujące przerażenie.

– Ocalisz nas wszystkich! – zawołała szkaradna kobieta, a ślina wylatywała z jej ust na wszystkie strony, obryzgując Thomasa. – Ocalisz nas przed Pożogą! – Roześmiała się, a jej śmiech przypominał suchy kaszel.

Kobieta zajęczała, kiedy jeden z wybawców chwycił ją oburącz i szarpnął, odciągając od Thomasa, który doszedł już do siebie i zerwał się na nogi.

Wrócił do Teresy, obserwując, jak mężczyzna odciąga kobietę, która bezsilnie wierzgała nogami i cały czas wbijała wzrok w Thomasa. Wskazała na niego, wołając:

– Nie wierz w ani jedno ich słowo! Ocalisz nas przed Pożogą!

Kiedy mężczyzna znajdował się już kilka metrów od autobusu, rzucił kobietę na ziemię.

– Leż albo odstrzelę ci łeb! – krzyknął do niej. Następnie odwrócił się w stronę Thomasa. – Do autobusu!

Thomas, trzęsąc się ze strachu, odwrócił się i podążył za Teresą po schodach, a następnie wbiegł do środka pojazdu.

Wybałuszone pary oczu obserwowały go, kiedy szli na tył auta. Usiedli i przytulili się do siebie. Czarna woda spływała po zewnętrznej stronie szyb. Deszcz bębnił ciężko o dach. Niebo nad nimi rozdarł grzmot.

– *Co to było?* – zapytała Teresa w myślach.

Thomas nie potrafił odpowiedzieć, jedynie pokręcił głową. Myśli o Chucku ponownie zalały jego umysł, zamazując wciąż świeże wspomnienie szalonej kobiety. Ona go nie obchodziła, tak samo jak nie odczuwał żadnej ulgi z powodu ucieczki z Labiryntu.

Chuck...

Kobieta, jedna z wybawicieli, usiadła naprzeciw Thomasa i Teresy. Przywódca grupy, który przemawiał do nich wcześniej, wsiadł do autobusu, usiadł za kierownicą i uruchomił silnik za pomocą korby. Autobus zaczął się toczyć do przodu.

Gdy tylko ruszyli, Thomas dostrzegł za oknem jakiś ruch. Naznaczona ranami kobieta podniosła się i pobiegła w stronę przedniej części autobusu, wymachując gwałtownie rękoma, krzycząc coś niezrozumiałego, zagłuszonego dźwiękami burzy. Jej oczy przepełniał obłęd lub przerażenie – Thomas nie potrafił dokładnie stwierdzić.

Nachylił się do okna w chwili, kiedy postać kobiety rozpłynęła się w strugach deszczu.

– Stać! – wrzasnął Thomas, jednak nikt go nie usłyszał. A nawet jeśli tak, to nikt się nie przejął.

Kierowca dodał gazu – szarpnęło autobusem, gdy uderzyli w ciało kobiety. Niemal wyrzuciło go z siedzenia, kiedy przednie koła przetoczyły się po niej, a chwilę później usłyszeli dudnienie tylnych kół. Thomas spojrzał na Teresę, której wyrażająca odrazę twarz zdawała się odzwierciedlać jego uczucia.

Bez słowa, kierowca docisnął stopą pedał gazu i autobus ruszył do przodu, w smaganą deszczem noc.

61

Następna godzina była dla Thomasa niewyraźną plamą świateł i dźwięków.

Kierowca pędził z niebezpieczną prędkością przez miasteczka i miasta, rzęsisty deszcz przesłaniał większość widoków. Światła i budynki były wypaczone i rozmyte, niczym twór z narkotycznych halucynacji. W jednym miejscu ludzie pędzili za autobusem, ich ubrania i włosy były potargane, a ich przerażone twarze oszpecone dziwnymi ranami, takimi jak te, które Thomas widział wcześniej u szalonej kobiety. Uderzali pięściami o boki autobusu, jak gdyby chcieli wejść do środka, jak gdyby chcieli uciec od swojego okropnego żywota.

Autobus nigdy nie zwalniał. Teresa przez cały czas siedziała w milczeniu obok Thomasa.

W końcu zebrał w sobie wystarczająco wiele odwagi, aby odezwać się do kobiety siedzącej naprzeciwko.

– O co tu chodzi? – zapytał, nie wiedząc, jak to wyrazić.

Kobieta spojrzała na niego. Jej czarne, mokre włosy kleiły się do twarzy. Jej ciemne oczy przepełnione były smutkiem.

– To długa historia. – Jej głos był o wiele milszy, niż Thomas się spodziewał. Napawał go nadzieją, że naprawdę była przyjazna, że wszyscy ich wybawcy tacy byli. Pomimo że rozjechali człowieka z zimną krwią.

– Proszę – powiedziała Teresa. – Proszę nam coś powiedzieć.

Kobieta spoglądała to na Teresę, to na Thomasa, po czym westchnęła.

– Upłynie trochę czasu, zanim odzyskacie swoją pamięć, o ile w ogóle ją odzyskacie. Nie jesteśmy naukowcami, nie mamy pojęcia co ani jak wam robili.

Serce zadrżało Thomasowi na myśl, że może już nigdy nie odzyskać swoich wspomnień, jednak chciał wiedzieć.

– Kim oni są?

– Zaczęło się od rozbłysków słonecznych – powiedziała kobieta, jej wzrok stawał się nieobecny.

– Co to... – zaczęła pytać Teresa, jednak Thomas ją uciszył.

– *Pozwól jej mówić* – powiedział do niej w myślach. – *Wygląda na to, że chce.*

– *Dobrze.*

Kobieta sprawiała wrażenie jakby była w transie, nie odrywała spojrzenia od niewyraźnego punktu w oddali.

– Nie można było tego przewidzieć. Rozbłyski są czymś normalnym, jednak te były niespotykane, potężne, coraz większe – i kiedy w końcu je zauważono, po kilku minutach ich ciepło uderzyło już w Ziemię. Najpierw spłonęły nasze satelity i tysiące ludzi zginęło na miejscu, miliony w przeciągu kilku następnych dni, a obszar niezliczonych kilometrów zmienił się w pustkowie. Następnie pojawiła się choroba.

Zawahała się, wzięła głęboki oddech.

– Jako że ekosystem został zniszczony, nie można było nad nią zapanować – nie udało się jej nawet zatrzymać w Ameryce Południowej. Dżungle przestały istnieć, jednak insekty przeżyły. Ludzie nazywają to teraz Pożogą. To coś naprawdę, naprawdę przerażającego. Tylko najbogatszych można leczyć, jednak nikogo nie można uzdrowić. Chyba że pogłoski z And okażą się prawdziwe.

Thomas o mało jej nie przerwał – dziesiątki pytań kłębiły się w jego głowie. Przerażenie zżerało jego serce. Siedział i słuchał, a kobieta kontynuowała.

– A co się tyczy was, was wszystkich, to jesteście garstką z milionów sierot. Sprawdzali tysiące i wybrali właśnie was do wielkiego, największego testu. Wszystko, przez co przeszliście, zostało staranie zaplanowane i zorganizowane. Jako katalizator, aby zbadać wasze reakcje, wasze fale mózgowe, wasze myśli. Wszystko po to, aby znaleźć tych, którzy mogliby nam pomóc znaleźć sposób na pokonanie Pożogi.

Ponownie przerwała, pociągając za kosmyk włosów za uchem.

– Większość z fizycznych efektów wywołało coś zupełnie innego. Najpierw zaczęły się urojenia, później zwierzęce instynkty zaczęły wypierać te ludzkie. W końcu pożarły je, niszcząc resztkę człowieczeństwa. To wszystko dzieje się w mózgu. Pożoga *żyje* w mózgu zainfekowanych. To coś przerażającego. Lepiej umrzeć, niż się zarazić.

Kobieta przestała wpatrywać się w nicość i skupiła wzrok na Thomasie, następnie spojrzała na Teresę, po czym ponownie na Thomasa.

– Nie pozwolimy, aby robili to dzieciom. Przysięgliśmy na własne życie, że będziemy walczyć z DRESZCZem. Nie możemy utracić naszego człowieczeństwa, bez względu na to, jak się to skończy.

Złożyła ręce na kolanach i spojrzała na nie.

– Z czasem dowiecie się więcej. Żyjemy na dalekiej północy. Od And dzielą nas tysiące kilometrów. Mówią na to Pogorzelisko. To miejsce znajduje się wokół czegoś, co ludzie nazywali kiedyś Równikiem, teraz jest tam jedynie skwar i piach, na którym roi się od dzikich istot, trawionych przez Pożogę, którym nie można już pomóc. Staramy się przekroczyć tę ziemię, staramy się znaleźć lek. Jednak do tego czasu, będziemy walczyć z DRESZCZem i powstrzymywać wszelkie eksperymenty i testy. – Spojrzała uważnie na Thomasa, następnie na Teresę. – Mamy nadzieję, że się do nas przyłączycie.

Następnie odwróciła wzrok, spoglądając za okno.

Thomas popatrzył na Teresę, unosząc brwi pytająco. Pokręciła po prostu głową, a następnie oparła ją na jego ramieniu i zamknęła oczy.

– *Jestem zbyt zmęczona, aby teraz o tym myśleć* – powiedziała.

– *Chcę, abyśmy byli bezpieczni.*

– *Może jesteśmy* – odpowiedział. – *Może.*

Usłyszał, jak Teresa zasypia, jednak wiedział, że jemu nie będzie to dane. Poczuł targającą nim burzę sprzecznych emocji, jednak nie potrafił rozpoznać żadnej z nich. Ale i tak było to lepsze od pustki, którą odczuwał wcześniej. Siedział, wpatrując się w strugi deszczu i wszechogarniającą ciemność za oknem, a słowa *Pożoga, Choroba, Eksperyment, Pogorzelisko* oraz *DRESZCZ* krążyły nieustannie po jego głowie. Mógł mieć jedynie nadzieję, że teraz wszystko będzie o wiele lepiej, niż kiedy byli w Labiryncie.

Trzęsąc się i kołysząc w rytm jadącego autobusu, czuł uderzającą o jego ramię głowę Teresy. Gdy wjechali na wybój na drodze, poruszyła się lekko, po czym ponownie zapadła w sen. Słyszał też szepty rozmów pozostałych pasażerów, jednak wciąż powracał tylko do jednej myśli.

O Chucku.

Dwie godziny później autobus się zatrzymał.

Zaparkowali na zabłoconym parkingu przed jakimś budynkiem z kilkoma rzędami okien. Kobieta i pozostali wybawcy wprowadzili dziewiętnastu chłopców i jedną dziewczynę przez frontowe drzwi, na piętro, a następnie do olbrzymiej sypialni, w której znajdowała się seria piętrowych łóżek ustawionych wzdłuż jednej ze ścian. Po drugiej stronie stały stoliki i komody. Okna z zasłonami zdobiły każdą ze ścian.

Thomas przyjął to wszystko z chłodnym zdumieniem. Czuł, że po tym, co przeżył, już nic nie będzie w stanie go zaskoczyć.

Pokój był pełen barw. Jasnożółta farba, czerwone koce, zielone zasłony. Po przytłaczającej szarości Strefy poczuł się, jakby przeniesiono ich wprost na drugą stronę tęczy. Widząc to wszystko, widząc czyste i przygotowane dla nich łóżka, doświadczył niemal przytłaczającego uczucia normalności. To było zbyt piękne, aby mogło być prawdziwe. Minho podsumował to najdokładniej, wkraczając do ich nowego świata:

– O purwa, umarłem i dostałem się do nieba.

Thomas nie potrafił się cieszyć, zupełnie jakby w ten sposób mógłby zdradzić Chucka. Coś jednak poczuł. Iskierkę.

Ich kierowca-wybawca pozostawił ich w rękach niewielkiej grupy personelu – dziewięciu lub dziesięciu mężczyzn i kobiet, którzy ubrani byli w czarne spodnie na kant, białe koszule, mieli nienagannie ułożone włosy, a ich dłonie i twarze były zadbane. Uśmiechali się.

Kolory. Łóżka. Personel. Thomas poczuł, jak niewyobrażalna radość próbuje wydostać się z jego ciała. Choć gdzieś wewnątrz niej czaiła się olbrzymia dziura. Mroczna otchłań depresji, która może już nigdy nie ustąpić – wspomnienia o Chucku i o jego brutalnym zabójstwie. O jego poświęceniu. Jednak pomimo wszystkich tych rzeczy, o których powiedziała im kobieta w autobusie, o świecie, do którego powrócili, Thomas, po raz pierwszy, odkąd wyszedł z Pudła, poczuł się naprawdę bezpieczny.

Przydzielono im łóżka. Ubrania i przybory toaletowe zostały im rozdane, a kolację podano do stołu. To była pizza. Prawdziwa, autentyczna, z ciągnącym się serem. Thomas pożerał ze smakiem każdy najmniejszy kawałek Głód zdominował wszystkie inne emocje, i uczucie zadowolenia i ulgi emanowało z jego twarzy.

Większość chłopców nie odzywała się ani słowem, być może obawiając się, że jeżeli to zrobią, wszystko wokół zniknie. Jednak na wielu twarzach gościł szeroki uśmiech. Thomas tak bardzo przywykł do obrazu rozpaczy, że widok uśmiechniętych twarzy niemal go zaniepokoił. Zwłaszcza że z trudem przychodziło mu zaakceptowanie radości, którą sam odczuwał.

Wkrótce po posiłku nikt ze Streferów nie protestował, kiedy kazano im położyć się do łóżek.

A już z całą pewnością nie był to Thomas. Był tak zmęczony, że mógłby nie wychodzić z łóżka przez następny miesiąc.

Thomas dzielił łóżko z Minho, który upierał się, aby zająć górną pryczę. Newt i Patelniak byli tuż obok nich. Personel umieścił Teresę w osobnym pokoju, odprowadzając ją, zanim zdążyła się pożegnać. Thomas tęsknił za nią rozpaczliwie już w trzy sekundy po jej odejściu.

Kiedy układał się do snu na wygodnym materacu, przerwał mu głos z góry.

– Hej, Thomas – odezwał się Minho tuż nad nim.

– Tak? – Był tak zmęczony, że ledwo wykrztusił z siebie słowa.

– Jak myślisz, co się stało ze Streferami, którzy zostali?

Thomas nie zastanawiał się nad tym wcześniej. Jego umysł zaprzątały myśli o Chucku, a teraz i o Teresie. – Nie wiem, ale biorąc pod uwagę, ilu z nas zginęło, aby tu dotrzeć, to nie chciałbym być teraz na ich miejscu. W całej Strefie roi się pewnie teraz od Bóldożerców. – Nie mógł uwierzyć w to, jak nonszalancko zabrzmiał jego głos, gdy wypowiadał te słowa.

– Myślisz, że możemy czuć się tu bezpieczni? – zapytał Minho.

Thomas zastanawiał się przez chwilę nad tym pytaniem. Była tylko jedna odpowiedź, której mógł się uczepić.

– Tak, myślę, że jesteśmy tu bezpieczni.

Minho powiedział coś jeszcze, jednak Thomas już go nie słuchał. Wyczerpanie niemal go pożerało. Jego umysł powrócił do wspomnień o krótkim pobycie w Labiryncie, do dnia, kiedy został Zwiadowcą. Myślał, jak bardzo tego pragnął, odkąd tylko się tam pojawił. Wydawało mu się, jakby to wszystko działo się przed stu laty. Jakby to był tylko sen.

Szmery rozmów niosły się po pokoju, jednak Thomas miał wrażenie, że pochodzą z innego świata. Wpatrywał się w deski łóżka nad nim, czując, jak ogarnia go nadciągający sen. Chciał jednak jeszcze porozmawiać z Teresą.

– *I jak twój pokój?* – zapytał ją. – *Szkoda, że cię tu nie ma.*

– *Ach tak?* – odpowiedziała. – *Wśród tych wszystkich smrodasów wokół? Nie, dziękuję.*

– *Chyba masz rację. W ciągu ostatniej minuty Minho puścił bąka już ze trzy razy.* – Thomas wiedział, że to był kiepski dowcip, ale na więcej nie miał już sił.

Wyczuł, że się zaśmiała, i żałował, że nie mógł zrobić tego samego. Nastała długa cisza.

– *Naprawdę bardzo mi przykro z powodu Chucka* – powiedziała w końcu.

Thomas poczuł ostre ukłucie i zamknął oczy, zatapiając się głębiej w rozpaczy nocy.

– *Potrafił być irytujący* – powiedział. Zawahał się, przywołując wspomnienie o nocy, kiedy Chuck przestraszył Gally'ego w łazience. – *Ale to boli. Czuję, jakbym stracił brata.*

– *Wiem.*

– *Obiecałem mu...*

– *Przestań, Tom.*

– *Słucham?* – chciał, aby Teresa sprawiła, by poczuł się lepiej, by ten ból w magiczny sposób zniknął.

– *Przestań mówić o obietnicy. Połowa z nas je złożyła. Wszyscy bylibyśmy już martwi, jeżeli zostalibyśmy w Labiryncie.*

– *Ale Chuckowi się nie udało* – odpowiedział Thomas. Zżerało go poczucie winy, ponieważ wiedział, że w jednej chwili wymieniłby go za któregokolwiek ze Streferów w tym pokoju.

– *Oddał życie, aby cię ocalić* – powiedziała Teresa. – *Sam dokonał wyboru. Nie pozwól, aby to poszło na marne.*

Poczuł, jak łzy napływają mu do oczu; jedna z nich uciekła i spłynęła po jego prawej skroni, zatapiając się we włosach. Upłynęła pełna minuta, w trakcie której żadne z nich nie odezwało się ani słowem. Następnie Thomas powiedział:

– *Teresa?*

– *Tak?*

Bał się ujawnić swoje myśli, jednak to zrobił.

– *Chcę sobie ciebie przypomnieć. Przypomnieć sobie o nas. Wiesz, jak to było kiedyś.*

– *Ja też.*

– *Wygląda na to, że my...* – nie wiedział, jak miał to powiedzieć.

– *Wiem.*

– *Zastanawiam się, co przyniesie jutro.*

– *Dowiemy się za kilka godzin.*

– No tak. No to... dobranoc. – Chciał powiedzieć więcej, o wiele więcej. Jednak słowa ugrzęzły w jego myślach.

– *Dobranoc* – odpowiedziała mu w chwili, gdy zgaszono światła.

Thomas przewrócił się na bok, zadowolony, że w ciemności nikt nie mógł zobaczyć wyrazu jego twarzy.

To nie był do końca uśmiech czy wyraz zadowolenia. Ale prawie tak.

Teraz jednak, *prawie* mu w zupełności wystarczało.

EPILOG

DRESZCZ Memorandum, Data 232.1.27, Godzina 22:45

DO: Moich wspólników

OD: Ava Paige, Kanclerz

TEMAT: RE: SPOSTRZEŻENIA ODNOŚNIE PRÓB LABIRYNTU, Grupa A

Niezależnie od przyjętych kryteriów, myślę, że wszyscy możemy się zgodzić co do tego, że Próby okazały się sukcesem. Dwudziestu ocalałych, wszyscy dobrze wyszkoleni do naszego planowanego przedsięwzięcia. Wyniki testów były zadowalające i zachęcające. Zabójstwo chłopca i „ratunek" okazały się cennym zakończeniem. Musieliśmy wstrząsnąć ich systemem, zobaczyć, jak zareagują. Szczerze powiedziawszy, to jestem zdumiona, że pomimo wszelkich przeciwności, udało nam się zebrać tak dużą grupę dzieciaków, które nigdy się nie poddają.

Co dziwne, najtrudniejszym momentem ich obserwacji była chwila, kiedy utwierdzili się w przekonaniu, że jest już po wszystkim, że są bezpieczni. Nie ma jednak czasu na żal. Dla dobra naszych ludzi, musimy iść dalej.

Mam swoje własne przemyślenia odnośnie tego, kto powinien zostać wybrany na przywódcę, jednak powstrzymam się w tym momencie od wypowiedzi, aby nie wpływać na wasze decyzje. Dla mnie jednak wybór jest oczywisty.

Wszyscy zdajemy sobie sprawę z powagi sytuacji. Jeżeli o mnie chodzi, to jestem dobrej myśli. Pamiętacie, co dziewczyna zapisała na ramieniu, zanim utraciła pamięć? Jaka była jedyna myśl, której postanowiła się uczepić? *DRESZCZ jest dobry.*

Obiekty w końcu odzyskają pamięć i zrozumieją powód, dla którego poddaliśmy ich tym wszystkim trudnym wyzwaniom. Misją DRESZCZu jest służba i ocalenie ludzkości za wszelką cenę. Naprawdę jesteśmy „dobrzy".

Proszę, przedstawcie własne spostrzeżenia. Obiekty dostaną jedną noc odpoczynku przed wdrożeniem Etapu Drugiego. Póki co, bądźmy dobrej myśli.

Wyniki prób Grupy B były również niezwykle interesujące. Potrzebuję czasu, aby przetworzyć dane, jednak możemy do tego powrócić rano.

Zatem do jutra.

KONIEC KSIĘGI PIERWSZEJ